U0108140

OUTLANDER

異鄉人2

琥珀蜻蜓 下

Dragonfly in Amber

黛安娜・蓋伯頓 著
Diana Gabaldon

徐嘉妍 譯

琥珀蜻蜓（下）

目次

第三十章

重返拉利堡

他站著不發一語，動也不動，
但我看到他抖擻肩膀，挺起胸膛。
風吹起他的頭髮，吹開蘇格蘭披肩的皺褶，
他彷彿就像一只快樂的風箏，在空中飛揚。

圖瓦拉赫堡是一座圓柱形的古代石堡，建於數百年前，聳立在莊園後的山坡，莊園裡的人稱為「拉利堡」，據我所知，意思是「懶惰的石堡」。我不明白這個稱呼的由來，就像我也不能理解，為什麼這座圓形石堡又叫做「面北之塔」。

「圓形的塔要怎麼面北？它又沒有塔面。」我問。我們正緩緩走下一道布滿石南和花崗岩的長斜坡，領著一列馬匹，腳下的羊腸小徑是紅鹿在鬆軟的土地上踏出來的。

「堡上有門，門面向北方。」傑米理所當然地說道。山坡很陡，傑米走的時候腳步踏得很深，還一邊發出嘶聲，以帶領後方的馬群。我前方的馬兒結實的後腿肌肉突然繃緊，腳步也從原本小心跨步改成試探性的小碎步，每一步都在濕地上滑出幾寸，才小心翼翼邁出另一步。這批馬購於茵凡涅斯鎮，身形高大駿逸，或許結實的高地小馬更適合在陡坡上工作，不過這批母馬是用來繁殖而非工作的。

「好吧，說得過去。那拉利堡呢？為什麼叫懶惰的石堡？」我一邊小心踏過橫越小徑的涓涓細流，一邊問道。

「堡有點傾斜。從我們住的地方看不太清楚，不過如果站在西邊，就會發現塔堡有點傾向北方。如果從堡的頂層站在門上方透過牆上隙縫往下看，會看不到下方的牆壁，因為堡是斜的。」傑米答道。他這時正低頭專心探索安全的落腳之處，我看著他的後腦勺，午後吹上山坡的微風捲起他幾縷紅銅色的鬈髮，在帽頂飛揚。

「我想十三世紀時應該沒有人知道鉛垂線是什麼吧！堡到現在都沒倒，真了不起。」我說。

「噢，它倒了幾次，那裡的人又把堡推回去，或許就是這樣才有點斜。」因為風勢增強，傑米回答時稍微提高了音量。

「看到了！看到了！」背後傳來佛戈斯興奮的尖叫聲。佛戈斯體重輕，所以可以騎在馬背上，馬載著他走不難，稍微難站穩而已。

我回頭看見佛戈斯跪在馬鞍上，興奮地動個不停。他身下的栗色母馬算是溫順又有耐性，雖然嘴裡不斷咕噥著發牢騷，卻還是耐著性子沒把佛戈斯掀到滿地石南叢裡。自從佛戈斯在法國的阿戎坦騎過佩爾什小雄馬，就不放過每個可以爬上馬背的機會。傑米半是好笑、半是出於同為愛馬人的理解，也就縱容他，騎過巴黎街道時讓他坐在自己背後，也任他不時爬上賈爾德的拉車馬。拉車馬體型魁梧，而且就算佛戈斯又踢又叫，牠們也只是茫然地掀掀耳朵。

我抬手遮陽，往佛戈斯指的方向看去。他說得沒錯，從馬背上較高處望去，會先看到坐落在山丘上的深色古代石堡。樣式較新穎的莊園建築在下方，搭建用的石塊塗了白色粗灰泥，在周遭田野一樣反射著陽光的背景下，比較不容易看見。莊園建在大麥田斜坡上的一處空地，田邊種了一排防風樹，更稍微擋住了我們從這望去的視線。

我看到傑米抬起頭，定定望著拉利堡家園下方的農田。他站著不發一語，動也不動，但我看到他抖擻肩膀，挺起胸膛。風吹起他的頭髮，吹開蘇格蘭披肩的皺褶，他彷彿就像一只快樂的風箏，在空中飛揚。

此情此景，讓我想起當時船隻鼓起風帆，駛過岬角，離開勒阿弗赫港開往航道的情景。我站在碼頭尾端，看著人潮喧鬧及航運貿易的往來。高聲鳴叫的海鷗在桅杆間俯衝，聲音響亮刺耳一如水手的吶喊。

當時賈爾德站在我身邊，心平氣靜地看著海洋承載的財富來來往往。其中有些財富是屬於他的，那艘名叫「柏夏」的船便是要載我們去蘇格蘭。傑米說過，賈爾德所有的船都是以他的情婦命名，船頭飾像也是照著情婦的樣貌雕刻。我瞇著眼迎風瞧著船首，想確定傑米是否在開玩笑。如果傑米所言不假，那我想賈爾德應該是偏好豐滿的女人。

「我會想念你們的。」賈爾德說道。這是他半小時內說的第四次了，他看起來真的很不捨，連原本逗趣的鼻子現在看起來也沒平常那麼又翹又樂觀了。由於他的德國之行十分順利，他在騎馬裝的領巾上別了一顆大鑽石，外搭著華貴的深綠色天鵝絨大衣，衣上還縫上銀鈕釦。

賈爾德搖搖頭說：「唉！好了，雖然我想將美麗的女士留在身邊，但我實在不能剝奪他重返故鄉的喜悅。或許改天我會去拜訪你們，我好久沒有去蘇格蘭了。」

「我們也會想念你的。」我真誠地說。我也會想念其他人，像是露易絲、希德嘉修女、葛斯曼先生，但最捨不得的還是雷蒙大師。我也等不及要回到蘇格蘭，回到拉利堡。至於巴黎，我一點也不懷念，也完全不想再碰到某些人，像是法國的路易國王。

我也不想再看到查理王子。小心探查過巴黎的詹姆斯黨人後，證實了傑米一開始的猜想。因為查理王子吹噓他的「大冒險」而燃起的一絲希望，最終也消逝了，儘管有些人忠誠地擁戴詹姆斯國王，頑固地堅信寶座屬於詹姆斯國王，但他們也找不到什麼機會行動。

我想，就讓查理王子安於流放的生活吧！我們的任務也結束，要回家了。

冷冰冰的蘇格蘭口音這時在我耳邊響起：「行李全都上船了，船長也請你們準備動身，我們要趁著潮汐出航。」

賈爾德轉身看著穆塔夫，然後朝碼頭後方左右看了看。「那個小夥子在哪裡？」他問道。

穆塔夫抬頭朝碼頭後方示意道：「在小酒館，醉翻了。」

我之前很好奇傑米打算如何安然渡過英吉利海峽。黎明時他看了一眼雲彩低垂漫天通紅的天空，明白航行途中可能有暴風雨，便起身去找賈爾德，之後就不見人影了。我沿著穆塔夫所指的方向看去，看到佛戈斯坐在酒館門外的木樁上，顯然是在站崗。

剛開始賈爾德難以置信，後來知道他姪子會暈船，便咧嘴笑了。

他說：「這樣啊？希望我們去叫他上船的時候，他還沒醉倒，不然要把他抬過舷梯就頭痛了。」

「他為什麼跑去喝酒？」我問穆塔夫，語氣有點惱怒。

「我跟他說過我有鴉片酊，這樣要昏過去快多了。」我一邊拍著絲絨提袋告訴穆塔夫。

穆塔夫只眨了一下眼睛說：「得了，他說就算會宿醉頭痛，他也寧可頭痛。而且，威士忌喝起來可比妳那黑黑的怪東西好多了。」他用下巴朝我的提袋一指，然後才轉身朝賈爾德說：「想一起把他搬上船的話就來吧！」

在柏夏號的前艙，我坐在船長的鋪位上看著海岸線穩定的起伏、逐漸退後，而傑米的頭就枕在我膝上。他一隻眼睛睜開一條縫，往上看著我。我把他汗濕的紅髮從眉頭上撥開。麥酒和威士忌的香氣在他身上繚繞不去。

「你在蘇格蘭醒來的時候會痛不欲生的。」我和他說。

他睜開另一隻眼睛，先是打量著在木製天花板上舞動的波光，接著雙眼注視著我，我彷彿看進一潭清澈的藍色深水。

「英國姑娘，現在的地獄和以後的地獄讓我選，我會選以後的地獄，絕無例外。」他一字字清楚說完，便閉上了雙眼，輕輕打了個嗝。修長的身軀放鬆了下來，隨著海水擺盪自然搖晃。

—

馬兒也等不及，牠們似乎感覺到馬廄和食物就在不遠處，稍微加快了步伐，抬起頭、豎起耳朵期待著。我騎在前面，一邊想著終於得以梳洗、享用熱食，馬兒的馬蹄突然一滑，急煞停步，揚起的紅色塵土直埋到馬蹄上方的球節❶。馬兒猛甩頭，鼻子大力噴著氣。

「姑娘，怎麼了？蜜蜂飛到鼻子上嗎？」傑米趕緊翻身下馬抓住灰色母馬的韁繩。我感覺到身下的馬背傳來陣陣抽搐，於是也下了馬。

「她怎麼了？」我好奇地凝視這匹母馬。牠不顧傑米抓著韁繩，甩著鬃毛頻頻後退，兩眼圓睜。其他的馬彷彿感染到她的不安，也跺蹄騷動起來。

米朝後方空蕩蕩的路上快速一瞥。「她看到東西了。」

佛戈斯從他的短馬蹬上立起身，舉手遮著陽光，朝母馬後方看去。他放下手，看著我聳了聳肩，我也朝他聳聳肩。我看不出有什麼東西讓母馬這麼恐懼。四周路上與田野一片空盪盪，成熟的麥穗沐浴在暮夏的陽光裡，最近的小樹林離我們也有百碼之遙。中間有座小石堆，或許是倒塌的煙囪遺跡。這片土地上幾乎沒有狼群出沒，即使有狐狸或貛，從這麼遠的距離也不會嚇到馬。

傑米放棄哄馬兒前進，於是領著她繞了個半圓。她順從地跟著，回頭往來路走去。

傑米打手勢讓穆塔夫領其他馬離開後，便爬上馬鞍，身體前傾，一隻手抓住母馬的鬃毛，讓她慢慢往前走，同時在馬耳邊輕聲細語。母馬腳步有點遲疑，但並不抗拒，一直走到先前停下來的地方，便拒絕再舉步。接著牠發起抖來，說什麼也不肯再往前走。

「好吧，隨妳了。」傑米嘆口氣說。他調轉馬頭，讓母馬往田野方向去，澄黃的麥穗刷過馬肚蓬亂的毛髮。我們走在馬後方趕牠們穿過田野，馬群不時停下來嚼一口田裡的大麥。

剛過丘頂，繞過地上突起的花崗岩層，我聽到前面不遠傳來一聲短促的吠叫聲。走到馬路上後，一隻黑白牧羊犬抬著頭、尾巴翹起，一臉提防地盯著我們。

狗又吠了一聲，另一隻黑白花紋的狗叫著衝出赤楊樹叢，後邊跟著一個緩步走來的高瘦人影，身上穿著棕色的狩獵用蘇格蘭披肩。

「傑米！」

「伊恩！」

傑米把母馬韁繩扔給我，去迎接他的姊夫，兩人在馬路上開心得又是摟肩又是拍背。牧羊犬卸除了警戒心，圍著兩人嘻鬧起來，搖著尾巴在一旁跑來跑去。

「我們以為你們最快明天才到呢！」伊恩瘦長純樸的臉滿是笑容說道。

「我們遇上強風。克萊兒說的，我自己是不知道啦！」傑米解釋完，回頭笑著看我一眼，伊恩便上前握住我的手。

「好久不見，克萊兒。」伊恩鄭重地向我致意，柔和的棕眼閃爍溫暖的笑意。他輕吻了我的手指，我則緊緊握了他的手回應。

伊恩微笑對我說道：「傑妮忙著打掃煮飯呢！為了讓你們今晚有舒適的床，她把所有床墊都搬出來曬太陽了。」

「石南叢裡睡過三個晚上之後，只要能躺在地板上我就心滿意足了。傑妮和孩子都好嗎？」我問道。

「好！他們都好。傑妮又懷孕了，寶寶會在二月出生。」他說。

「又有了？」傑米和我異口同聲說，惹得伊恩瘦削的臉頰一片紅暈。

「老天，瑪格還不滿一歲啊！你不會節制一下嗎？」傑米揚起一邊眉毛消遣道。

「我？你覺得是我該負責嗎？」伊恩不滿地說。

---

❶球節：有蹄動物的腿下部、蹄上方的圓鼓關節處。

「如果不是你該負責，那是誰該負責？」傑米嘴角竊笑道。

伊恩臉更紅了，襯托出他光滑的棕髮。他說：「你明明知道我的意思。我和小傑米一起睡在矮床上兩個月了，可是傑妮她……」

「你意思是我姊姊很飢渴？」

「我是說，如果傑妮想要什麼，她就像她弟弟一樣，不達目的決不罷休。」伊恩一邊說，一邊聲東擊西，靈巧閃到傑米背後，往他肚子上摜了一拳。傑米彎腰大笑。

「還好我回來了，可以幫你管管她。」傑米說道。

「你行嗎？我可要把所有佃農都叫來看喔！」伊恩顯然不怎麼相信傑米有此能耐。

「是不是丟了幾隻羊？」傑米輕鬆地換了話題，比了手勢，領著幾隻狗，撿起伊恩落在地上的長杖。

伊恩點點頭說道：「十五隻母羊和一隻公羊，是傑妮那群美麗諾羊，為了牠們的特級羊毛養的。那公羊真是隻畜牲，把門弄壞了。我以為牠們會在田這裡。」

「我們在上面也沒看到。」我說道。

「牠們不會在那上面的，動物都不會越過那間小屋。」伊恩搖搖手表示。

「小屋？我沒看到屋子啊！老爺，我只看到一堆石頭。」佛戈斯對這番客套寒暄不耐煩了，踢了馬肚子騎到我旁邊。

「小夥子，麥納柏的房子就剩下那堆石頭。我勸你最好不要一個人接近那裡。」伊恩睨著佛戈斯說道。

他背對午後的陽光，身影一片黑暗。

儘管白天陽光溫暖，我頸背的寒毛卻豎了起來。羅納．麥納柏是個佃農，一年前向守衛告發傑米藏身之處，他出賣傑米被人發現的那天就死了。我還記得他被拉利堡的人燒死，葬身在屋子的灰燼之中。那座壁爐石堆剛剛走過時看起來還很正常，現在看來卻像陰森的石塚。我吞了吞口水，努力嚥下喉頭湧出的苦味。

「麥納柏？你是說羅納．麥納柏？」傑米輕聲說完，臉上瞬間閃過警戒的表情。我曾告訴傑米麥納柏告發他及死亡的始末，但沒告訴他麥納柏是怎麼死的。

伊恩點點頭：「沒錯，他死在這裡。傑米，在英國人抓走你那天晚上。大概是火星點燃了茅草屋頂，他又喝太醉來不及逃出來。」他收起眼中原有的戲謔神態，直直看進傑米的眼睛。

「哦？他妻子和孩子呢？」傑米的表情和伊恩一樣，不動聲色，看起來莫測高深。

「都安全。麥納柏太太在家裡廚房幫忙，瑞比在馬廄工作。」伊恩不禁回頭朝廢墟的方向看了一眼。

「麥納柏太太有時候會來這裡，這附近也只有她會過來。」

「麥納柏太太愛他嗎？」傑米轉身面對小屋。我看不到他的臉，但他背部的線條看來有點緊繃。

伊恩聳聳肩。「我不覺得。羅納是個酒鬼，個性又凶惡狠毒，連他的母親都不喜歡他。我想麥納柏太太只是覺得她有責任要為羅納的靈魂祈禱，這對他也好。」伊恩回應道。

傑米沉默了一會兒，彷彿在沉思，然後把韁繩拋甩到馬脖子上，便往山上走去。

我喚著傑米，但他已經循著原路走向樹林邊的小空地。我把手上的韁繩交給佛戈斯時，他露出了驚訝的表情。

「和馬待在這兒，我跟他一起去。」我說道。伊恩想和我一起去，但穆塔夫搖搖頭制止了他。於是我獨自跟著傑米走上山頂。

傑米像在攻頂，一鼓作氣大步走著，我還沒追上，他就走到了那片小空地。他在外牆邊緣停下。小屋方形的地基依然隱約可見，比起一旁樹蔭下綠油油而茂盛的大麥田，覆蓋地基的植物稍嫌稀疏。現場已經看不出火舌肆虐的痕跡，只有草堆中露出了幾根焦黑的木頭，旁邊是洞開的石頭壁爐，伏倒暴露著像一座墓碑。

傑米小心避開牆基邊緣，沿著空地外圍繞圈。他沿著石壁爐走了三圈，逆時鐘左轉、左轉再左轉，好擾亂廢墟的邪靈。

我只能站在一旁觀看。這件事傑米只能自己一個人面對，不過，我不會讓他獨自一個人。雖然他沒有向我看過來，但很顯然我守在一旁讓他感到欣慰。

最後傑米停在傾倒的石堆邊，慎重其事地把手放在石頭上，然後閉上眼睛祈禱。接著，他彎腰撿起一塊如他的拳頭般大小的石頭，肅穆地放在石堆上，似乎是想鎮定無法安息的亡靈。他在胸前畫了十字，然後轉過身，步伐堅定而從容地向我走來。

「別回頭。」他平靜說道，便挽起我的手轉身走回路上。

我沒有回頭。

傑米、佛戈斯、穆塔夫和伊恩，四個人一起帶著狗去找羊，留我獨自領一群馬回家。我馴馬的技術稱不上熟練，但只要不出意外，我還是有辦法領著馬兒走上半哩路。

這次回到拉利堡和第一次非常不同。上一次傑米和我都在逃亡，我逃避未來，傑米逃避過去。那時在拉利堡的時光很快樂，但心底也戰戰兢兢，深怕行跡走漏，或擔心傑米被捕。如今，因為森丁罕公爵的調解，傑米得以返家重掌自己繼承的莊園，我也以合法妻子的身分，陪他回到家鄉。

上次我們蓬頭垢面、出其不意地出現，打亂了他們的家庭生活；這次我們不僅周到地事先通知，還從法國帶了禮物回來。雖然我相信他們會熱情接待，但仍不禁猜想伊恩和傑米的姊姊傑妮對我們返鄉定居作何感想。畢竟，自從傑米父親去世，傑米遭逢大難、流亡異鄉開始，這幾年都是伊恩和傑妮守著莊園。

我越過最後一座山丘，沒有遇到什麼意外，莊園的農舍和邊屋就在腳下。第一朵烏雲從天邊捲來，石板屋頂的顏色暗了下來。突然間，我的母馬又掙扎起來，前蹄騰空、後蹄猛蹬，我努力想拉住轡繩。事出必有因，我看到屋角邊冒出兩團龐然大物，像沉重的雲朵一路滾過來。「不！停下來！」我大叫著，但所有馬匹都橫衝直撞地狂竄，我也差點遭亂蹄碾碎。我想，要是我害得傑米新買的這群種馬全都摔斷腿，可真是隆重的返鄉大禮了。

其中一朵雲稍微升起，然後攤平在地上。傑妮從她扛著的羽絨床墊下探頭，接著便一路跑來，黑色的鬈髮在空中飛揚。

她毫不遲疑地跳上最近一匹馬的鞍上，使勁向下猛地一拉。

「停！」她大喊。那匹馬顯然受她的聲音所震懾，停了下來。我們接連喝斥，試圖鎮住其他馬兒。此時，另一個女人和一個大約十歲的小男孩加入，熟練地幫忙安撫這馬匹。終於平靜後，我才翻身下馬。

我認出小男孩是瑞比．麥納柏，那麼另一個女人應該就是他母親麥納柏太太了。我們忙著安撫躁動不安的馬群，撿起棉被和床墊。雖然來不及閒聊，但我還是找到機會摟住傑妮。她聞起來有肉桂、蜂蜜、勞動後清爽的汗味，並隱隱有股嬰兒香，還有溢出奶汁、嬰兒軟便，以及清新滑嫩肌膚的純淨味道。

我們互相緊摟著，讓我想起上一次擁抱，是在漆黑夜裡的森林中道別。當時我去找傑米，而她則趕回初生女兒身邊。

「瑪格好嗎？」我們好不容易鬆開對方，我便開口問她。

傑妮做個鬼臉，苦笑中參雜了引以為傲的表情。「她才剛學會走，就快把屋子給掀了。」她往前看看空蕩蕩的道路，問道：「你們剛剛遇到伊恩了嗎？」

「遇到了，傑米、穆塔夫和佛戈斯跟他一起去找羊了。」

她很快指了一下天空，說：「還好是他們去找，看起來隨時都會下雨。讓瑞比照顧馬吧！妳來幫我搬床墊，不然今晚大家都要睡濕床墊了。」

我們一陣手忙腳亂，還好雨落下時，我和傑妮已經舒適地坐在客廳，打開我們從法國帶來的包裹，同時讚美十個多月的小瑪格長得聰慧健康、精力旺盛，還有雙圓滾滾的藍色眼睛和一頭細短的草莓色頭髮。她的哥哥小傑米快四歲了，同樣長得又聰明又結實。傑妮肚裡的胎兒藏在圍裙下，微微隆起，但每當我看到傑妮的手不時溫柔地放在腹部，心裡還是隱隱作痛。

「妳剛剛說到佛戈斯，他是誰？」傑妮問。

「噢，佛戈斯他啊，呃，他是……」我囁囁嚅嚅，不曉得該怎麼形容。小扒手要在農場找到工作似乎不容易。

「他是傑米的隨從。」我說。

「這樣啊！那我想他可以睡在馬廄裡。」傑妮說完便不再追問。

「說到傑米，希望他們趕快找到羊。晚餐這麼豐盛，放久就不好吃了。」傑妮看著窗外，雨水從窗玻璃上流下來。

天色其實已經暗了，麥納柏太太在大夥回來前已經把桌子擺好了。我趁她忙的時候在一旁觀察她，她個子嬌小、骨架纖細，一頭深棕色的頭髮，臉上隱隱帶著擔憂的表情，但等瑞比從馬廄回來，說自己肚子餓、問什麼時候可以吃飯時，這股擔憂就消失不見。

「乖孩子，等大家回來就可以吃了。你知道的，去洗洗手，準備吃飯。」麥納柏太太說道。

男人終於回來了，看起來比瑞比更需要好好清洗一番。他們淋了雨，全身又濕又髒，膝蓋以下是厚厚一層爛泥，拖著腳步慢慢走進客廳。伊恩脫下濕漉漉的蘇格蘭披肩，掛在火爐柵欄上，披肩滴著水，爐火慢慢烘出蒸氣來。

佛戈斯剛到農場就接受了這場震撼教育，累得筋疲力竭，才進門便就地坐下，盯著兩腿間的地板發呆。傑妮抬頭看著闊別將近一年的弟弟，從濕透的頭髮看到覆著爛泥的腳，最後手往門一指。

傑妮聲音堅決地說：「出去，靴子脫掉。如果你去了那片高地，回來的時候記得在門柱上撒泡尿，這樣幽魂才不會進到家裡。」她最後一句是對我解釋的，同時她也放低音量，又很快看了麥納柏太太端晚餐來的那扇門一眼。

傑米倒在椅子上睜開一隻湛藍的眼睛，深深看著傑妮。

「我一路跨海千里迢迢回到蘇格蘭已經累得半死，還騎了四天的馬穿山越嶺才回到家鄉，連踏進農舍喝口水都來不及，就得衝進爛泥裡去找羊。現在我好不容易進門了，妳還要我再去黑漆漆的門外撒泡尿，嘖！」他又閉上眼，雙手抱胸擱在肚子上，往椅子裡深深陷下，倔強地抗拒。

「傑米小親親，你要吃晚餐，還是要我把晚餐拿去餵豬？」傑妮突然親暱地回嘴。

傑米還是閉著眼睛，一動不動過了好一會兒。最後，他認命地嘆了口氣，吃力地站起來。他不高興地扭扭肩膀，叫伊恩一起，兩個人轉身隨著已經走出門外的穆塔夫走去。傑米走過佛戈斯身邊時，伸長手臂一把將他撈起，拖著昏昏欲睡的佛戈斯一塊走出去。

「歡迎回家。」傑米癟著臉說完，悶悶地瞥了火爐和威士忌一眼，便拖著沉重的腳步再一次走進夜裡。

第三十一章

回憶的召喚

傑米，我只想留在你身邊，

其他的一點都不重要。

他靜靜站著沉默不語，

然後低頭傾身，緩緩在我前額落下憐愛的輕吻。

接下來的日子，一掃返鄉初日的晦氣，傑米很快重拾拉利堡的生活，絲毫感覺不出曾經久別家園，而我也輕鬆地融入鄉村生活。這個秋天的氣候不太穩定，經常飄雨，但也常有清澈明亮的藍天，讓人精神煥發。整個拉利堡生氣勃勃，人人忙著收成，為即將到來的冬天做準備。

拉利堡的位置在眾多高地農場裡算是相當偏遠的，雖然沒有正式的聯外道路，但信差仍會穿過峭壁與覆滿石南的山坡，為我們捎信，和外面的世界接觸。外面的世界在記憶中有時不太真實，讓我幾乎忘了自己曾在凡爾賽宮滿牆的鏡子間旋步起舞。但信件喚起我在法國的回憶，讀著信時，我彷彿又看到特穆蘭街的白楊樹，聽到昂吉醫院大教堂高懸的鐘聲迴盪。

露易絲平安生下男寶寶，取名為亨利。她的信裡滿滿是驚歎號和加強底線，陶醉地描述她天使般的新生兒。但對於亨利的父親，不論是名義上或實際上的，都隻字未提。

查理王子的信一個月後寄達，也沒提到孩子，而且據傑米轉述，信的內容比平常更不知所云，盡是些模糊的計畫和浮誇的理想。

馬爾伯爵的信就冷靜謹慎許多，也看得出他對查理王子十分憂心。伯爵說，美王子查理行為不當，對自己最忠誠的擁護者出言不遜、傲慢自大，對能幫助他的人視若無睹、口出狂言，侮辱不該侮辱的人，而且從信中隱含的字眼來看，查理王子恐怕還有酗酒的問題。這個時代對男人喝酒的標準十分寬鬆，所以我認為查理王子酗酒的程度必定叫人瞠目結舌，伯爵才會提上一筆。但我推測查理王子應該也注意到自己有了兒子。

我們也不時收到希德嘉修女的來信，她每天都會從忙碌的工作中擠出一點時間寫下近況，內容簡潔但訊息翔實，每封信的結尾也都有：「鈕釦同致敬意。」

雷蒙大師不曾捎來隻字片語，但不時會寄來包裹。包裹上沒有簽名也沒有記號，但裡頭的東西都很特別，像是罕見的藥草、有切面的小水晶，還有一些石頭，大小就像傑米的大拇指，表面光滑呈圓盤狀。每個石頭的一面都有小小的圖案，有些在圖案上方或背面刻了字。另外還有各種骨頭，例如熊的指骨，還連著彎曲的尖爪；小蛇的整條脊椎，連在蛇皮上，看起來栩栩如生。還有各式各樣的牙齒，有一列圓形勾狀的牙齒，傑米說是海豹的；還有齒冠很長、有鐮刀般尖勾的鹿齒，以及疑似人類臼齒的牙齒。

有時我會放幾顆那種光滑、雕了東西的石頭在口袋，感受它們在指間滑動的感覺。我只知道這些石頭很古老，至少可以追溯到羅馬時代，甚至更早。從石頭上刻的圖案看來，應該是為了賦予石頭神奇的魔力。我不知道這些石頭是否像草藥般有實際的療效，或只是某種象徵，像猶太神祕哲學卡巴拉教的象徵符號。反正看起來沒有危險，所以我也留著。

除了日常家務，我最喜歡的還是漫步到莊園的各個村子晃晃。我會提個裝著各種東西的大籃子，從小孩的小禮物到常用的藥品都有。由於貧窮且衛生不佳，這裡疾病叢生，而且從威廉堡以北到茵凡涅斯鎮以南都沒有醫生，所以村民非常需要這些藥物。如果是牙齦流血或是輕度壞血症造成的貧血，我很快可以治好，但有些疾病就連我也束手無策。

我把一隻手放在瑞比的頭上，他太陽穴旁的亂髮是濕的，且下巴鬆開，脖子上的脈搏跳動趨緩。

「他現在沒事了。」我說道。瑞比的母親麥納柏太太也在一旁看著。瑞比四肢展開躺在床上，平靜入睡了，旁邊的火爐把他臉頰烘得紅通通。但麥納柏太太還是緊張地站在床邊，直到我開口保證瑞比不會有大礙，她才願意相信兒子已經好轉，披著披肩的肩膀這時才鬆懈下來。

「感謝聖母，也感謝您，夫人。」麥納柏太太喃喃說道，並迅速在胸前畫了個十字。

我推卻她的感激：「我什麼也沒做啊！」我這麼說不是客氣，我唯一能為小瑞比做的，就只是讓麥納柏太太不要打擾他。實際上，我還花了好一番力氣，才阻止麥納柏太太餵他公雞血加麥麩、在他鼻子下揮舞燃燒的羽毛，或在他身上潑冷水。這些療法對癲癇發作一點療效也沒有。我剛到現場的時候，麥納柏太太還念念有詞地責怪自己不能給兒子最有效的療法——喝自殺者頭骨裡的泉水。

麥納柏太太的視線在兒子躺的床上流連不去：「他抖成那樣把我嚇得半死。我上次找過麥莫奇神父，他祈禱了很久，還在瑞比身上灑了聖水才趕走魔鬼，但現在魔鬼又回來了。」她雙手緊緊交握，彷彿正在掙扎，想摸摸自己的兒子卻又不敢伸手。

「這不是魔鬼，這只是一種病，而且不是很嚴重。」

「欸，夫人，您說的是。」麥納柏太太喃喃地附和我，但顯然她並不相信。

我不斷向麥納柏太太保證，但也不讓她抱著不切實際的希望。「他會沒事的。他每次發作，最後不是都復原了嗎？」瑞比從兩年前開始發作，我猜可能是他已故的父親生前重擊他頭部所造成的。痙攣不常發生，但每次都讓她嚇得半死。她聽了我的保證之後，遲疑地點點頭，依舊不相信我的診斷。

「可能吧……可是他動不動就拿頭亂撞，像剛剛那麼用力……」

「沒錯，這有點危險。如果他再這樣，讓他遠離堅硬的東西就好，最重要的是不要打擾他。我知道這看起來很可怕，但他真的沒事的。只要讓發作自然結束，然後抱他上床睡覺。」我苦口婆心，但也曉得儘管我說的是事實，這番話仍起不了作用。麥納柏太太需要更具體的保證。

我轉身準備離開的時候，我裙子大口袋裡傳來輕輕的喀哩聲，突然給了我靈感。我伸進口袋拿出兩、三顆雷蒙送我的魔力小石頭。我挑了一顆白色的，可能是玉髓，一面刻著一個扭動的人。我想，這就是這顆石頭的作用了。

我把魔力小玉髓放在麥納柏太太手上，對她說：「把這個縫在瑞比口袋裡，可以保護他不受魔鬼的侵擾。」我清清喉嚨：「然後妳就不用擔心了，就算他再發作，也會平安結束。」

我離開之後不久，突然覺得自己非常可笑，但又有些欣慰，同時也湧起一股感激之情。我不知道自己是成了更好的醫生，或只是變成伎倆更熟練的江湖郎中。不過，如果我幫不了瑞比，我還是可以幫助他母親——至少可以讓她幫助自己。要醫好病人不能只依賴醫生，還要靠病人自己。起碼這點雷蒙教過我。

⸺

接著我出門去處理當天的事，探望靠近農場西側的兩戶人家；結果科比斯和韋斯頓・弗雷瑟這兩家人狀況都很好，於是我很快就踏上回家的路。我在山坡頂找了棵大櫸樹坐下來休息一會，待會回去還得走上一大段路。

太陽逐漸西沉，但還沒碰到拉利堡西側田埂邊成排的松樹。時間接近傍晚，晚秋的色澤將世界染得燦爛繽紛。

在我腳邊，山毛櫸落下許多冰涼滑溜的的果實，不過頂上的樹枝攀附著許多枯黃、捲曲的葉子。我背靠光滑的樹幹，閉上雙眼，金燦燦的成熟大麥田不再那麼耀眼，轉變成深紅的光輝透過眼簾。

佃農小屋滯悶的空氣令我頭痛，我把頭靠在山毛櫸樹光滑的樹皮上，慢慢深呼吸，讓新鮮的戶外空氣充滿肺臟，進行我稱為「轉向內在」的練習。這是我自己發展出來的方法，雖然還不完整，不過我想模仿雷蒙大師在昂吉醫院示範的那套方法，重現當時的感覺。我召喚自己身體每一寸的形象與感覺，想像各種器官系統正常運作時，有什麼外觀與感覺。

我靜靜坐著，兩手輕鬆放在大腿上，聆聽自己的心跳。原本我因為爬山而心跳加速，現在心跳很快便趨緩了。秋天的微風撩起我頸邊的鬈髮，冷卻我火燙的雙頰。

我端坐著閉上雙眼，追尋體內血液流動的路徑，從包裹厚壁、充滿奧妙的心室開始，藍紫色的血液先穿過肺動脈，排出廢棄物，取得氧氣，經過一陣擠壓，衝出主動脈弓，澎湃翻騰地湧向頸動脈、腎動脈、鎖骨下動脈。我追蹤血液經過身體的各個系統，直至最微小的毛細管，在肌膚底下的汩汩流動，感受圓滿、感受生命、感受安詳。

我依然靜坐著，慢慢呼吸，感覺疲倦而沉重，彷彿剛結束歡愛。我覺得肌膚很敏感、嘴唇微微腫脹，衣服貼在身上的重量，彷彿傑米的雙手觸撫著我。他的名字治癒了我，這並非偶然。他的愛就像糧食或血液，無論對我心靈或身體的健康都不可或缺。我的心思追尋他，無論熟睡或清醒；我尋得他，心滿意足。我的身體通紅發燙，身體恢復了精神，渴求著他。

我不再頭痛了。我又坐了一會兒，緩緩呼吸，然後站起身，下山朝家的方向走去。

—

我從未真正擁有一個家。我五歲成了孤兒，然後跟著朗柏叔叔一起生活在漂泊的考古研究之中，度過了十三個年頭。飛砂走石的平原上宿營、山洞裡鑿穴、清理金字塔布滿華麗紋飾的墓室……擁有顯赫學術頭銜的昆汀．朗柏．博尚搭起一座座臨時帳棚，進行著讓他聲名大噪的考古工作。我父親突然車禍去世，照顧我的責任就落到他肩上。他不想費心處理遺孤姪女這種無關緊要的小事，便立刻幫我註冊了寄宿學校。

面對命運的無常，我可不會乖乖聽話。我堅持拒絕進入寄宿學校，朗柏叔叔看出我擁有和他一樣倔強的個性，於是聳聳肩，一眨眼便作出決定，從此我跟著他浪跡天涯，遠離了秩序與常規的世界，也遠離了算數、乾淨的床鋪，以及像天天洗澡這類一般人習以為常的生活習慣。

和法蘭克結婚後，我依然過著這種居無定所的日子，只是住的地方從考古遺址換到不同大學，畢竟歷史學家是在屋子內挖掘史實的。所以一九三九年第二次世界大戰爆發後，我不像其他人一樣覺得天崩地裂。我從當時租來的公寓，搬到彭布羅克醫院的初級護士宿舍，接著前往法國戰地醫院，之後又搬回彭布羅克醫院，直到戰爭結束。我和法蘭克戰後重聚，同住了幾個月之後，便來到蘇格蘭，想找回對彼此的感覺。然而，我們只找到天人永隔的別離。我誤入了巨石陣，穿越了瘋狂的時空，來到我現在所處的古老年代。

在拉利堡樓上的房間醒來，身邊躺著傑米，感覺奇特又美妙。我看著那輕撫他睡臉的晨曦，想起他就在這張床上出生。屋裡各種聲音，像是早起的女僕踩在木梯上發出的嘎吱聲，或是敲打屋頂的雨聲，傑米因為聽過上千回而早以習慣的聲音，我都聽得一清二楚。

他的母親艾倫在門邊種的晚開薔薇，散發出馥郁的幽香。香味從牆外向上飄揚，穿進窗戶送到臥室來。這香味彷彿她伸出的手，從逝者的世界輕撫著傑米，也輕撫著我，歡迎我的到來。

宅邸外就是拉利堡，有田野、大麥、村莊與佃農小屋。傑米曾在山上源流的溪水裡抓魚，爬上櫟樹與高聳的落葉松，在每座小屋裡圍著壁爐吃飯。這裡是他的家園。

他的生活也曾動盪不安，他曾被捕，在流放生涯中逃亡，當過傭兵，過著漂泊的日子。然後再次被捕、監禁、受酷刑、流亡，直到現在才塵埃落定。他生命中的頭十四年都住在同一個地方，即使依例必須到舅舅杜戈爾身邊修習兩年，這也只是他生命中一小段經歷，最終還是會回到自己的土地，照料他的佃農與莊園，融入進更大的社會結構裡。恆定不變是他的宿命。

然而，傑米脫離了原本的宿命，體驗過拉利堡疆界外的事物，甚至跨出了蘇格蘭岩岸。他面會國王，涉獵法律與商業，見識過冒險、暴力與魔法。越過了家園的疆界，宿命還能約束他嗎？我很好奇。

我從山頂往下走，看到傑米在山下收集卵石，為一小塊田埂邊的清水石堤修補裂縫。一對兔子放在附近的地上，內臟已清除乾淨，但還沒有剝皮。

我微笑著走到他身旁，吟了一段古老的詩句：「水手從海上歸鄉，獵人從山丘返家。」

他也朝我微笑，抹去額頭上的汗水，然後誇張地顫抖說道：「英國姑娘，別提起大海啦！今天早上我看到兩個小姑娘在蓄水池裡划船，害我差點把早餐吐出來。老天，就算有白蘭地喝我也不想再提起大海了。」

他抬起最後一塊石頭安置在石牆上：「妳要回家了嗎？」

「對啊，要我拿這兩隻兔子嗎？」

他搖搖頭，彎腰拾起那兩隻兔子：「不用，我跟妳一起回去。伊恩正在為馬鈴薯儲藏室搭建天花板，需要幫手。」

拉利堡種下的第一批馬鈴薯再幾天就要收成了。那時我曾怯生生地建議挖個小地窖儲藏這些馬鈴薯。每次看著馬鈴薯田，我都百感交集。一方面我看到田裡枝葉茂密的藤蔓，就覺得感到很自豪；另一方面，我一想到六十戶人家要仰賴藤蔓底下生長的作物度過整個冬天，又覺得很惶恐。我一年前沒有多想，就建議拿主要的大麥田來改種馬鈴薯，而蘇格蘭高地之前從未種過馬鈴薯。

我知道一旦時機成熟，馬鈴薯將成為高地重要的主食，因為比起燕麥和大麥，馬鈴薯比較不容易受疾病和歉收影響。多年前我曾在一本地理書讀到相關文章，知道這樣做是可行的，但是要勇敢擔下責任，負責大家的生計，主張改種馬鈴薯，可是另外一回事。

我也常思考著，勇於扛下他人生活的風險是不是久了就熟練了。傑米一直肩負著這樣的責任，管理莊園與佃農的大小事務，彷彿他生來就很在行。不過，這麼說也對，他確實生來就是要負責這些任務。

「地窖蓋得差不多了嗎？」我問道。

「是啊，伊恩已經把門裝好了，洞也挖得差不多了，只是靠近裡面有一小堆鬆軟的土，伊恩站在那裡，腳的勾子會陷進去。」雖然伊恩那隻代替右小腿的木勾已運用自如，但偶爾還是會遇到這種小困擾。

傑米若有所思地往背後的山上看了一眼。「我們今天晚上要把地窖蓋好，不然黎明前又要下雨了。」

我轉過身，看著他手指的方向。山坡上只有野草和石南，幾株樹，嶙峋的山脊上花崗岩礦層從蓬亂的雜草間冒出，除此之外什麼都沒有。

「你怎麼知道要下雨了？」

他笑著抬起下巴朝山坡上點了點：「看到那棵小櫟樹了嗎？還有旁邊的臘樹？」

「看到了，有什麼特別嗎？」我看著那些樹，百思不得其解。

「樹葉不一樣啊，英國姑娘。妳看，兩棵樹的顏色看起來是不是比平常淺？如果空氣潮濕，櫟樹和臘樹的葉子會翻轉過來，所以妳看到的是葉子背面。整棵樹的色調看起來就會變淡。」

「假設是這樣好了，那你也要知道樹葉平常的顏色才行啊！」我半信半疑地質疑。

「我或許不懂音樂，英國姑娘，但我的眼睛還不錯，而且我看過那些樹上萬次了，什麼天氣下有什麼樣貌我也都有印象。」傑米挽著我的手笑道。

田畝離農場主屋有段距離，一路上我們多半靜靜走著，享受午後陽光照在背上帶來的溫暖。我嗅了嗅空氣，的確是要下大雨了，原有的秋天氣味似乎更濃烈了，從鮮明的松脂味到成熟莊稼的塵土味，聞起來都更加強烈。我想，我正漸漸學會分辨拉利堡的生態節奏、景色與氣味，假以時日，或許我能和傑米一樣了解這一切。我輕捏他的手臂，他則在我手掌下輕輕出力回應我。

「妳想念法國嗎，英國姑娘？」他突然問道。

「一點也不，你為什麼這麼問？」我有點驚訝地回應。

他聳聳肩，沒有看我。「我剛剛看妳挽著籃子從山丘上走下來，陽光照在妳的褐髮上，看起來好美。我覺得妳就像是在這裡土生土長的人，一如那些樹苗，始終屬於這片土地。然後我突然想起，對妳來說，拉利堡可能只是個無聊的小地方，沒有法國那樣氣派的生活，甚至連醫院那種有意思的工作都沒有。」他有點膽怯地低頭看我。「我很擔心總有一天妳會感到這裡的生活了無生趣。」

我沉默了一下才開口。雖然我早已經想過這件事，我仍小心地回答他：「傑米，在我生命中，我已經見識過許多事，也到過許多地方。有時候我會懷念我那時代的某些東西，我想再坐一次倫敦的公車，或拿起話筒就能和遠方的朋友談天，我希望打開水龍頭就有熱水，不必從井裡提水還得用大鍋加熱。我想念這些東西，但我其實不需要。至於氣派的生活，我那時早就沒興趣了，有漂亮的衣服很棒，但如果要配上流言、心機算計、煩惱焦慮、無聊的宴會、瑣碎的禮儀規則……那還是算了。我寧願住田裡，想說什麼就說什麼。」

他聽到這句話笑了出來，我又輕捏他的手臂。

「至於工作……我在這裡也有工作。」我低頭看著手上籃子裡的藥草與藥物：「多少還可以幫上一點忙。而且如果我想念希德嘉修女，或其他朋友，雖然寫信沒有電話快，但我還是可以寫信。」

我停下來，摟著他的手臂，抬頭看他。這時落日西沉，夕陽為他臉頰的一側鍍上金邊，他狂野的輪廓流露出安心的神情。

「傑米，我只想留在你身邊，其他的一點都不重要。」

他靜靜站著沉默不語，然後低頭傾身，緩緩在我前額落下憐愛的輕吻。

—

我們一起越過最後一座小山丘，下山往屋子走去。我開口說道：「真有趣，我正巧也在想著同一件事。我很想知道，在法國經歷過這一連串的事件之後，回到家鄉你還開心嗎？」

傑米微笑中帶著些微傷感，往下看著屋子。夕陽餘暉將三層白色灰泥石牆染成金棕色。

「這是我的家啊，英國姑娘，我屬於這裡。」

我輕觸他的手臂：「你的意思是，你生來就該照顧這裡嗎？」

他深呼吸，伸長手擱在木製圍籬上。這道柵欄在屋子外緣，用以隔開較低的田地。

「其實我不是生來就該負責這兒的，英國姑娘。依照長子應有的權利，這裡本來是威利要管的。如果他還活著，我想我會從軍，或像賈爾德一樣當個商人。」

傑米的哥哥威利十一歲時死於天花，所以當時六歲的傑米就成了拉利堡的繼承人。

他做了一個像似聳肩的不自然動作，彷彿要掙開衣肩的束縛。傑米在不自在或遲疑的時候，常出現這個下意識的動作，我已經好幾個月沒看他這麼做了。

「不過，威利走了，所以我成為堡主。」他看我一眼，表情有點羞怯，然後伸手從毛皮袋裡拿出一件東西。是那條櫻桃木的小蛇，威利雕給他作為生日禮物，小蛇安坐在傑米掌心，頭往後扭，好像很驚訝看到後面跟著自己的尾巴。

傑米輕撫那條小蛇，木質帶有光澤，經過乾燥處理的蛇身曲線，在薄暮中閃現光芒。

「有時候，我會在心裡對威利說話。」傑米撥動掌上的小蛇，接著說道：「哥，如果你還活著，身為一個堡主，你會作一樣的決定嗎？或者你會找出更好的方法？」傑米看向我，有點臉紅。「這樣聽起來會不會很傻？」

「不會。」我也用指尖輕碰小蛇光溜溜的頭。草地鷚高亢清亮的叫聲從遠方田野傳來，在向晚微風中剔透如水晶。

沉默一會兒，我才輕聲說：「我也做過一樣的事。假裝對著朗柏叔叔說話，對我的父母親說話，特別是對我的母親。我——小時候並不常想到她，只偶爾夢到一個柔和又溫暖的人，唱歌特別好聽。但如果我生病，還有失去……費絲以後，我常常想像著她就在我身邊。」一陣莫名的哀傷襲來，我想起了最近和很久以前失去的東西。

傑米輕撫我的臉頰，拭去我一邊眼角的淚水。

「有時候我會覺得那些已逝的親人也會懷念我們，就像我們懷念他們一樣。」傑米輕聲說：「來吧，英國姑娘，我們再走一走，距離晚餐還有點時間。」他牢牢勾著我的手，我們沿著籬笆緩步走著，耳邊傳來裙襬掃過乾燥野草發出的沙沙聲。

「我明白你的意思，英國姑娘。我有時候也聽到我父親的聲音，有時候在馬廄裡，有時候在田野中。通常那時候，我本來也沒想著他。但突然我會轉頭，好像聽到他的聲音在遠方，和一個佃農一起放聲大笑，或在我背後，正在安撫一匹馬。」

傑米突然笑開來，下巴指向我們前方牧場一隅。

「真奇怪，但我從沒在這裡聽過他的聲音。還真的沒有。」這個角落看來毫不起眼，只是路邊一道石牆的木製柵門。

「喔？那他還在世的時候，在這裡說過什麼嗎？」

「通常是：『傑米，你要是說完了，就轉過去趴下。』」

我倆放聲大笑，停下來靠在圍籬上。我俯身近看，瞟了瞟圍籬的木頭。

「所以這裡就是你挨揍的地方？我沒看到齒痕啊？」我說道。

「沒有齒痕，不會打那麼用力啦！」他一邊愛憐地撫過陳舊的臘木圍籬，一邊笑道：「伊恩和我指頭扎到碎木片的時候，會跑回家讓克羅克太太或傑妮幫我們把碎片挑出來。他們每次都是邊挑邊罵。」

傑米朝屋子望去，一樓的窗戶透出明亮的燈光，映著越來越濃重的夜色。廚房窗戶後有深色的人影閃動，那是動作快速的瘦小身影，克羅克太太和女僕正在準備晚餐。起居室一扇窗戶前，則突然隱約出現比較高大、像圍欄一樣高瘦纖長的身影。伊恩背著光站了一會兒，彷彿是傑米的回憶召喚過來似的，接著他拉上窗簾，窗戶的光暗了下來，屋外變得柔和而朦朧。

「只要伊恩在，我都很開心。我是說，我們一起惡作劇被抓到，吃上鞭子的時候。」傑米眼睛依然望著屋子一邊說著。

「同病相憐？」我微笑著說。

「有一點。有個人和我一起承擔，感覺自己就沒那麼壞了。更重要的是，只要有他在，我就知道待會不會靜悄悄的。」

「伊恩會大哭？」

「哈！他每次都嚎啕大哭，叫得很慘，嘴巴從沒停過。我知道他會哭，所以如果自己痛得叫出來，也不會覺得太丟臉。」天色太暗，我看不清傑米的臉，但感覺得到他又做了每次尷尬不安時那類似聳肩的動作。

「我當然一直都忍著不叫，但不是每次都忍得住。如果我父親覺得我該打，就不會手下留情，而伊恩父親的手臂又正好和樹幹一樣粗。」

我往下望著房子。「我還沒有特別想過，但話說回來，為什麼要在這裡處罰你呢？屋子裡一定有很多地方可以選吧，不然馬廄也行。」

傑米沉默了一會兒，然後又聳聳肩。「我從沒問過，但我認為這有點像法國國王。」

「法國國王？」這個推論有點天外飛來一筆，讓我愣住了。

傑米不自然地說：「呃，我不太知道在眾目睽睽下換衣服、上廁所是什麼感覺，但我可以告訴妳，當我不得不站在那裡和父親手下的佃農解釋自己幹了什麼好事才討來一頓打，那可真是丟臉極了。」

「可以想見，真的是很丟臉。」我有點同情又忍不住笑道。「所以你是說，因為你以後會成為堡主，所以你父親才要你站在這裡受罰？」

「我想是吧！佃農會明白，我將懂得什麼是公平正義，因為我受過公平正義的處罰。」

第三十二章

大豐收

在伊恩的指導與沃特爵士知識的幫忙下，
負責耕作照料馬鈴薯那群佃農，
這時爭相圍了上來，
想瞧瞧自己先前辛勤的成果。

拉利堡的田在之前就已經犁成高地常見的「壟溝型」，特色是高壟深溝，田溝深及膝蓋，這樣人走在田溝裡，就可以輕鬆地用手往旁邊田壟頂端播下種子。這種田是為了種大麥與燕麥而設計的，不過種馬鈴薯看起來也同樣合適。

「書上說要種在坡地，不過我覺得種在這樣的壟溝田也可以，種植在坡地上是為了避免作物因為積水而腐爛，而這塊田的壟溝應該可以發揮同樣作用。」伊恩凝視葉片茂盛的馬鈴薯田說道。

傑米也贊同：「聽起來有道理，反正最上面的葉子似乎長得不錯。不過，書上有沒有說怎麼分辨採收的時機？」伊恩負責掌管馬鈴薯的大小事，這塊地從來沒有種過馬鈴薯，所以他按部就班寄錢到愛丁堡訂馬鈴薯種薯和種植馬鈴薯的書。書準時送來，作者是沃特・歐班寧・萊利爵士，書名是《科學耕作法》，裡面有一小章說明愛爾蘭目前如何種馬鈴薯。

伊恩常常把這本厚重的巨作夾在腋下（傑妮說伊恩只要去馬鈴薯田一定會帶上它），以備遇到什麼原理或技術上的難題時可以查閱。現在，伊恩用前臂抱著翻開的書，另一隻手伸到毛皮袋裡摸索他讀書時戴的眼鏡。這副帶著小小圓形鏡片的金邊眼鏡以前是伊恩父親的，伊恩每次戴上，眼鏡總是會溜到鼻尖，讓伊恩看起來像隻專注的小鸛鳥。

「作物應於冬季首隻雁子出現時採收。」伊恩唸出書裡的一段話，然後抬起頭，瞇著眼透過眼鏡凝望著馬鈴薯田，好像在搜索是否有雁子會從田壟間探出頭來通知大家準備採收。

傑米皺眉，從伊恩背後越過他肩膀瞪著書看。「冬季的雁子？他是指哪一種雁子，灰雁嗎？但灰雁整年都在，他說錯了吧！」

伊恩聳聳肩說道：「可能愛爾蘭只有冬天才看得到灰雁吧！或者他根本不是指灰雁，而是指某種愛爾蘭的雁子。」

傑米哼了一聲。「一點屁用也沒有。他還說了什麼有用的東西？」

伊恩用手滑過一行行的字默念著。一小群被這種新奇耕作方法吸引過來的佃農，開始圍在我們身旁。

「馬鈴薯不能在濕的時候挖出來。」伊恩告訴我們，傑米聽了哼得更大聲。

伊恩繼續喃喃自語。「馬鈴薯腐爛、馬鈴薯蟲……我們的馬鈴薯沒長蟲，真幸運。馬鈴薯藤蔓……不，這裡講的是藤蔓枯萎的處理方法。馬鈴薯病害……得先看到馬鈴薯才知道有沒有生病。馬鈴薯種薯、馬鈴薯的儲存……」

「科學耕作法是吧？這是哪門子科學？連判斷馬鈴薯能吃了沒都做不到！」傑米怒氣沖沖地盯著深綠色葉片茂密的藤蔓，質疑道。

始終跟在傑米背後的佛戈斯原本正看著食指上一隻毛毛蟲迷迷糊糊地蠕動。這時他抬起頭來問道：「你們為什麼不挖一顆起來看看？」

傑米張口結舌地看著佛戈斯，幾秒鐘之後，他閉上嘴，默默拍了佛戈斯的頭，然後伸手去拿立在圍牆邊的長柄草耙。

在伊恩的指導與沃特爵士知識的幫忙下，負責耕作照料馬鈴薯那群佃農，這時爭相圍了上來，想瞧瞧自己先前辛勤的成果。

傑米挑了田邊一株大而茂密的藤蔓，屏住呼吸小心翼翼瞄準根部旁邊放下草耙，然後腳踩在草耙底部用力一壓，耙齒緩緩沒入潮濕的棕色土壤。

我在一旁也屏住氣等待著。這場馬鈴薯試種不只關乎萊利爵士的名聲，更關乎許多其他的事情。嚴格說起來，這也關係到我的名聲。

傑米和伊恩已經證實，今年大麥的收穫雖然還足以供應拉利堡的佃農所需，但確實不如以往。如果再有一年歉收，所剩無幾的存糧就會耗盡。就高地農莊來說，拉利堡的收成確實不錯，但也只比其他收穫不怎麼樣的農莊好一點而已。可是，如果馬鈴薯的耕作順利，接下來兩年拉利堡的居民就不必擔心斷糧，真的可以歡慶豐收了。

傑米的腳跟踩住草耙，然後握住耙子的長柄往下一撐。土壤在藤蔓四周迸開，接著啪的一聲，馬鈴薯藤蔓被扯斷彈起，露出了埋在土壤中碩大的馬鈴薯。

「哇！」拉起的藤蔓連著根莖，上面掛滿了棕色圓球狀的馬鈴薯，圍觀的佃農一看，紛紛發出驚歎。伊恩和我跪在地上扒開鬆軟的土壤，尋找其他從藤蔓上斷落的馬鈴薯。

「成功了！」伊恩一邊大喊，一邊把馬鈴薯一個一個從土裡拉出來：「你看！這顆個頭多大！」

「對啊！還有這顆！」我也興奮大叫，揮舞著有我兩個拳頭大的馬鈴薯。

我們終於把試種出的作物放到籃子裡，大約有十顆超級大、二十五顆拳頭大小，以及好幾顆高爾夫球大小的。

傑米審視著這批收成的馬鈴薯，疑惑地問道：「剩下的小馬鈴薯我們應該留在土裡讓它們長大，還是趕在冬天前就挖起來？」

伊恩心不在焉地摸索著眼鏡，然後想起沃特爵士那本書放在圍牆另一邊，於是不再找眼鏡，搖了搖頭。

「不用留，我覺得應該挖起來。書上說要留小顆的馬鈴薯當明年的種薯，我們會需要很多種薯。」伊恩說完，對著我露出如釋重負的微笑。他額前落下一束濃密的棕色直髮，一邊臉頰下方有泥土汙漬。

一位佃農的妻子低頭望向籃子，睨著籃裡的作物。她遲疑地伸出手指，戳戳一顆馬鈴薯。

她揚起眉毛懷疑道：「你說這可以吃？但我看不出這要怎麼磨碎、做成麵包或粥。」

「我想妳不必把馬鈴薯磨碎，穆瑞太太。」傑米客氣地解釋。

「是呦？那你們要怎麼處理？」這位太太挑剔地瞟了瞟籃子，嘴裡說道。

「呃……」傑米吞吞吐吐。我突然想到，雖然傑米在法國吃過馬鈴薯，但他從沒看過人家如何烹調馬鈴薯，顯然傑米自己也發現了這點。傑米盯著手上沾了層泥土的馬鈴薯，不知如何是好，看得我暗自竊笑。伊恩也直愣愣地盯著馬鈴薯，顯然沃特爵士沒對馬鈴薯的烹調方式提出任何建議。

「馬鈴薯可以用烤的。」佛戈斯突然從傑米手臂下鑽出來，再次替傑米解圍。他看著馬鈴薯，饞得咂嘴。「用炭火烤過，吃的時候撒點鹽，有奶油的話更好。」

「我們有奶油。」傑米放心地呼了一口氣，他把馬鈴薯丟給穆瑞太太，彷彿丟還一顆燙手山芋，然後慎重其事地告訴她：「由妳來烤。」

「也可以用煮的，或加牛奶壓成泥。也可以用炸的，或是切一切煮湯。馬鈴薯吃法很多。」我也幫忙出主意。

「書上就是這麼說的。」伊恩很滿意喃喃自語。傑米看著我，嘴角綻放出微笑。

「沒聽妳說過妳會煮菜，英國姑娘。」

「嚴格說來這也不算煮菜，煮個馬鈴薯還難不倒我。」我說道。

「很好。」傑米掃視這群正互相傳遞馬鈴薯的佃農和佃農的妻子，看得出來他們臉上還是帶著十分猶疑的表情。傑米於是大聲拍手引起大家注意。

「今天晚上我們就在田裡吃晚餐。請各位準備一下，湯姆、威利、威利太太，可以請你們拿大鍋來嗎？很好，找一個人去幫你們抬過來。」接著傑米手朝樹下的一群農舍一揮，轉身對一個年輕人說：「還有你，金凱，去告訴大家：今天晚餐我們吃馬鈴薯！」

就這樣，由傑妮協助，大家從擠奶棚提了十桶牛奶，雞舍抓了三隻雞，菜園裡拔了四十八支青蔥，在我指揮下，為拉利堡的堡主和佃農熬韭蔥馬鈴薯雞湯及烤馬鈴薯。

晚餐煮好時，太陽已經沉到地平線下，但天色還微微發亮，一道道金紅色的霞光，穿透山丘上松葉林黑暗的枝椏。佃農看到馬鈴薯，知道以後就要以這種食物為主食，剛開始有點疑惑不安，但是宴會般歡樂的氣氛，再適時加上一桶自家釀的威士忌，便克服了所有疑慮。很快大家就在馬鈴薯田附近席地而坐，碗放在膝蓋上低頭吃著，享用這頓臨時安排的晚餐。

「妳覺得怎麼樣，朵卡絲？」我聽到旁邊的女人對鄰居說：「味道有點怪，對吧？」

朵卡絲先點點頭，嚥下嘴裡的食物，然後才回答：「對啊，不過堡主已經吃掉六個了，看起來好像沒什麼問題。」

男人和小孩的反應就熱烈得多，可能是因為有足夠的奶油可以配馬鈴薯。

傑妮也觀察到了這點，她說：「只要有奶油配，男人連馬糞都吃。男人！只要肚子吃飽，喝醉有個地方躺下睡覺，他們對人生就心滿意足了。」

「妳對男人評價這麼低，能忍耐我和傑米還真是個奇蹟。」伊恩聽了傑妮的話揶揄道。傑妮對著伊恩和傑米揮揮湯勺表示不同意，圍著大鍋在他們身邊坐下。

「唉呦，你們兩個不是男人。」

這時伊恩揚起纖長的眉毛，傑米濃密的紅色睫毛也張得老開。

「喔，我們不是男人？那我們是什麼人？」伊恩問道。

傑妮轉身向他微笑，潔白的牙齒在火光映照下閃耀。她摸摸傑米的頭，輕輕吻了伊恩的前額。

「你們是我的人。」

晚餐後，一個男人唱起歌，另一個拿了支木笛為他伴奏。歌聲輕柔，但在寒冷的秋夜中卻穿透力十足。夜裡寒氣重，但平靜無風，裹在披肩和毯子裡，一家人圍著篝火而坐，溫暖又舒適。晚餐煮好後，篝火的火焰完全燃起，明亮的火光驅走了大片黑暗。

全家人暖和地聚成一團，偶爾打打鬧鬧。伊恩去取柴薪，瑪格黏在媽媽身上，哥哥小傑米只好另找地方依偎取暖。

「我要把你頭上腳下吊在那口鍋子上，免得你再戳我的蛋蛋。」傑米警告他外甥，小傑米精力旺盛地在舅舅大腿上扭來扭去。「你是怎麼了，褲子裡有螞蟻嗎？」

小傑米聽了一陣咯咯笑，然後更努力往傑米懷裡鑽。傑米假裝吃力地要去抓小傑米的胳膊和腿，然後抱住他在地上滾，逗得小傑米更是開心地又笑又叫。

傑米把小傑米輕壓在地上，黑暗中一隻手胡亂在草地上抓了一把濕濕的雜草，滿意地嗯了一聲，然後欠身把手裡的草塞進小傑米的衣服領口。小傑米從咯咯笑變成尖叫，但聽起來更開心了。

「好了，去找你舅媽。」傑米說。小傑米聽話地手腳併用爬了過來，趴在我腿上，窩在斗篷中間。以一個快四歲的小男孩來說，他盡了最大努力保持不動（雖然不太成功），好讓我幫他掏出衣服裡的草屑。

「舅媽，你聞起來好香喔！」小傑米用他亂蓬蓬的黑色鬈髮摩蹭我的下巴，對我親熱地說道：「有食物的味道。」

「是嗎？謝謝。你是不是又餓了？」我說。

「嗯，有牛奶嗎？」

「有！」我伸長手勾到粗陶罐，搖了搖罐子，聽得出裡面的牛奶所剩不多，我索性把瓶身一斜，拿著罐子讓小傑米直接喝。

小傑米現在專心喝著牛奶，終於不再亂動，結實的小小身軀沉甸甸地坐在我大腿上，胖嘟嘟的小手抱住瓶子，背抵著我的手臂。喝掉最後一滴牛奶，小傑米一下子放鬆下來，輕輕打了個飽嗝。我察覺他身體散發熱度，體溫突然變高，這通常是孩子想睡覺的徵兆。我用斗篷裹住他輕輕搖著，伴著篝火另一端的曲調輕聲哼唱。他背上脊椎骨有幾個小小的突起，像彈珠般摸起來圓圓硬硬的。

「他睡著了嗎？」大傑米的身影從我背後靠近，短劍的劍柄反射著火光，他紅銅色的頭髮也映著光芒。

「是啊，他不動來動去了，應該是睡著了。抱著他好像在抱一條大火腿。」我才說完，傑米就笑了。我感覺到他堅實有力的臂膀刷過我的手臂，他身軀散發的暖意穿透了我的格紋披肩與連衣裙，包圍著我。

夜裡的微風將傑米一縷頭髮吹上我的臉頰，我伸手要拂開時，察覺小傑米說對了，我的手上都是青蔥和奶油的味道，還有切過馬鈴薯的澱粉味。昏昏欲睡的小傑米身子沉甸甸的，抱著他雖然舒服，但我的左腿給壓得有點麻。我動了動，想讓他橫躺在我腿上。

「別動，英國姑娘。一下子就好，我的褐髮美人……別動。」傑米溫柔的聲音從耳邊傳來。

我聽話一動也不動，直到他輕碰我的肩膀。

「沒事了，英國姑娘。妳的臉龐映著火光，頭髮飄揚在風中，那一刻看起來好美。我只是想記住這一刻。」他的聲音裡充滿笑容。

我隔著小傑米轉頭對他微笑。寒冷的黑夜，因為身邊圍繞的人而充滿了生氣，我們不需要什麼，只要光和熱，以及相屬的彼此。

第三十三章

情同手足

傑米，是誰弄傷伊恩？

傑米沒有張開眼睛，但開口前長嘆了一口氣。

他早料到我會問這個問題。

佛戈斯剛來蘇格蘭時話不多，總是待在角落默默觀察，但後來終於融入這個家，和瑞比一起正式擔下馬廄的工作。

瑞比雖然比佛戈斯小一、兩歲，塊頭卻和這瘦弱的法國小夥子一樣大，兩人很快成了形影不離的朋友，但打架和吵架（每天都會來個兩、三次）的時候例外。有一天早上，他們吵著吵著便上演起全武行，揮拳怒罵，一路滾打到擠奶棚，打翻了兩鍋發酵中的鮮奶油。這時傑米不得不插手了。

傑米一臉嚴肅，好像已經忍耐很久，揪著兩個臭小子瘦弱的後頸，把他們抓到馬廄裡。傑米一直以來都很猶豫動手處罰到底對不對，不過我想他顯然在馬廄裡拋開了所有顧忌，好好懲罰了這兩個小子。最後他大步走出馬廄，一邊搖頭把皮帶繫回去，便和伊恩騎馬往莫德哈屯去了。過了一陣子，兩個小鬼才現身，看起來是會乖乖聽話了，而且因為「患難見真情」而再次恢復友誼。

他們果然乖得很，甚至在忙著正事的時候還讓小傑米跟在屁股後面玩鬧。稍晚，我從窗戶望出去，看見他們三個人在前院玩著破布球。天氣寒冷有霧，他們又跑又跳、大聲笑鬧時嘴裡吐出一朵朵輕柔的霧氣。

「小傑米長得真健壯！」我對著正在針線籃裡找釦子的傑妮說。

傑妮抬頭見我望著窗外的孩子，微微一笑。「是啊，小傑米是個可愛的小傢伙。」她走到我身邊的窗子前，看他們在底下玩遊戲。

「他很像爸爸，但我覺得以後他肩膀會更寬，身材可能會和傑米舅舅一樣。妳看那兩隻小腿。」傑妮溫柔說道。傑妮說的應該沒錯，雖然小傑米才將近四歲，還有幼兒圓嘟嘟的體態，但雙腿修長，小小的背也寬闊平坦，都是結實的肌肉。他的骨架和神態氣質像傑米一樣修長優雅，還揉雜了一些特質，看來比一般孩子更靈活強壯。

我看著小傑米撲過去，靈巧地搶過球，用力一丟，球飛過瑞比的頭，瑞比邊叫邊跑去撿。

「他還有些地方也像他的傑米舅舅。我想他應該也會是個左撇子。」我說道。

「天啊！希望不要，但妳說的恐怕沒錯。」傑妮皺起眉頭看著她的孩子。

「可憐的傑米因為是個左撇子而吃了太多苦頭，從我父母到學校老師，每個人都要他改，但傑米就像木頭一樣頑固，怎麼說也不肯屈服。」傑妮後來想到又加了一句：「但伊恩的父親除外。」

我好奇問道：「伊恩的父親也覺得左撇子沒什麼不好？」我知道在這個時代，一般人都不能接受左撇子，說好聽一點是倒楣，嚴重的話會被視為惡靈附身。傑米用右手寫字寫得不是很好，他在學校時常因為用左手拿羽毛筆寫字被處罰。

傑妮搖搖頭，罩著頭巾的烏黑鬈髮跟著晃動。「嗯，老約翰．穆瑞是個怪人，他說如果老天決定讓傑米的左手更有力，那糟蹋這份天賦是種罪過。老約翰是個難得一見的戰士，所以我父親也就照他意思，讓老約翰教傑米用左手搏鬥。」

我說：「我以為教傑米的是杜戈爾。」我很想知道傑妮對她舅舅杜戈爾的看法。

傑妮點點頭，舔了舔線頭，敏捷地一戳就把線穿過手上的針孔。「不過那是後來傑米長大交給杜戈爾扶養的事。伊恩父親是傑米的武藝啟蒙導師。」

傑妮剪斷線尾，接著說：「我記得他們小時候，老約翰告訴伊恩，他的職責就是站在傑米右邊，在戰鬥時要守護主子比較弱的一側，伊恩也聽進去了，他們兩個很重視這個默契。我覺得老約翰是對的。從此沒有人打得過他們，就算麥納柏家的小夥子也打不過。傑米和伊恩個頭都很高壯，肩並肩作戰時，就算敵方人多勢眾，他們也所向無敵。」

她突然一笑，把一綹頭髮往耳後撫順。「有時候我看他們一起走在田裡面，還會留著這個習慣，他們自己可能也沒發現。傑米一定走在左邊，伊恩站在右邊，守護傑米比較弱的一邊。」

傑妮凝視窗外，暫時忘了擱在腿上的上衣，一隻手撫著微微鼓起的腹部。

傑妮看著窗外黑頭髮的兒子，一邊說：「希望這是個男孩。不管是不是左撇子，男人都該有個兄弟照應。」我看到她望著牆上的畫，畫中的傑米年紀還很小，站在他哥哥威利的雙膝之間，兩張稚嫩而正經的臉都有著獅子鼻，而威利一隻手護著弟弟的肩膀。

「傑米很幸運有伊恩在身邊。」我說道。

傑妮移開視線，眨了一下眼睛。她比傑米大兩歲，比威利小三歲。「沒錯，他很幸運。我也一樣。」她拾起腿上的上衣輕聲說道。

我從針線籃裡拿起一件兒童罩衫，翻面露出腋下綻開的接縫。這麼冷的天氣，會出門的只有愛玩的小男孩，還有必須幹活的男人。客廳裡溫暖舒適，在我們縫縫補補時，窗戶很快起了霧，將冰雪世界隔絕在外。

「說到兄弟，妳小時候，會常與杜戈爾與柯倫兄弟見面嗎？」我眄著眼穿針，一邊問道。

傑妮搖搖頭。「我從來沒見過柯倫。杜戈爾來過一、兩次，帶傑米回來過除夕吧，但我和他不太熟。」她從手上的針線活中抬起頭來，眼裡閃過一絲興趣。

「不過妳認識他們，跟我說說，柯倫是個什麼樣的人？我總是只能從客人的談話裡拼拼湊湊，父親和母親從來沒提過他們……」她突然停頓，皺起眉頭。

「等等，父親提過柯倫一次。那時杜戈爾剛走，帶傑米回碧恩納赫。爸那時靠在外面的籬笆上，看著他們漸騎漸遠，我跑出來向傑米揮手道別，每次他離開我都很傷心，不曉得他會去多久。總之，我們看著他們過了山丘頂端，父親才動了動，咕噥地說：『要是柯倫去世，希望老天保佑杜戈爾！』然後他好像意識到我還在旁邊，便轉過來朝我微笑問道：『小姑娘，今天晚餐吃什麼？』然後再也不肯多說了。」傑妮疑惑地揚起眉，那對烏黑的眉毛濃密又漂亮，就像一道書法的筆劃。

「我覺得很奇怪，因為我聽說（這大家都知道）柯倫瘸得很厲害，所以由杜戈爾代他外出行堡主的職責，收租金、排解爭端，有需要時還帶領族人打仗。」

「的確如此，不過……」我猶豫著不知道要怎麼說明他們奇怪的共生關係。「這麼說吧，我能想到最貼切的描述，是有次我聽到他們吵架，柯倫告訴杜戈爾：『如果麥肯錫兄弟中，只能有一個老二和一顆頭腦的話，我會很高興我是有頭腦的那一個！』」我笑著說。

傑妮驚訝地笑了出來，然後凝視著我。從她眼底看得出她在思考，那藍眼和傑米的一模一樣。

「怪不得。有一次聽到杜戈爾談柯倫的兒子小哈米許時，我就覺得不對勁，他的關愛似乎比平常的舅舅多了一點。」

我瞪著傑妮：「傑妮，妳的反應好快！我和他們朝夕相處好幾個月，也要到很久之後才想通呢！」

她微微聳肩，但嘴邊浮出一抹淺笑。「我會注意聽人家說了什麼、沒說什麼。而且高地這裡的人說長道短的功夫可厲害了。」她咬斷線頭，俐落地吐在掌上，一邊解釋道。「那麼，和我說說里歐赫堡吧！聽說里歐赫堡很大，但不像比尤利或凱拉伏克那麼雄偉……」

我們整個早上邊做事邊聊天，先是縫補衣服，然後捲好編織的毛線，接著幫小瑪格設計新衣服的式樣。屋外小男孩的叫鬧聲停了，屋後則傳來輕微的聲響與碰撞聲。看來小傢伙覺得冷了，改到廚房玩。

傑妮瞥了一眼窗外說：「說不定快下雪了。空氣裡有股濕氣，今天早上湖邊起霧了，妳有沒有看到？」

我搖搖頭。「希望不要下雪，這樣傑米和伊恩回來不方便。」莫德哈屯的村子離拉利堡不到十哩，但一路上都是山丘，山坡陡峭且布滿岩石，路又比鹿群踩出的小徑寬不了多少。

但中午過後不久還是下雪了，而且直到傍晚過了很久，依舊雪花紛飛。

傑妮戴著睡帽，探頭查看雲層密布的天空，天空映著白雪淡紅色的光輝。接著她縮回頭說：「他們一定待在莫德哈屯了。別擔心，他們會舒舒服服地擠在一間小屋過夜。」她關上護窗板，微笑著要我放心。走廊盡頭突然傳來大哭，傑妮提起睡袍的衣襬，咕噥著嘆著。

傑妮忙著去安慰孩子，回頭對我喊道：「晚安，克萊兒，好好睡！」

我通常都睡得很好，雖然天氣又濕又冷，但房子蓋得密不透風，床底墊了鵝絨，床上的棉被又厚又暖。然而，今晚傑米不在身邊，我無法入眠。床鋪空蕩蕩又濕黏冰冷，我的小腿有點抽筋，腳底板也很冰冷。

我試著仰躺，雙手在腹部輕輕握著，閉上眼深呼吸想像傑米的身影。如果我能想像傑米就在這裡，黑暗中在我身邊沉沉呼吸，或許我就能入睡。

一隻公雞突然大聲啼叫，嚇得我從枕頭上彈起，彷彿床底的炸藥被點燃了引信。

「可惡！」突如其來的驚嚇撥亂了我每根神經，我起身打開護窗板，發現雪停了，但天空仍陰沉沉的，舉目四望都是同一個的顏色。樓下的母雞舍裡，那隻雄雞又扯開嗓門啼叫。

「住嘴！現在是半夜，你這長羽毛的混蛋！」我生氣了，雞群也咯咯責備，聲音迴盪在靜悄悄的夜裡。走廊盡頭傳來孩子放聲大哭的聲音，接著就聽到傑妮用蓋爾語低聲怒罵。

我對那隻看不見的公雞自言自語說道：「你死定了！」我等了一下，確定那隻公雞沒打算繼續啼叫，我才把護窗板關上，也上床睡覺去。

這場騷動打斷了我原本的思緒，我決定不再亂想，全心專注在身體上，希望藉此達到放鬆效果而入眠。效果很好。然而，當我意識開始朦朧，心思停留在胰臟附近的時候，依稀聽到小傑米砰砰地走過走廊，到媽媽房間去。他每次尿急醒來，往往迷糊不懂得自己解決，總是跌跌撞撞地下樓找人幫忙。

我曾想過，來到拉利堡，我會不會刻意疏遠傑妮？會不會嫉妒她那麼容易就懷孕？要不是親眼見識到一個母親要照顧許多孩子所付出的代價，我可能會嫉妒她。

傑妮領小傑米回房上床時，一陣懊惱的聲音從門外傳來：「你這傻瓜，你床鋪旁邊不就有個壺嗎？你出來的時候一定還踩到那個壺，怎麼沒想到要用？為什麼每次都要來用我的？」隨著她上樓，聲音漸漸微弱。我微微笑著，然後繼續觀想，從原來的胰臟沿著腸子的曲線一路往下。

我不嫉妒傑妮還有一個原因。我原本以為失去費絲的小產讓我傷了身體，但經過雷蒙大師療癒之後，這份恐懼已經消失無蹤。我對身體的探索到了尾聲，感覺脊椎放鬆即將入眠，我能感覺到身體一切安好。我懷過孩子，以後也能再懷上，我需要的只是時間，還有傑米。

傑妮的腳步聲在走廊地板再度響起，瑪格帶著濃濃睡意的叫喚聲傳來，讓那腳步聲加快往房子另一頭去。

「孩子很可愛，但要日夜呵護的時候，就不可愛了。」我喃喃自語，進入夢鄉。

隔天一整天，我們一邊做家事、處理日常雜務時，也豎起耳朵盼著前院響起馬蹄聲。

「他們在那兒一定是有事耽擱了。」傑妮冷靜說道，但我發現她每經過窗邊還是會停步眺望屋外的路。

至於我，則是很難控制自己不去亂想。英國喬治王簽署的赦免令，還鎖在堡主書房的書桌抽屜裡。傑米覺得那封信是一種羞辱，本來想把信燒掉，但我堅持把信留下，以備萬一。現在，我耳聽著冬季的寒風呼嘯，心中莫名擔心赦免令會不會搞錯了，或者是某種騙局。我腦中的畫面盡是傑米又遭紅外套的龍騎士逮捕，在獄中飽受凌虐，還有搖盪在空中的絞繩。

終於，傑米和伊恩在黃昏前返回家門，馬匹上掛滿袋子，裝著鹽、針、醃漬香料，以及其他拉利堡無法自己生產的東西。

馬匹回到馬廄院子，傳來嘶嘶鳴叫聲，我立刻衝下樓，接著便看到傑妮從廚房探出頭來。

我一見傑米高大的身影籠罩在馬廄投下的陰影中，全身便感到如釋重負。我不顧地上覆著殘雪，奔過馬廄院子，投入傑米懷裡。

「你究竟跑哪兒去了？」我質問他。

他還沒回答，便先慢條斯理地吻了我。貼著我的臉頰有點冰涼，雙唇隱約有股威士忌香。

他嗅著我頭髮裡廚房的油煙味，滿意地說道：「晚餐吃香腸嗎？太好了，我肚子好餓。」

「晚餐吃煎腸薯泥。你去哪兒了？」我說。

他笑了笑，解下蘇格蘭彩格披肩，甩掉棕色的雪。「煎腸薯泥？那是食物對吧？」

我向他解釋道：「就是香腸配馬鈴薯泥，傳統英格蘭佳餚，蒙昧無知的蘇格蘭迄今尚無緣一嘗美味。好了，你這該死的蘇格蘭佬，這兩天你到底去哪兒了？我和傑妮都很擔心！」

「呃，我們出了點小意外……」傑米正要解釋，就看見佛戈斯提著燈的小小身影。「你提燈來啦，佛戈斯？很好，小夥子，放在那裡才不會燒了稻草。記得把那匹辛苦的馬牽回馬房，安頓好就去吃晚飯。你想晚餐應該已經準備好了吧？」傑米伸手想親切地拍拍佛戈斯的耳朵，佛戈斯笑著躲開了，顯然不管昨天在馬廄裡發生什麼事，他們感情還是一樣好。

我這次語氣嚴肅起來：「傑米，如果你再扯什麼馬、香腸的，卻不說你發生了什麼意外，我可是會踢你小腿脛骨！我只穿拖鞋，雖然踢起來我的腳趾會非常痛，但我警告你，我絕對不會罷休。」

他笑著說道：「這聽起來不太像是個威脅。沒什麼特別的，英國姑娘，只不過是……」

「伊恩！」傑妮因為被瑪格耽擱了，現在才趕過來，剛好看到伊恩踏入提燈的光暈裡。我被傑妮的聲音嚇了一跳，轉過身去，看到傑妮一個箭步上前，一手撫上伊恩的臉。

「發生什麼事了？」傑妮問道。看來，不管究竟是什麼意外，受害最重的是伊恩。他一眼烏青，腫得有點睜不開，一側顴骨還有一道皮開肉綻的長抓痕。

「沒事，黑髮美人，只是幾個瘀傷而已。」傑妮抱著伊恩，伊恩輕拍著她，小瑪格彆扭地擠在中間。

傑米解釋：「我們從離村子三百公尺外的那座山丘下來，路不好走，我們下來領著馬，結果伊恩不小心踩到鼴鼠洞，跌斷了腿。」

「斷的是木頭做的那隻腳。」伊恩強調，然後有點靦腆地笑了。「被我踩到的那隻鼴鼠才慘咧！」

「所以我們在附近一間小屋待了一陣子，幫他刻一隻新的木肢。」傑米下了結論。「可以吃晚餐了嗎？我餓得前胸貼後背了。」

我們隨即進了屋，克羅克太太和我端上晚餐，傑妮用金縷梅水清洗伊恩的臉，憂慮地檢查其他傷勢。

「這點小傷沒什麼，只是幾個瘀青罷了。」伊恩向傑妮保證，但我看著伊恩進屋，發現他義肢上方正常的腳腫得很大。收拾碗盤時我低聲和傑妮說了幾句。等大家都坐在客廳休息，鞍袋裡的東西也都整理好，傑妮跪在伊恩旁邊的毯子上，握住新的木肢。

傑妮堅定地說：「我們把木肢拿下來吧，你受傷了，我想請克萊兒檢查一下，或許她更能幫上忙。」

伊恩之前的截肢手術做得不錯，運氣也很好，軍醫截掉了下肢，但保住了膝關節，讓伊恩活動起來方便得多。但是目前這個膝關節不但沒有幫助，反而讓他的行動更為不便。

伊恩從山上滾下來時，腿扭傷的狀況頗為嚴重，截肢尾端撞得淤紫，木肢套鋒利的邊緣割裂了皮肉。即使其他一切正常，這樣的腿要承受任何重量都很不舒服了，更何況他的膝蓋也扭傷了，關節內側又腫又熱。

伊恩忠厚的臉幾乎和他受傷的關節一樣紅。儘管伊恩可以完全客觀地看待自己的肢體缺陷，但他還是很難接受偶爾使他陷入無助的處境。比起我碰到他傷口造成的疼痛，像這樣暴露在眾人眼前的難堪所造成的痛苦，恐怕也不遑多讓。

我手指輕輕滑過膝蓋內側腫脹的部位，告訴伊恩：「你這裡的韌帶撕裂了，我無法告訴你傷到多嚴重，但看得出是十分糟糕。你膝蓋裡積有液體，所以才會腫脹。」

「妳能治好他嗎，英國姑娘？」傑米從我背後探出頭來，憂慮地皺眉看著伊恩腫痛發炎的腿。

我搖搖頭。「我幫不上太多忙，只能冰敷減輕膝蓋的腫脹。」說完我抬起頭，擺出希德嘉修女的表情盯著伊恩。「而你，得乖乖待在床上，痛的話明天可以喝點威士忌，至於今天晚上，我會給你鴉片酊讓你入睡。至少一個禮拜內都不要動到傷處，之後再看看狀況。」

伊恩不同意：「不行！馬廄有面牆要補，上坡的田裡有兩條溝渠要築，有犁頭要磨，還有……」

「還有一隻腿要休養。」傑米口氣堅定地說道。他看著伊恩，藍色眼睛發出銳利的目光。我私下將這種目光稱為「堡主的眼神」，大部分人一看都會馬上嚇得聽命行事，但伊恩可是曾和傑米共吃一碗粥、玩著同一個玩具，還一起狩獵戰鬥、一起挨過鞭子，可不像其他人那麼容易屈服。

伊恩直截了當回嘴：「門都沒有。」伊恩棕色的眼睛炙烈的目光瞪著傑米，摻雜了痛苦憤恨的情緒，還有一種我不明白的感覺。「你以為你可以命令我？」

傑米大吃一驚，接著滿臉通紅，像被人甩了一巴掌。他顯然想開口反駁，但幾次忍下了衝動，終於鎮定說道：「不，我不是命令你。但是，我可以請你好好照顧自己嗎？」

兩人對峙許久，我無法解讀他們目光中的訊息。終於，伊恩的鬆開肩膀，帶著不自然的微笑點了點頭。

「可以。」伊恩嘆口氣，伸手揉顫骨的抓痕，摸到傷口時痛得縮了一下。他深深吸了一口氣，硬著頭皮向傑米伸出手。「拉我一把吧？」

要撐著只有一條腿的人爬上兩層樓梯實在不容易，不過他們還是順利上了樓。在臥房門口，傑米讓傑妮扶著伊恩進房，便轉身離開，這時伊恩輕聲用蓋爾語很快對傑米說了一句話。我的蓋爾語還不是很流利，但我想伊恩說的是：「保重，兄弟。」

「你也保重，兄弟。」傑米停下腳步，回頭一笑，溫暖的燭光照亮他的雙眼。

我隨傑米沿走廊走回我們的房間。傑米垂著肩膀顯得有些疲累，但在他睡前，我有幾個問題想問。

剛剛伊恩這麼對傑妮說，要她放心：「只不過是幾個瘀青。」的確，有「好幾個」瘀青。除了他臉上和腿上的瘀青，我發現他上衣衣領下，還半掩著淤紫的痕跡。不管鼴鼠對伊恩侵犯牠的地盤有多生氣，我都不相信鼴鼠會想勒死伊恩作為報復。

傑米也不急著入睡。

我說：「看來『眼不見，心更念』這句話說得沒錯喔？」昨晚空蕩的床，現在睡兩人就剛剛好了。

傑米半閉著眼，舒服地說：「什麼心？好，那兒也按一下。天啊，好舒服，繼續繼續……」

「別擔心，我會繼續，讓我先吹熄蠟燭。」我起床吹熄蠟燭，護窗板開著，即使沒有蠟燭的光焰，外頭下雪的天空反射進房間的光線也夠亮了。我可以清楚地看見傑米，修長的身軀蓋著被子放鬆躺著，雙掌虛握放在身側。我鑽進被子靠在他身邊，執起他的右手，繼續緩緩按摩他的手指和掌心。

我使力在他拇指根部的小丘上畫圓按摩，傑米因為舒服而呻吟著。由於騎馬抓著韁繩好幾個小時而冰冷僵硬的手指，在我按壓下逐漸溫暖放鬆下來。屋子很大，房裡很冷，床是我們的避風港。他的身體溫暖了我的身軀，我們享受肌膚親密的觸撫，不急著向對方需索，恬靜而愉快。時候到了，或許這股觸撫會加深，畢竟現在是冬天，長夜漫漫。我們在彼此左右，滿足於此刻的互動。

過了一會兒，我才問道：「傑米，是誰弄傷伊恩？」傑米沒有張開眼睛，但開口前長嘆了一口氣。他並未因為不想回答而繃緊身體，他早料到我會問這個問題。

「是我。」他說。

「什麼？」我嚇得放開他的右手。傑米握拳又張開，然後動動手指。接著他把手展開放在床單上，兩手並排讓我比對。他的指關節有點浮腫，因為他對伊恩瘦骨嶙峋的臉揮出重拳，擊中他的顴骨。

「為什麼？」我嚇壞了。我看得出他們今天不同於以往，有種焦躁緊繃的氣氛，但又不完全是敵意。我很難想像傑米會對伊恩出拳，對傑米來說，伊恩這個姊夫，幾乎就像姊姊傑妮一樣親。

此時傑米睜開眼睛，卻沒看著我。他兩眼向下凝視著指關節，心煩意亂地揉著。傑米除了指關節有點瘀青，沒有其他傷痕，顯然伊恩沒有還手。

傑米想為自己辯白：「伊恩結婚太久了。」

我瞪著他。「我倒覺得是你太陽曬太久，曬昏頭了，只不過這幾天根本沒太陽。你發燒了嗎？」

「沒有。」他否認，但不讓我摸他額頭。「我只是……得了，別摸了，英國姑娘，我沒有發燒！」

傑米緊抿著嘴不發一語，沉默一陣之後他不再掙扎，於是告訴我事情的來龍去脈。伊恩其實是在莫德哈屯附近採到鼴鼠窩，把木肢弄斷的。

「我們在村裡辦了很多事，所以那時已經接近傍晚，而且又下雪了。伊恩一直堅持自己還可以騎馬，但我看得出他腿很痛。那附近有兩三座小房子，所以我讓伊恩騎了一匹小馬，帶他爬上山，請屋子主人讓我們借住一晚。」

高地人素來熱情好客，他們不但欣然答應讓兩人借住，還招待他們吃晚餐。吃完熱呼呼的麥片粥和新鮮燕麥糕，主人幫兩人在爐火前打了地鋪。

「爐火前能鋪放被子的地方很窄，我們得擠在一起。但我們還是想辦法讓自己舒適地躺下。」傑米做了個深呼吸，有點羞怯地看著我。

「總之，我走了一天累壞了，睡得很熟，我想伊恩也是。但他過去五年，每天晚上都和傑妮睡在一起，習慣身邊有個溫熱的身軀……反正，晚上不知道幾點的時候，他轉過身抱住我，然後吻了我的後頸。然後，我……」他欲言又止，即使房間昏暗，只有雪光點亮，我仍然想像得到他現在肯定滿臉通紅。「我立刻驚醒，以為是黑傑克……」

我一直屏著呼吸聽他說完，才慢慢換口氣說道：「你肯定嚇了很大一跳。」

傑米嘴角一撇。「說真的，被嚇到的人是伊恩。我往旁邊滾開，朝伊恩臉上揍了一拳。等我恢復意識的時候，我已經壓著掐住他喉嚨，他連舌頭都吐出來了。那戶姓穆瑞的主人家在床上也快被我嚇死了，我跟他們說我作惡夢了，呃，就某方面來說這樣講也沒錯。但我乒乒乓乓搞得一片混亂，小孩子尖叫，伊恩在角落猛咳，穆瑞太太突然從床上坐起來，嘴裡唸著『誰？誰？』像隻肥嘟嘟的小貓頭鷹。」

我想像那幅景象，忍不住笑道：「傑米，老天爺。伊恩沒事吧？」

傑米微微聳肩。「妳剛剛也瞧見他的樣子……後來過了一陣子，大家都回去睡覺了，剩下來整個晚上我都躺在火爐前面，瞪著天花板的柱了。」我握起他的左手，輕撫瘀青的指關節，他沒有抗拒。他的手指覆上我的手指，回握著我。

「然後我們第二天早上離開，等我們走到一個地方，可以坐下來，俯瞰下面的村莊，我……」他嚥了嚥口水，覆著我的手微微握緊。「我告訴他藍鐸的事。還有其他所有的事。」

我逐漸明白為什麼伊恩用那種的眼光看著傑米，現在，我也明白了為什麼傑米表情緊繃，眼睛下方有黑眼圈。我不知道該說什麼，只能捏捏他的手。

「除了妳之外，我沒想過我會告訴別人。」傑米也捏捏我的手，淺淺一笑，然後抽回一隻手抹抹臉。

「但是伊恩他……」他想不出精確形容。「他了解我，對吧？」

「我想他了解你。你們認識很久了，不是嗎？」他點頭，雙眼茫然看著窗外。又下雪了，小小的雪花在窗玻璃外跳舞，比天空更潔白。

「他大我一歲，我成長的歲月裡，他一直在我身邊，在我十四歲以前，我和伊恩朝夕相處。即使後來我去里歐赫堡兩年，之後還去了巴黎、上大學，只要回到這裡，不管哪個角落，伊恩都在。他看到我的時候，就像平常那樣笑著，好像我不曾離開。然後我們一起散步，也是肩並肩走著，穿過田野和溪流，無所不談。」他深深嘆口氣，手指耙過頭髮。

傑米努力解釋：「我有一部分屬於這裡，從未離開，伊恩就是那部分。我想……我一定要告訴他，我不想覺得有距離，不想和伊恩、和我的家鄉有距離。」他看著窗外，然後又轉頭看著我，在黯淡的光線中雙眼深沉。「妳能了解嗎？」

「我了解。但伊恩了解嗎？」我輕聲說道。

傑米又做了那個不自在、微微聳肩的小動作。「我看不出來。我才開始說，他就猛搖頭，一副不相信我的樣子。等他相信了……」傑米停下來舔濕嘴唇，我看著他，想像他在雪地裡和伊恩吐實花了多大的心力。「我看得出他直覺就要跳起來踱步了，但因為他的腳，他做不到。他緊握拳頭，臉色蒼白，口裡一直說著：『怎麼可能？該死的，傑米，你怎麼可以讓他這樣做？』」

傑米搖搖頭。「我不記得自己說什麼，也不記得他說什麼了。我只記得我們朝對方大吼大叫，我想揍他但不行，因為他的腿，他也想揍我但做不到，也因為他的腿。」他哼笑一聲。「老天爺，我們看起來一定像兩個超級大傻瓜，朝對方張牙舞爪、大吼大叫。我吼得比較久，總算讓伊恩住嘴，靜下來聽我說完。」

「可是突然間，我說不下去了，沒用的。我一下子癱坐在石頭上，頭埋在雙手裡。過了一會兒，伊恩說我們該繼續走了。我點點頭站起來，幫他上馬。我們又出發了，可是兩個人一句話也沒說。」

傑米似乎突然意識到把我的手握得太緊，於是把手微微鬆開，大拇指和食指轉動著我的婚戒。

他又輕聲開口。「我們騎了好久，後來我聽到後面有個細微的聲音，就稍微放慢步伐讓伊恩的馬跟上。我看到淚水爬滿他的臉，似乎已經哭了一段時間。他見我看著他，便大力搖著頭，假裝還在氣頭上。但是接著他對我伸出手。我握住他的手，他捏了一下，力道大得差點折斷我的骨頭。然後他放開手，我們繼續騎回家。」

說完這件事，我感覺他不再緊繃。「保重，兄弟。」我想起剛剛在臥房門口，伊恩撐著一隻腿這樣說。

「沒事了嗎？」我問。

「會沒事的。」傑米完全放鬆下來，躺回鵝絨枕頭。我鑽進被子躺在他身邊，緊靠著他。我們看著天空飄雪，打在窗上發出輕柔的沙沙聲。

「你安全回家，真是太好了。」我說。

第二天醒來，天空一樣陰鬱。傑米已經換好衣服，站在窗戶旁邊。

傑米看到我從枕頭上抬起頭便說道：「妳起床了，英國姑娘？很好，我有禮物要給妳。」他手伸進毛皮袋，掏出幾個銅幣、兩三個小石頭、捲著魚線的短棒、一封皺巴巴的信，以及一團髮帶。

「髮帶？好漂亮，謝謝你。」我說。

「啊，那不是要給妳的，那是要給瑪格的。」他皺著眉解開纏在鼴鼠腳上的藍色髮帶，那鼴鼠腳是帶在身上祛除風濕的護身符。他狐疑地瞇眼看手掌上的小石頭，拿起一顆舔了舔，此舉把我給嚇了一跳。「嗯，不是這個。」他喃喃地說，手又伸進袋子裡。

「你究竟在做什麼啊？」我興致勃勃地問他，看他表演。他沒有回答，只是又拿出一把小石頭，在鼻子下嗅了嗅，一顆接一顆丟開，直到找到一顆小球，終於讓他滿意了。他又舔一口確定一下，然後放在我手上。小球閃閃發亮。

他得意地說：「琥珀。」

我用食指翻動這顆形狀不規則的小球，摸起來有點溫熱，不知不覺便收掌握住。

「當然還要再打磨一下，我覺得可以作成一條美麗的項鍊。」他看著我解釋，有點臉紅。「這是……我們結婚一週年的禮物。看到它，讓我想到結婚時修．門羅給妳的琥珀。」

「那琥珀我還留著。」我輕聲說，手指撫摩古老的琥珀，這是樹液凝結而成的。門羅給的琥珀有一面經過打磨，刻成一扇小小的窗戶，裡面鑲了一隻蜻蜓，凍結成永恆的飛翔。我把那塊琥珀放在藥箱裡，藥箱是我最強的護身符。

結婚一週年的禮物。雖然我們在六月結婚，而不是十二月，但我們結婚週年的那一天，傑米在巴士底監獄，而我……我在法國國王的懷裡。所以週年當天，自然無法慶賀我們的美滿姻緣。

傑米看著窗外說：「蘇格蘭除夕快到了，看來是重新出發的好日子。」輕柔的雪花片片飄落，像一條毯子覆蓋了拉利堡。

「我也這麼覺得。」我下床走到他身邊，手環著他的腰。我們靜靜摟在一起，直到我眼角瞥見傑米從毛皮袋裡拿出來的其他黃色小球。

「傑米，那又是什麼？」我放開他站得遠遠的，指著那些小球問。

傑米拿起一顆，用手指拍了拍。「這些呀？這是蜂蜜球，英國姑娘。村裡的吉布森太太給我的，很好吃，雖然放在毛皮袋裡好像有點髒了。」他張開手笑著朝我遞來：「要不要嘗一嘗？」

第三十四章
是禍躲不過

傑米發出嚎叫。

我從來沒聽過他發出這樣的聲音，那是震驚、恐懼，還有絕望，就像落入虎爪的人發出的哀嚎。

我不假思索第一時間沿著走廊火速奔向客廳……

關於傑米和伊恩在雪地裡的談話，我不知道伊恩和傑妮說了哪些內容、說了多少，但傑妮對傑米的態度一如往常，總是就事論事、用詞犀利。然而，即便偶爾消遣他，語氣還是隱含著疼惜。我認識傑妮至今，最欽佩她的就是能看透事物表象、直指本質的天賦。

幾個月來，我們四個人的關係經過不斷磨合而更為緊密。我們彼此信賴，互相尊重，因為我們還有許多事要一起面對共同承擔。

隨傑妮越來越接近預產期，我協助負擔了更多的家務，她也更常聽從我的意見。然而，我不可能取代她的地位。自從傑妮母親去世後，她就是這個家的重心，家裡的僕傭也都聽她的吩咐。不過，大家也逐漸適應，對我和善而尊重，像是接受了我，但又有點出於敬畏。

春天來臨的第一件事，就是大量種植馬鈴薯，將一半的田都撥給馬鈴薯這種新作物。沒幾週就證明這個決定是對的，一場冰雹打壞所有剛發芽的大麥，只有馬鈴薯的藤蔓頑強地伏在地面，倖免於難。

春天來的第二件事，就是傑妮和伊恩的第二個女兒誕生了，取名凱瑟琳·瑪莉。她旋風般快速來到，嚇了大家一跳。她出生那天，傑妮先是因為背痛回房躺在床上休息，沒多久就發現自己即將臨盆，要傑米趕緊找來產婆馬汀太太。結果他們一到家，就聽到新生嬰兒尖細的哭聲迴盪在屋內的走廊，兩人剛好趕上喝葡萄酒慶祝。

在這生氣勃勃的一年，我也重新打開了心房。我心底最後的傷口，在充滿愛與工作成就中，完全癒合。我不時會收到遠方的來信，有時一週一次，有時一個多月都盼不到。然而，信差走這麼遠的距離穿越高地送信來，還是常讓我覺得十分不可思議。

今天就送來了一大捆信件與書本，包在上油的防水羊皮紙裡，用麻線捆了起來。傑妮先請信差到廚房吃些點心，再小心拆開麻繩並收進口袋。她逐一翻閱信件，暫時把一個巴黎寄來的誘人包裹放在一邊。

「一封伊恩的信，應該是種子的帳單；約卡絲妲阿姨寄來的信，太好了，好幾個月沒她的消息，我還以為她病了，但字跡看起來很有力……」

一封字跡粗黑的信出現在那堆信中，是約卡絲妲出嫁的女兒寄來的，另一封是愛丁堡寄來給伊恩的信，接著是賈爾德給傑米的信（我認出他細長而清晰的字跡），還有一個用了乳白色的厚信封，封緘處是斯圖亞特王朝的皇家標章。我猜查理王子又寄信來抱怨巴黎生活艱困，心上人對他若即若離令人煎熬等等。至少這封信看起來不長，他通常會寫上好幾張信紙，用四種方言，向「竟愛的詹姆士」傾訴靈魂的負荷。從錯字來看，顯然他不再請祕書處理私人信件了。

「太好了，三本法國小說和一本巴黎來的詩集！」傑妮打開包裹的包裝紙，興奮地說：「C'est un embarras de richesse❶（這就是富人的苦惱），不是嗎？今天晚上要讀哪一本呢？」她從包裝紙取出書本，食指輕輕撫摸最上面一本的皮革封面，高興到指頭都顫抖著。傑妮熱愛閱讀，就像她弟弟傑米熱愛馬兒一樣，那股熱情毫不遜色。莊園裡有座小圖書館，傑妮晚上工作結束上床睡覺前，即使沒有多少自己的時間，她還是會想辦法讀點喜歡的書。

有天晚上我發現傑妮累得坐不住，便催她快上床休息，別再硬撐著唸書給我們聽了，但她解釋：「這讓妳在工作時腦袋裡有東西可想。」她握拳遮嘴，打了一個呵欠。「雖然我累得幾乎看不清書上的字，但隔天我在搗衣、織布或揉羊毛布的時候，這些字會出現在我的腦海，讓我思考。」

---

❶為法國諺語，表示好東西琳瑯滿目，不知如何抉擇。源自十八世紀十分受歡迎的劇作家艾彼德拉瓦（Abbé d'Allainval）的喜劇《富有的困擾》（L'embarras des richesses）。

聽她提到揉羊毛，我會心一笑。我敢肯定，在高地農莊中，只有拉利堡的婦女揉羊毛時不僅會跟著傳統歌謠的節奏，還會伴隨莫里哀和皮隆❷作品的韻律。

我的腦海忽然湧起第一次進到揉布棚的記憶。棚裡婦女面對面坐成兩排，穿著最舊的衣服，光著腳、裸著臂膀，背靠著牆，對一條像蟲一樣又長又濕的粗羊毛布料，用力蹬踩成緊實的羊毛氈毯，使其足以抵禦濃霧小雨，有效保暖以度過嚴寒。

揉製過程不時會有婦女起身，到棚外火爐前拿一壺熱好的尿液，然後高高捋起裙襬，兩腳開開走到棚子中間，把它淋在腿間的粗羊毛布料上，淋濕的羊毛上升起一股強烈令人窒息的熱氣。其他婦女會縮起腳閃開飛濺的尿液，嘴裡一邊開著粗俗的玩笑。

記得那時，一個婦女解釋道：「淋上溫熱的尿液可以幫助毛料上色。」不過，那氣味熏得我眼睛猛泛淚。一開始大家都在打量我到底會不會退縮，但和我在一九四四年戰時與一七四四年醫院裡所見識和從事的工作相比，這樣的工作其實不算什麼。生活總是有它的現實面，並不因為時間推移而改變多少。而且，如果撇開氣味不提的話，揉布棚裡其實還滿溫暖舒適的。拉利堡的婦女隔著一條粗羊毛布料談天說地，工作時齊聲歌唱，手在桌上有節奏地打拍子。有時候我們會坐在地板上，腳丫子深深陷入冒著蒸氣的羊毛，跟大家互相配合一來一往的揉踩著。

這時，我聽到沉重的靴子聲在走廊響起，把我從揉羊毛布的記憶中拉回現實。門開了，一陣帶濕氣的涼風吹進來。傑米和伊恩語氣輕鬆地用蓋爾語交談著，應該是討論田裡的工作。

傑米進門時一邊說道：「明年那塊田要排水。」傑妮看到他們就把手裡的郵件放下，去走廊的櫃子裡拿條乾淨的亞麻毛巾。

傑妮命令道：「擦乾，不要滴在地毯上。」然後遞給他們一人一條毛巾。「把你們的髒靴子也脫下來。

伊恩，信差來過了，伯斯有個人寄信給你，就是你寫信去問怎麼種馬鈴薯的那個人。」

「是嗎？我等一下看。有沒有東西可以吃？我餓扁了，而且我在這裡也聽到傑米的肚子咕嚕叫了。」伊恩用毛巾擦淋濕的頭髮，厚厚的棕髮像刺蝟一樣豎了起來。

傑米則像落水狗一樣甩甩身體，濺得走廊到處都是水，害傑妮尖叫了一下。傑米的上衣都黏在身上，濕透的頭髮變成鐵鏽的色澤，散開披在眼前。

我把一條毛巾搭在他脖子上，說：「快擦乾，我去給你拿點吃的。」

我回到廚房沒多久，突然聽到傑米發出嚎叫。我從來沒聽過他發出這樣的聲音，充滿震驚、恐懼，還有絕望，就像落入虎爪的人發出最後的哀嚎。我不假思索立刻沿著走廊火速奔向客廳，手裡還端著一盤燕麥糕。

傑米臉色鐵青地站在傑妮放信的桌子旁，失神地擺動身體，就像已經砍到底的大樹即將崩倒，只差等人喊聲：「倒啦！」

「怎麼了？傑米，怎麼回事？」他的表情嚇得我心涼了半截。

傑米掙扎著拿起桌上的信，遞給我。

我放下燕麥糕，接過信紙快速掃讀。信是賈爾德寫來的，我一眼就認出那稀疏潦草的筆跡，我默念道：「我親愛的姪子……很高興……言語無法盡表我的敬佩之情……你的膽識與勇氣令人振奮……務求成功……我的祝福與你同在……」我覺得莫名其妙，抬頭焦急問道：「他究竟在說什麼？傑米，你做了什麼？」

---

❷莫里哀（Molière）為十七世紀法國喜劇大師。皮隆（Alexis Piron）為十八世紀法國諷刺詩人與劇作家。

傑米拿起另一張紙，看起來像是粗糙的印刷布告。他皮膚繃緊的臉上掛著冷笑，像個陰森的骷髏頭。

「我做了什麼不重要，英國姑娘。」他說道。布告單頂部是斯圖亞特王朝的標章，底下的文章很簡短，措辭嚴肅。

上面說道：依全能上帝的應允，詹姆斯國王．蘇格蘭國王詹姆斯八世．英格蘭和愛爾蘭國王詹姆斯三世，特此基於其合法權利，要求三個王國之王位。另，諸高地氏族領主、詹姆斯黨貴族，及「詹姆斯國王陛下眾忠誠子民，如本結盟書所簽署為證者」，鼎力支持此神授之君權，特此稱謝。

我讀著這張布告，手指冷得發抖，同時因為太過恐懼，竟然喘不過氣來。我耳裡聽到血液沸騰的聲音，眼前同時開始布滿黑點。

布告單底下，宣示效忠的蘇格蘭氏族領主簽署了自己的姓名，賭上性命及聲譽，全力支持查理王子。底下是克林蘭諾和格林蓋瑞氏族的名字，亞平的史都華、凱堡的亞歷山大．麥唐納、史高特斯的安格斯．麥唐納也列在上面。

這串名單的最後，寫著：「詹姆士．亞歷山大．麥爾坎．麥肯錫．弗雷瑟，圖瓦拉赫堡。」

「天殺的操蛋混帳！這個該死的王八蛋把你的名字寫上去了！」我咬牙切齒，用盡所有能用的字眼也不足以表達我的憤怒。

傑米依然臉色蒼白、神情僵硬，但也逐漸恢復過來。「是啊！」他簡短地回道，手則猶豫地伸向桌上還沒打開的信。信封用的是厚磅的上等皮紙，封蠟上明明白白印著斯圖亞特的標章。傑米最後不耐地撕開信封，把信紙都扯破了。他很快讀完然後往桌上一丟上，彷彿信會燙手。

「信上說因為沒時間寄文件讓我親自簽名而道歉，並感謝我的忠誠支持……老天，克萊兒！我該怎麼辦？」他聲音嘶啞說道。

我也無法回應傑米幾近吶喊的呼救，只能眼睜睜看他頹坐在跪墊上，兩眼發直地盯著爐火。

傑妮原本因為這混亂的場面而呆若木雞，現在她拿起了信和那張布告單嘴唇嚅囁著仔細讀過一遍，然後再把它們放回光潔的桌面。她皺眉望著這兩張紙，然後一邊在胸前畫十字，另一隻手放上他的肩膀。

傑妮臉色蒼白地說：「傑米，你能做的只有一件事。去幫查理王子作戰，然後幫他打贏。」

這幾句實實在在的話，慢慢穿透層層包住我的恐懼。這結盟書一發布，上頭簽名的人就都給打上了反叛的印記，變成英國的叛亂分子。現在查理王子怎麼籌畫、怎麼籌資運作都不重要了，他已經浩浩蕩蕩往戰爭的海上駛去，而不管我們願不願意，我和傑米也被迫隨他一同出發。就像傑妮說的，我們別無選擇。

查理王子的信從傑米手中飄落，我看到信上錯字連篇的文句：

……儘管狠多人認為我魯莽，投身這項行凍卻未獲得路易支持（連銀行傢伙也不支持！）但我決不願回到來時地。一同慶賀吧，輕愛的朋友，我家要回了！

第三十五章

月下淚光

他的聲音沙啞混濁，
月光從他背後的窗扉灑下，
映出兩道淚痕，
隱約滑過他俊秀的臉龐。

出征的籌備持續進行，莊園上下瀰漫著一股激昂卻又充滿疑慮的氣氛。大夥從茅草屋頂、乾草堆、壁爐裡，翻出一七一五年起義時藏匿的武器，重新整備磨光削尖，男人若是在路上不期而遇就會聚在一起，頂著八月熾熱的陽光，圍成一團熱烈討論，女人則都保持沉默冷眼看著他們。

傑妮和她弟弟傑米一樣，總讓人捉摸不透，完全看不出她腦子裡想的是什麼。相較之下，我就像玻璃一樣容易被看穿，因此我很羨慕她。有天早上，她請我帶傑米到釀酒屋時，我就完全不知道她所為何故。

傑米跟著我踏入釀酒屋，站在門口等了一下，讓眼睛適應屋裡黯淡的光線，然後滿足地深深吸了一口既潮濕又略帶苦味的辛辣氣息。

「光是站在這裡呼吸我就醉了。」他表情恍惚地說道。

「這樣的話，那我得請你暫時憋氣，因為我希望你現在腦袋清醒點。」傑妮說。

傑米恭敬不如從命，誇張地鼓胸閉氣等傑妮開口。傑妮一手拿起釀酒用的攪棒便往傑米肚子一戳，傑米痛得彎腰，一口氣噗地全吐了出來。

「再耍寶啊！」傑妮說，聽起來也沒生氣。「我想和你談談伊恩的事。」傑米從架上搬了個空的酒桶，翻過來坐。他頭上油紙糊的窗戶裡，灑下一束微弱的光芒，映出他紅銅色頭髮的光澤。

「伊恩怎麼了？」傑米問道。

現在輪到傑妮深吸一口氣。傑妮面前的廣口麩皮桶飄出一股揉合了發酵穀物、啤酒花和酒精的溫暖濕氣。

「你啟程的時候，我要你帶伊恩一起去。」

傑米揚起眉毛不發一語。傑妮說完便專注著攪拌的動作，看著桶裡的混合物順利翻動。傑米若有所思地凝視著傑妮，兩手垂放在大腿間。

傑米輕鬆地說：「是厭倦婚姻了嗎？我幫妳帶他到樹林裡一槍斃了，說不定還比較乾淨俐落。」麩皮桶邊，一道藍色目光迅速射向傑米。

「傑米．弗雷瑟，想殺人的話我自己會動手，況且伊恩也不是我第一個要幹掉的對象。」

傑米咕噥一聲，嘴角一撇。「是喔？那我為什麼要帶他走？」

傑妮的肩膀以流暢的節奏律動著一個接一個的攪拌動作。「就因為我要你帶上他。」

傑米在膝上張開自己的右掌，下意識地撫著中指上歪七扭八、凹凸不平的疤痕。

「很危險的，傑妮。」傑米平靜說道。

「我知道。」

傑米慢慢搖頭，依然凝視著自己的手。手上疤痕癒合得很好，動作也不受影響，但僵直的四指和手背上一小塊粗糙的疤痕，讓手看起來非常古怪。

「妳自以為知道吧！」

「我真的明白，傑米。」

接著傑米抬起頭來，看起來有點不耐煩，但努力想保持理性。「得了，我知道伊恩會告訴妳在法國打仗之類的事，但是傑妮，妳根本完全不懂實際的情況。我的好姊姊，這可不是搶牲畜那麼簡單，這是戰爭，而且可能是場血腥的大屠殺，這是……」

攪棒砰的一聲掉到桶邊，彈進麥芽漿裡。

傑妮大吼：「誰說我不懂？我從伊恩那裡聽來什麼？伊恩從法國回來的時候，剩下半條腿，發高燒差點死掉，你以為照顧他的人是誰？」傑妮啪地一掌打在長凳上，拉緊的神經繃斷了。「是我，從他斷肢的肉裡挑出一隻隻的蛆蟲，因為連他自己的母親都做不到！是我，拿燒紅的刀貼上他的腿好封住傷口！是我，聽著他尖叫，聞到他的肉燒焦發出烤豬一樣的味道！你憑什麼說我不懂！」

憤怒的淚水淌下傑妮的臉頰，她抹不完像雨一樣的淚珠，便伸手翻找口袋裡的手帕。

傑米明白這時傑妮正在氣頭上，也不伸手安慰，只是緊抿雙唇，從袖子裡抽出手帕默默遞給她。他靜靜地看著盛怒的傑妮擦著眼水和鼻水。

「既然妳懂，卻還要我帶他去？」傑米說。

「對。」傑妮快速擤個鼻涕，然後把手帕塞在自己的口袋裡。

「傑米，伊恩很清楚自己少了一條腿，他再清楚不過了，但他和你在一起可以克服，他有匹馬，並不需要走路。」

他不耐地反手一揮。「能不能克服不重要。如果要，就一定得做到。問題是妳為什麼非要他去不可？」

傑妮再次恢復鎮定，撈出攪棒甩了甩，棕色的汁液濺到桶子裡。「他從沒問你需不需要他，對吧？」

「沒有。」

傑妮又把攪棒戳回桶中繼續攪動。

傑妮抬起頭，那雙和傑米像一個模子刻出來似的蔚藍雙眼盈載著不安。「他覺得自己是殘缺的人，所以你不會要他一起去，而且他覺得自己對你一點用也沒有。傑米，你認識以前的伊恩，但他現在不一樣了。」

傑米遲疑地點點頭，又坐回桶子上。「說是這麼說，不過妳也知道這免不了吧？而且他看起來過得很好。」傑米抬頭看傑妮，微微一笑。「傑妮，他和妳在一起很快樂，和妳跟孩子一起。」

傑妮點頭，黑色鬈髮擺動。「沒錯，但那是因為對我來說，他永遠是我最完整的另一半。」傑妮低聲說，然後抬起頭直直看著傑米。「但如果他覺得自己幫不上你的忙，他就不會覺得自己毫無殘缺了。所以我才要你帶他一起去。」

傑米十指交疊，手肘撐住膝蓋，下巴靠著指關節。「這場戰爭和在法國不同，在那裡，拚的只是自己的性命……」傑米思索後才說：「傑妮，這是謀反。一個不小心，所有跟著斯圖亞特的人都要上絞刑臺的。」

傑妮一直很蒼白的臉更加蒼白了，但她的動作沒有停下來。

「我別無選擇，但妳要我們兩個都賠下去嗎？妳想讓伊恩在絞刑臺上看著腳下的烈火，等著被剜腸剖肚？妳寧可讓孩子失去父親，也要維護他的自尊？」傑米兩眼盯著傑妮，臉色幾乎和傑妮一樣蒼白，在釀酒間的黑暗中若隱若現。

攪棒的動作慢了下來，不像剛才帶著激動，但傑妮開口時，聲音就像她不屈不撓的動作一樣堅定。

「如果我的男人不能完整無缺，我寧可不要。」她堅定地說。

傑米靜靜坐著，不發一語，看著一頭黑髮的傑妮側著頭攪動大桶子。

「好吧！」傑米最後平靜說道。傑妮沒有抬頭，動作依舊，但黑髮上的白色頭巾似乎微微飄了一下。

傑米大大嘆一口氣，起身，突然轉向我說道：「快離開這裡吧，英國姑娘。老天，我一定是醉了。」

—

「你憑什麼命令我？」伊恩太陽穴上的青筋劇烈跳動。傑妮緊緊抓著我的手。

傑米要伊恩和他一起加入斯圖亞特的軍隊，伊恩起初覺得難以置信，接著起了疑心，但傑米依然堅持，最後伊恩怒氣大發。

伊恩直截了當地說：「你這個呆子。我是瘸子，這點你清楚得很。」

「我知道你是個出色的戰士，一旦面臨近戰，我需要你在我旁邊支援。」傑米非常堅決。他答應了傑妮，所以無論如何都會做到。「我們總是一起迎戰的，難道你要拋棄我？」

伊恩不耐煩地揮手打發傑米。「或許吧，但要是我的木腿脫落或斷了，我還有得打嗎？我會像條蟲一樣倒地，等第一個衝來的英國兵對我吐口水。還有，如果跟去了，誰來照顧這兒？」他憤怒地看著傑米。

傑米不假思索回道：「傑妮可以。我也會留下人手看好大家的工作。而且，傑妮帳也管得很好。」

伊恩眉一挑，嘴裡用蓋爾語吐出一串粗話：「放屁！你要我留傑妮一個人照料這裡，還要拉拔三個奶娃，而且人手只有以前一半？你瘋了你！」伊恩雙手一甩，轉身走向放威士忌的餐櫃。

和我一起坐在沙發上、膝上抱著凱瑟琳的傑妮被伊恩突來的憤怒之舉嚇得輕聲叫了出來，但聲音小得幾乎沒人聽到。在我們交疊的裙子下，她伸出手來握住我，我回握住她的手指。

「你憑什麼命令我？」

傑米沉著臉，默默盯著伊恩緊繃的背影，嘴角突然一撇。「因為我比你大。」傑米緊繃的臉帶著挑釁說道。

伊恩轉身，臉上印著難以置信的表情看著他，眼底閃過一絲慌張，但他還是挺起胸膛、抬起下巴反擊：

「我年紀比你大。」

「我比較強壯。」

「你才沒有！」

「有，我有！」

「才怪，我才比較壯！」

笑意隨著他們一來一往的過程中越來越多，但是語調卻仍十分認真。你可以察覺他們就像孩提時的拌嘴，但兩人的態度仍舊堅決。

傑米扯開袖口，捲起上衣袖子，開始挑釁對方。「證明給我看啊！」傑米的手粗魯地一掃，在棋桌清出一塊位置後坐下，手肘撐在刻上方格的棋盤上，扳扳手指向伊恩提出挑戰。傑米的湛藍對上伊恩的深棕，兩雙眼都燃燒著熊熊怒火。

伊恩只花了半秒鐘評估情勢，便頭點接受挑戰，這時一縷濃密的深棕色頭髮垂下，遮住了他的眼睛。伊恩冷靜地把頭髮往後撥，接著解開袖口，把衣袖捲到肩膀，一次一個動作，目光始終緊瞅著傑米。從我的位置，可以看見伊恩黝黑而瘦長的臉頰開始漲紅，看得出他心意堅決。我看不到傑米的臉，但從他背部和肩膀的線條來看，他也一樣毫不動搖。

兩人小心翼翼擺好手肘，調整出最佳位置，支在桌上的手肘前後挪動，好確定桌面安穩不滑溜。

傑米照著規矩，張開手指，手掌朝向伊恩。伊恩小心地將自己的手掌靠上去。他們手指相對，相碰一下，然後一掌朝右、一掌朝左交握扣緊。

傑米問：「準備好了？」

「好了。」伊恩的聲音很冷靜，但纖長的眉毛下目光灼灼。

兩人的肌肉立刻劍拔弩張，沿著手臂的線條鼓起，同時也微微挪動身軀，想運用槓桿作用扳倒對方。

傑妮和我面面相覷，然後翻了白眼。她設想過很多狀況，就是沒想到傑米會出這一招。

傑米和伊恩兩人一心一意專注在糾結的手指上，兩張臉都因為費力漲得通紅，汗水濡濕了太陽穴旁的髮絲，眼睛因為臉部肌肉用力過度而鼓突。突然間，我看到傑米的目光從握緊的拳頭移到伊恩憋緊的嘴唇，伊恩察覺傑米的目光移動，眼睛也對上傑米……接著兩人同時爆出大笑。

他們的手臂因為用力而痙攣，反而動彈不得，握了一會兒才分開。

「看來是平手嘍！」傑米將一縷汗濕的頭髮往後撥，親切地對伊恩搖搖頭說道：「好吧，老兄，就算我可以命令你，我也不想那麼做。但我可以拜託你吧？拜託，和我一起去吧！」

伊恩擦著一邊脖子，細細的汗水流了下來，弄濕了他的衣領。他的眼神在房間裡轉了一圈，然後停在傑妮身上。傑妮的臉色依舊平靜，但我看到她耳朵下方的脈搏正急速跳動。伊恩一折一折慢慢放下袖子時，目光不曾離開傑妮。我看到一道玫瑰色的紅暈，出現在傑妮領口的頸子上。

伊恩搓揉下巴，彷彿若有所思，然後轉過身對傑米搖頭。「不行，夥伴。這裡需要我，我要留下來。」他的視線回到傑妮身上，又看向靠在傑妮身上的凱瑟琳，再轉移到小瑪格，這時她正用髒兮兮的小手拉著媽媽的裙子，最後又看向我。

伊恩的嘴彎成一道長長的微笑，強調道：「小子，我要留下來守護你脆弱的一邊。」

——

「傑米？」

傑米立刻回應：「嗯？」雖然他挺直躺著，像墳墓上的雕像，但我知道他還沒睡。明亮的月光灑滿房間，我撐著手肘起身，好看清楚他的臉。他凝視著天花板，彷彿視線能穿透屋頂，望見開闊的夜空和星光。

「你不會把我留在這裡吧？」如果不是伊恩那個掃視的眼神，我也沒想過要這樣問他。

伊恩一決定要留下之後，傑米就坐在伊恩身邊開始編派，決定誰和傑米一起去幫助查理王子，誰留下來看管牧場和牲畜，並維持拉利堡運作。

傑米表面上雖然冷靜地和伊恩一起討論這些事，但我明白決策過程極為煎熬。要帶鐵匠羅斯去嗎？可以帶他去，但是出發前必須讓他修好春天耕作要用的犁頭。喬瑟夫．弗雷瑟．科比斯要去嗎？他不必去，因為他不只負責養家，還要照顧守寡的姊妹，而且他們家的長子布蘭登才九歲，如果喬瑟夫回不來，布蘭登是沒辦法扛起全家重擔的。

這些規畫必須非常審慎周詳，該讓多少人去作戰，才能對戰事發揮實質的影響？就像傑妮說的，傑米現在別無選擇，只能幫查理王子打贏這場仗。為了打贏，能召到的人手，都應該盡量投入戰事。

另一方面，我雖然對戰事略知一二，卻不知道詳細的發展。我們已經成功阻止查理王子為叛亂募集資金，但這位不知天高地厚、軟弱無能的美王子還是一心想奪回王位，而且也已經登陸，預備召集格倫芬南的氏族。賈爾德又捎信來了，告訴我們查理王子已經乘著安東尼．華許贊助的兩艘小型驅逐艦，通過英吉利海峽。這位華許是個投機的奴隸販子，顯然他認為查理王子冒的風險不像奴隸遠航那麼大，下這筆賭注或許有些勝算。兩艘驅逐艦中，一艘遭到英軍攔截，查理王子乘的另一艘則安然抵達艾立開島。

查理王子抵達時身邊只有七個人，包括一位小銀行家艾涅斯．麥唐納。艾涅斯無法資助整場遠征，但拿出的資金也買了一小批腰刀，而這就是查理王子所有的軍備了。聽起來賈爾德對這趟魯莽的行動相當欽佩，同時也大為驚駭。不過，賈爾德是忠誠的詹姆斯黨人，他盡力吞下了所有的疑慮。

目前為止，查理王子一切順利。高地傳言著查理王子是從艾立開島登陸，接著再渡海抵達格倫芬南，然後就待在那兒，帶著幾桶白蘭地，等待氏族響應他的號召，加入他麾下。過了幾個小時（這幾小時必定令人神經緊繃、惴惴不安），卡梅隆氏族三百人馬從陡峭的綠色山丘奔下峽谷而來。不過，帶領兵馬的不是領主（領主當時不在），而是領主的親姊妹——珍妮．卡梅隆。

卡梅隆的兵馬率先抵達，其他世族則陸續加入，就像結盟書說的一樣。

不管我們怎麼努力，查理王子仍舊執意步向毀滅的情況下，那麼拉利堡可以留下多少人手守護家園，避免捲入這場災難？

確定伊恩會留下，這對傑米來說是個重大安慰。但其他人呢？拉利堡的六十戶人家呢？決定誰上戰場、誰留下來，某種程度上就像決定讓誰犧牲一樣。二戰期間，我就眼見一些軍官迫於戰事不得不做出這樣的抉擇，我明白他們內心無比煎熬。

傑米別無選擇地作出了決定，不過他堅持兩個原則：不准婦女隨行，十八歲以下的小夥子也禁止。對此伊恩有點驚訝，雖然多數有孩子的婦人一般會留在家，但是跟著自己的丈夫參戰、負責做飯、照顧男人、一起吃軍隊的口糧，對高地婦女而言並不罕見。而高地的小夥子在十四歲時就覺得自己是男人了，如果徵兵時沒受點召，還會遭人狠狠嘲弄。但傑米的命令不容質疑，伊恩雖然遲疑，還是點點頭寫下規定。

在伊恩和傑妮面前我沒有問傑米，他所謂的禁止婦女隨行是否包括我在內。但無論如何，我都跟定了，才不管他那些該死的說詞。

「把妳留下來？妳認為我會冒這個險嗎？」傑米嘴角藏不住笑意地說。

我這時才安心，靠向他說道：「不，你不會。不過，我覺得你可能還是會猶豫一下。」

他輕嘆一聲，讓我的頭枕在他肩上。「對，就算我想把妳留下來，我大概得用鍊子把妳栓在欄杆上才行。」他搖了搖頭說道：「不管願不願意，我一定得帶著妳，英國姑娘。一路上妳可能會知道一些事情，即使當下看起來沒什麼，但可能是個徵兆。而且妳的醫術極佳，我們的人馬需要妳的幫助。」

他輕拍我的肩膀，又嘆了口氣。「褐髮美人，我願意付出一切代價讓妳安全留在這兒，但我不能。所以妳得和我一起上路，妳和佛戈斯都是。」

我聽了很驚訝。「佛戈斯？但你不是不帶年輕的……」

他再嘆了一口氣。我把手掌貼在他胸口，感覺到他胸腔中的心臟緩慢而穩定地跳動。

「佛戈斯不一樣。其他小夥子我不會帶著他們，因為他們屬於這裡。如果我們功敗垂成，他們只是得提早長大，不過至少他們能在這裡生活、養家活口、照顧田地和牲畜。但是佛戈斯……這裡不是他的歸屬。他的歸屬也不在法國，否則我就會送他回去了。他在法國也同樣沒有立足之地。」

我終於理解，輕聲說道：「他的歸屬就是你。和我一樣。」

傑米沉默不語，然後輕輕捏了我的手。

「對，是這樣沒錯。」他平靜說道：「晚了，快睡吧，褐髮美人。」

—

惱人的哭鬧第三次把我吵醒。小凱瑟琳因為長牙不舒服，她想讓全世界都知道。我聽到伊恩充滿倦意的咕噥聲從他們在走廊前方的房間傳來，接著是傑妮帶著無奈下床去安撫嬰兒的聲音。

然後，我聽到沉沉的腳步聲在走廊輕柔響起，原來傑米還醒著，光腳在屋子裡走。

「傑妮？」傑米壓低聲音怕吵醒其他人，但莊園宅邸一片寂靜，只偶爾傳來輕輕的嘎吱聲，傑米的話仍然清晰可聞。

傑米說：「我聽到這小姑娘在哭。如果她睡不著，我也睡不著，但至少妳可以回去睡。如果她吃飽了也換過尿布，或許我們兩個可以互相陪伴一陣子，妳回床上去吧！」

傑妮用手掩住一個呵欠，我能聽到她的聲音帶著微笑。「我的傑米小弟，你真是母親的救星。沒錯，她吃得很飽，現在尿布也是乾的。抱去吧！祝你們相處愉快！」門關上了，我又聽到低沉的腳步聲，往我們房間走來，傑米低聲呢喃，輕聲安撫小寶寶。

我縮在舒適的鵝絨床裡，想繼續睡。耳中依稀聽到小寶寶的嗚咽聲，穿插著打嗝與啜泣聲，還有傑米低沉、不成調的哼唱，就像聽著陽光下蜂巢的嗡嗡聲一樣令我感到無比安慰。

「嘿，小凱蒂，妳好嗎？不哭，我的小寶貝，不哭。」

他們的聲音在走廊裡來來回回，我睡意更濃了，但還是勉強保持清醒，仔細聽著他們的動靜。也許有一天，傑米也能抱著自己的孩子，小小圓圓的頭顱枕在他厚實的大手裡，玲瓏結實的身體讓他緊摟著、牢牢靠著他強壯的胸膛。然後他就能唱歌給自己的女兒聽，溫暖而輕柔地哼唱他那不成調的歌曲，在深夜裡迴盪。

一股柔情湧來，淹沒我一直隱隱作痛的心。我懷過孩子，我可以再懷一次。費絲讓我知道自己能夠懷孕，這是她帶給我的禮物，她也給了傑米勇氣，並讓他懂得去運用。我輕輕把手放在胸上罩住雙峰，確信有一天它們會哺育我心愛的孩子。傑米的哼唱在我耳中沉沉迴盪，輕促我陷入夢鄉。

過了一陣子，我又朦朦朧朧醒來，睜眼看到房內一片明亮。月亮已經升起，圓滿而皎潔，房裡所有東西都很清晰地攤在面前。

小寶寶已經安靜下來，但我聽見傑米的聲音從走廊上傳來，他還在說話，但小聲得多，近乎耳語。他的音調變了，不再是對嬰兒那種充滿韻律、沒有特殊意義的聲音。他說得斷斷續續、欲言又止，像在尋覓一條路，穿越自己心中的一片荒蕪。

我好奇地溜下床，躡手躡腳悄悄走到門邊。他倆在走廊的盡頭。傑米背倚著窗坐在窗臺前，只穿著一件上衣。他縮起雙腳立著膝蓋，小凱瑟琳・瑪莉坐在他懷裡，背靠著他的腿，和他面對面，兩隻胖嘟嘟的小腿不住踢著傑米的肚子。

凱瑟琳的臉像月亮一樣乾淨清朗，眼睛是兩面深色的潭，吸入傑米的一字一句。傑米用一隻手指撫著凱瑟琳圓圓的臉頰，一遍，又一遍，喃喃傾訴令人心碎的溫柔耳語。

傑米說的是蓋爾語，語調如此沉緩，即使我知道那些詞句，也不懂他在說什麼。而他的聲音沙啞混濁，月光從他背後的窗扉照下，映出兩道淚痕，隱約滑過他俊秀的臉龐。

我不忍打擾這個場面，於是回到仍然溫暖的被窩，在腦海中記住這幅畫面：拉利堡的堡主半裸著身子坐在月光下，向懵懂的未來傾吐心聲，膝上抱著同一血脈的希望。

早上我醒來時，身邊有股溫暖、陌生的香味，還有東西纏著我的頭髮。我張開雙眼，就在我鼻子前面三公分的地方，凱瑟琳半夢半醒地咂著她玫瑰花苞似的小嘴，肥嘟嘟的小指抓住我左耳上的頭髮。我小心翼翼解開頭髮，她動了動，翻身俯臥，縮起膝蓋又睡著了。

傑米躺在小嬰兒的另一邊，一張臉半埋在枕頭裡，睜開一隻眼睛，澄藍一如早晨的天空。

「早安，英國姑娘。」他悄聲說，不想吵醒還在睡的小嬰兒。我起身，他對我微笑。「妳們兩個這樣面對面睡在一起，好溫馨。」

我用手梳梳糾結的頭髮，看著凱瑟琳朝天的小屁股，微微一笑。

我看著她說：「這姿勢看起來不太舒服耶，但她還睡得著，所以應該不算太糟。你昨天陪她到多晚？我沒聽到你上床。」

傑米打個呵欠，順順頭髮，把頭髮從臉上撥開。他的眼睛下有黑眼圈，但是表情平靜而滿足。

「我也不記得，總之還不到月亮西沉吧！我不想抱孩子回去吵醒傑妮，所以把她放在我們兩個中間，整個晚上她動都沒動一下。」

這時凱瑟琳的手肘和膝蓋開始蹭著床單，低聲呼嚕，鼻子在被窩裡嗅聞尋找，一定是她早上餵奶的時間快到了。下一秒她就證實了我的猜測——她抬起頭，眼睛依然緊閉，哇地大哭一聲。我趕忙伸手抱起她。

「好，好，乖喔！」我安慰著她，輕拍她緊繃的背，匆忙下床，又伸手回來拍拍傑米的頭，他蓬亂的紅銅色頭髮摸起來好溫暖。「我帶她去找傑妮，時候還早，你多睡一會兒。」我說道。

「我會的，英國姑娘。吃早餐見了！」哭聲吵得傑米有點怕，他翻身仰躺，手交叉放在胸前，這是他最喜歡的睡姿。等我抱著凱瑟琳走到門邊，他已經發出沉沉的呼吸聲，再度入睡。

寶寶大力扭動，用鼻子頂來頂去想找乳頭，因為一時找不到，又嚎啕大哭起來。傑妮因為聽到孩子在哭，一邊拉著綠色的睡袍，一邊急急從臥房出來剛好在走廊上與我相遇。寶寶急著想吃奶，揮舞著小拳頭，我趕緊把寶寶抱給傑妮。

「好了，小親親，噓，不哭了。」傑妮安撫寶寶，接了小孩，並揚眉請我一起過去，回到她的房間。

我跟著走進房間，坐在皺巴巴的床上，傑妮則坐在壁爐旁的育嬰椅上，趕緊掏出一邊的乳房，那張哭鬧不休的小嘴一口就含住了乳頭，瞬間安靜下來，我們都鬆了口氣。

「感覺好多了吧，貪吃的小豬？」傑妮嘆口氣。乳汁流出後，她的肩膀微微鬆懈下來。然後她睜開眼，看著我微笑，那雙眼睛就和傑米一樣清澈湛藍。

「謝謝妳整晚照顧這小姑娘，我整晚睡得很好。」我聳聳肩，看著這對母女溫馨的景象，我心滿意足地微笑，也一起放鬆下來。寶寶圓潤的頭顱神似傑妮高聳渾圓的胸部曲線，她發出輕輕的咕嘟咕嘟聲，身體放鬆倚著母親，舒適地窩在傑妮的懷裡。

「是傑米照顧的，不是我。看起來傑米和他的小甥女處得很好。」我腦海又浮上那幅動人的畫面：傑米低沉熱切地對小嬰兒傾訴，淚水滑下他的臉頰。

傑妮點點頭，端詳我的臉。「或許他們互相安慰了對方。這幾天傑米睡不好吧？」傑妮問道。

「他睡不好，心裡想很多事情。」我輕聲回答。

「我想也是。」傑妮眼睛瞟著我背後的床說道。伊恩已經出門了，他黎明就起床去馬廄照料家畜，有些不必耕作的馬匹，或不能耕作的馬匹，需要釘蹄鐵、上馬具，為啟程打仗做準備。

傑妮突然開口，打斷我的思緒：「妳知道，妳可以和嬰兒說話。我是指真的說話，說什麼都可以，不管這些事聽在一般人耳裡是不是覺得很愚蠢，都可以說。」

「妳聽到傑米說話了？」我問道。傑妮點頭，眼睛望著凱瑟琳圓滾滾的臉頰，寶寶深色的細長睫毛襯著白皙的肌膚，雙眼忘我地緊閉著。

傑妮溫柔地對我微笑：「是啊！妳不用擔心，傑米不是覺得不能和妳說，他知道可以和妳談。但那和小嬰兒說話不同。小嬰兒的陪伴讓人不覺得孤單，但他們聽不懂妳的話，所以妳完全不用擔心他們怎麼看待妳，或擔心他們評判妳的言行。妳可以盡情傾吐，不必思索遣詞用字，也完全不用隱瞞。這很撫慰人心。」

她自然地說著，好像每個人都知道這件事。我很好奇她是不是也常這樣和孩子說話。傑妮的嘴形和傑米很像，這時一邊嘴角也微微彎起。

「孩子在妳肚子的時候妳也這麼和他們說話，對吧？」傑妮又柔聲說。

我把手輕輕放在肚子上，兩手交疊，回憶過去。「是的，我是。」

傑妮用大拇指壓住寶寶的臉頰，讓她停止吸吮，然後再用一個靈巧的動作把她換到飽滿的另一邊乳房。她若有所思地說著，好像正說出自己的思緒：「我想或許就是因為這樣，孩子出生後母親經常覺得難過。妳和他們說話時會想著他們，在妳肚子裡時妳會想像他們的模樣。然後他們出生了，和妳想的不同——完全不像在肚子裡時妳想的那個樣了。當然妳還是愛他們，慢慢了解他們……但是，妳還是會想到在肚子裡時，妳在心裡和他說話的那個孩子，那個孩子消失了。所以即使手上抱了出生的那個，妳還是會為了妳曾經感應、但卻未出世的孩子而悲傷。」傑妮低頭吻了女兒柔軟的額頭。

我說：「是的，出生之前，一切都有可能。可能是兒子，可能是女兒，可能長得醜，也可能長得漂亮。然後孩子出生，所有可能都消失了，因為一切已經成形了。」

傑妮前後輕輕搖著寶寶，寶寶的小手原本抓著傑妮胸前的綠色絲質睡袍，現在慢慢鬆開。

傑妮靜靜地說：「女兒出生，原本可能有的兒子死了。或者妳胸前的俊俏小夥子，殺了妳原先以為在自己肚裡的小姑娘。妳為不認識的孩子哭泣，那永遠消失的孩子，直到妳終於熟悉自己的孩子，彷彿他們原本就不可能是其他樣子。妳覺得有點落寞，卻又為孩子高興。但在妳熟悉自己的孩子前，都很容易哭泣。」

「而男人……」我想到傑米低聲在凱瑟琳的耳邊，訴說她不懂的祕密。

「欸，男人抱著孩子會感受到一切曾有過的可能，並了解有些可能永遠不會實現。但要男人為不認識的人哭泣，並不容易。」

第三十六章

普雷斯頓潘斯之戰

傑米看起來狼狽不堪，身上有火藥熏黑的汙痕和飛濺的血跡，那雙赤腳沾滿泥漿，渾身都髒透了。但他完好無缺地站在我面前，我別無所求了。

行軍四天後，我們來到考爾德附近一座山丘頂。山腳下是一望無際的沼地，但我們還是找到了有樹木掩護的地方紮營。山坡上有覆滿青苔的岩石，兩條小溪蜿蜒流過，加上初秋的涼爽天氣，感覺我們不像打仗行軍，反而比較像來外地野餐。

但今天是九月十七日，如果我對詹姆斯黨歷史粗淺的了解沒有錯誤，幾天內就會開戰。

「再跟我說說，英國姑娘。」我們走在蜿蜒的小徑與塵土飛揚的道路上，傑米又開口，這是第十二次了。我原本騎著多納士，傑米走在旁邊，但現在我下馬和他並肩走著，這樣說話比較容易。雖然多納士和我已經彼此妥協了，但要騎牠這種馬必須全神貫注。例如，牠非常喜歡走過低垂的樹枝，好把分心的騎士從馬背上刮下來。

「我說了，我知道的不多，書上對這場戰役的歷史記載很少，我讀的時候也不是很專心。我只記得這場戰爭是在普雷斯頓鎮附近開打，所以又稱為普雷斯頓潘斯之役，但蘇格蘭人稱之為格拉斯蒙之役，因為有個古老的預言，說歸來的國王會在格拉斯蒙獲勝。天知道真正的格拉斯蒙在哪裡，說不定根本沒這個地方。」

「然後呢？」

我皺著眉，想從記憶裡再搜刮一些斷簡殘篇。我勉強回想起一本破破爛爛的棕皮小書，書名是《小朋友的英格蘭史》，那時我在波斯一間泥造小屋裡，就著一盞搖曳的煤油燈讀這本書。我在腦中翻頁，記得詹姆斯黨叛亂只有兩頁，作者大概認為第二次詹姆斯黨叛亂只值得這麼多篇幅。這次起事歷史學家稱為「四五年起事」，在那兩頁的篇幅裡，只有一段在描述即將開打的這場戰爭。

「蘇格蘭人贏了。」我盡可能把知道的說了出來。

傑米挖苦道：「呃，這的確是相當重要的一點，不過，要是多說點其他細節會更有幫助。」

我微慍脫口道：「你想聽預言的話，應該找個先知才是！」說完我又心軟：「對不起，我知道的太少，也覺得很洩氣。」

「的確讓人不好受。」他笑著伸手握住我的手捏了捏。「別煩惱，英國姑娘，說妳知道的就好。全部再和我說一遍吧，再一次就好。」

「好。」我也輕捏了他的手回應，然後就這麼牽著繼續走。我一邊回想腦中的畫面，一邊說下去：「詹姆斯黨的兵力比對方多很多，所以這場仗我們大獲全勝。詹姆斯黨在凌晨出擊，大出科普將軍意料之外。我記得是在太陽剛升起時出擊，然後打敗了敵軍。英軍損傷數百人，詹姆斯黨傷亡不多，三十個，我記得我們只死了三十個人。」

傑米看向我們後方，拉利堡的人零散地走在後面，隊伍沿路拖得長長的，大家三三兩兩地聊天或唱著歌。三十個人，那就是我們從拉利堡帶來的人數。看著他們，三十人似乎不再是小數目。但是我看過德法交界的阿爾薩斯與洛林地區的戰場，數千人遭到屠殺，幾萬平方公尺的草坪葬滿屍骨，成了泥濘的墓地。

我帶著微弱的歉意說道：「總而言之，若從歷史的角度來看，這樣的數字其實算是……無足輕重。」

傑米撮嘴吐出一口氣，表情陰鬱地低頭看著我。「無足輕重。欸，是啊！」

「對不起。」我說。

「並不是你的錯，英國姑娘。」

不知為何，我還是不禁覺得是我的錯。

―

拉利堡的男人吃過晚餐，圍著火堆席地而坐，懶洋洋地挺著鼓脹的肚子，一邊說故事一邊抓癢。他們之間爆發了皮膚癢的大流行，由於朝夕相處加上衛生不良，使身上體蝨叢生，普遍到就算有人從披肩裡抓出一隻標準的大蝨子丟進火裡，也沒有人會大驚小怪。蝨子在篝火的火焰中燒了一會兒，然後就消失了。

其中有個年輕人叫金凱，他本名是亞歷山大，但太多人都叫亞歷山大了，所以大多數人都以綽號或中間名來稱呼。金凱這天晚上似乎被折磨得特別厲害，先是用力抓過腋下，又拚命搔抓他棕色的鬈髮，然後偷瞧了我一眼，確認我的目光沒有朝著他之後，就往胯下狂抓了起來。

鐵匠羅斯見狀同情說道：「很癢是不是啊，小夥子？」

金凱回答：「欸，這些小蟲咬得我快癢死了。」

「快把那些該死的蟲抓出來吧，看得我都癢了，老弟。」華萊士．弗雷瑟才說完，也跟著抓了起來。

「你知道要擺脫這些可惡的蟲，最好的方法是什麼嗎？」索利．麥克路爾問道，金凱搖搖頭。索利俯身向前，從火堆中小心拿出一根正在燃燒的樹枝。

「小夥子，掀開你的蘇格蘭裙，我幫你把那些蟲熏出來。」索利假意要幫忙，惹得噓聲和嘲笑聲四起。

「蠢農夫，你們根本什麼都不懂！」穆塔夫不滿地咕噥。

「那你又知道什麼好方法？」華萊士揚起濃眉質疑，他那曬黑的光禿前額皺成一片。

「我當然知道。」穆塔夫手一揮，抽出短劍。「這小夥子現在是戰士了，要用戰士的方法來解決。」

金凱呆愣的臉上一片茫然，卻又急切地想一探究竟。「怎麼解決？」

「方法非常簡單。首先抽出短劍，掀開裙子，然後剃掉胯下一半的毛。記住，只能剃一半。」穆塔夫舉起短劍告誡。

「剃一半？欸，是……」

金凱半信半疑地專心傾聽。我注意到火堆邊越來越多人一副了然於心地竊笑著，只是都還沒笑出聲。

「然後……」穆塔夫朝索利和他手上的樹枝一指：「然後，小夥子，就用火燒另一半的毛，等那些臭蟲急急忙忙衝出來，你就用短劍刺牠個片甲不留。」火堆旁的人又笑又叫、噓聲四起，金凱的臉紅透了，就算在火光微弱的遠處也看得一清二楚。幾個人揮舞著燃燒的木棒，笑鬧著要幫對方驅蝨子，粗魯地又推又擠。有些人真的快打起來了，眼看這場胡鬧就要失控，原本去繫馬的傑米正好回來。他走入圓圈，把腋下一個粗陶瓶扔給金凱，另一個扔給穆塔夫，推擠就慢慢停下來了。

「你們這些人實在有夠笨。想趕走蝨子，第二好的方法呢，就是淋上威士忌讓這些蟲都喝醉。等蟲子都醉倒打鼾，你只要站起來，牠們就會一隻隻掉下來了。」傑米大聲建議。

羅斯說：「喔，第二好的方法？那請教老爺，最好的方法又是什麼？」傑米眼光掃了一圈，寬容地看著大家微笑，就像父母讓孩子傻氣的胡鬧給逗樂了。

「唉呀，當然是讓老婆一隻一隻幫你把蝨子挑出來呀！」傑米揚起一邊的眉毛，伸出手肘對我行禮：「夫人，能請妳效勞嗎？」

—

雖然剛剛被拿來當作玩笑，但說到要消滅身上的蝨子，唯一有效的方法確實是把牠們一隻隻抓出來。我每天早上和傍晚都仔細梳頭，如果駐紮的地方附近有水，深度足以沐浴，我就會用西洋蓍草來洗頭，目前為止還沒招惹太多體蝨上身。我知道如果我不想沾上蝨子，傑米身上也不能有蝨子，所以只要能讓傑米好好坐上一會兒，我也會幫他抓蝨子。

「狒狒也是一天到晚都在抓蝨子，只是牠們抓完會放進嘴巴。」我從傑米濃密的紅色毛髮裡小心解開一枝倒刺狗尾草的小穗。

「別在意我，英國姑娘，要是妳很想放嘴巴，儘管放吧！」梳齒滑過他一縷縷濃密光潔的頭髮，傑米舒服地微微駝背。火光映著我的手，火星燦燦跳動，火舌也閃著道道金光。「沒想到給人梳頭是這麼舒服。」

「等我梳到其他地方你就知道了。」我親暱地擰他一下，引來他一陣傻笑。「不過，我倒是很想試試看穆塔夫說的方法。」

「如果妳敢拿火靠近我的胯下，小心我也會回敬妳！露易絲怎麼形容下面光禿禿的姑娘了？」傑米緊張地威脅我。

「撩人。」我傾身用牙齒輕齧著他耳朵的上緣。

「唔嗯……」

「說起來，每個人喜好不同，法語說 Chacun à son gout（人各有所好），諸如此類的。」我說。

「法國佬就愛說這些有的沒的，我也聽過。」

「不過，這麼說不無道理，對吧？」

一陣響亮的咕嚕聲打斷了我手上的工作。我放下梳子，誇大地張望著森林暗處。

「如果不是樹林裡有隻大熊，那就是……你為什麼還沒吃飯？」

「我忙著照料那些馬，有一匹小馬的蹄子裂了，我得用膏藥幫牠包紮。我可不是因為聽到蝨子可以吃才餓的喔！」

「你用哪種膏藥包紮馬蹄？」我忽略他最後一句俏皮話，直接問道。

「結合幾種不同的草藥，萬不得已時可以用新鮮牛糞。這次我混合了野豌豆葉和蜂蜜。」

馬鞍袋已經放在我們專用的火堆旁，旁邊有一小塊空地，還有一張特別為我搭的帳篷。雖然我願意像其他人一樣露宿在星空下，但感謝這幾塊帆布，確實保住我一點隱私。當時我感謝穆塔夫幫我搭帳棚，他便用他一貫的直率語氣說，這樣做不是只對我有好處。

那時傑米和其他幾個人談得正起勁，短小精悍的穆塔夫頭朝傑米的方向一揚，對我說道：「如果他晚上要跟妳好好放鬆一下，沒有人會有意見，但沒必要讓其他的小夥子對妳產生不該有的非分之想。有人想打妳的主意嗎？」

我的聲音有點尖銳：「是有好幾個。你考慮得的確很周到。」

穆塔夫薄薄的唇邊揚起希罕的微笑。「噢，好幾個……」

我很快翻了翻鞍袋，找到一點起士和幾顆蘋果。我拿給傑米，他猶豫不決地看著這些食物。

「沒有麵包嗎？」他問道。

「其他袋子裡可能有一些。你還是先吃這些吧，這對你身體很好。」傑米和其他高地人一樣，天生就不喜歡新鮮蔬果，不過他胃口很好，對食物幾乎來者不拒。

「好吧，照你說的，英國姑娘。」傑米咬了一口蘋果說道。

「聽我說的準沒錯，你看看我。」我咧嘴露出牙齒。「你認識的女人中，有多少像我一樣，到這個年紀牙齒全部都還在？」

傑米笑了，也露出他漂亮整潔的牙齒。

「好吧，以一個老太婆來說，你確實保持得還滿好的，英國姑娘。」

「我是因為營養好！莊園裡有一半的人有輕微的壞血病，而從我這一路上觀察，其他地方的人更糟。維生素C可以預防壞血病，而蘋果裡就含有很多維生素C。」我辯駁道。

傑米皺眉懷疑地看著咬過的蘋果問道：「真的嗎？」

我篤定回應道：「真的，大多數的植物都有。橘子和檸檬含量最多，可惜這裡吃不到，還有洋蔥、包心菜、蘋果等等，甚至就連綠色草藥和青草裡都有維生素C，只要每天吃一點就不會得壞血病。」

「鹿就是因為這樣，年紀大了也不會掉牙齒？」

「我敢說是這樣沒錯。」

傑米把蘋果轉來轉去，仔細地檢查，接著聳了聳肩。「好吧，吃就吃。」於是再咬了一口蘋果。

我剛轉身去拿麵包，一聲微弱的劈啪聲音引起我注意。我從眼角瞥見暗處有人影移動，傑米頭部附近有個東西反射火光，閃爍了一下。我朝傑米轉身大叫，正看見傑米向後一翻避開了木棍，消失在黑夜中。

這天沒有月光，看不出發生什麼事，只聽得乾燥的赤楊木葉上一片劇烈的扭打聲，兩人打得難分難解，卻沒人大叫，只聽到哼聲、喘氣，偶爾有低沉的咒罵聲。突然有一聲短促的尖叫，然後就安靜下來。我想打鬥大概只持續了幾秒鐘，但感覺起來好像過了幾世紀。

我還站在火邊，嚇得維持原本的姿勢動彈不得，這時傑米從闇黑的樹叢中出現，身前抓著他的俘虜，俘虜的一隻胳臂被扭到背後。傑米一鬆手讓黑影轉過身，再猛力一推，使得黑影向後撞上了樹幹。他撞得很用力，震下一地樹葉和橡實，然後身體慢慢滑下，頭暈眼花地倒在樹葉堆中。

穆塔夫、羅斯，以及其他幾個弗雷瑟家的人聽到聲音，紛紛趕到火堆邊。他們抓住入侵者讓他站起來，粗魯地把他拖到火光下。穆塔夫抓住俘虜的頭髮猛地往後一拉，他的臉露了出來。

這張瘦小的臉骨架纖細，大眼睛上長長的睫毛茫然地眨啊眨，看著圍觀的人。

「他只是一個小男孩！還不到十五歲啊！」我大叫。

「十六歲！」那男孩子逐漸恢復神智，搖搖頭說道。「不過這沒什麼差別。」他高傲地補上一句，口音有英國腔，聽起來是英國南端漢普郡的口音。他來自遙遠的南方。

「是沒什麼差別。不管是十六歲還是六十歲，他剛剛可是想割開我的喉嚨，而且還幹得挺漂亮。」傑米冷冷說道。我注意到他用手帕壓著頸子一側，手帕已經染紅了。

「我什麼都不會說的。」那男孩逞強道。他兩隻眼睛在蒼白的臉上像深黑的水潭，火光映著他柔順的頭髮，隱隱閃著光芒。他一隻手臂緊抓在身前，可能受傷了。但他很明顯努力抬頭挺胸，要在這群人中間站好，雙唇緊閉，不想透露出一點恐懼或痛苦。

傑米仔細地打量這小夥子。「有些事用不著你說我也知道。第一，你是英國人，所以你大概是跟附近的軍隊一起來的。第二，你是自己一個人。」

男孩看起來嚇得脫口而出：「你怎麼知道？」

傑米揚眉。「我想，除非你認為我和那女士沒有同伴，否則不會攻擊我。而如果你和其他人在一起，他們也認為我們沒伴，那他們現在早該來幫你了。對了，你手臂斷了？我就覺得有什麼東西折斷了。而如果你和其他人在一起，但他們知道我們有伴，那他們早就會阻止你做蠢事了。」我注意到傑米除了分析，一邊還打了個暗號，於是有三個人悄悄潛入樹林，可能是要查看有沒有餘黨。那男孩聽到傑米說他做了蠢事，臉上表情一僵。傑米用手帕輕壓脖子，然後仔細看看手帕。

傑米建議對方：「小子，如果你想從背後殺人，那就不要趁著他人坐在落葉堆上。還有，如果你要拿刀刺身材比自己高大的人，要選個有把握的位置，除非對方坐著不動讓你刺，否則割喉嚨風險太大了。」

那男孩冷冷地說：「謝謝你的寶貴建議。」他還滿懂得虛張聲勢，但當他掃過那一張張長滿鬍子、兇惡猙獰的臉時，眼睛還是洩漏了他緊張的心情。在白天，高地人的長相絕對贏不了選美冠軍；在夜晚，也絕對沒人想在暗處遇到他們。

傑米客氣地回道：「不客氣。可惜你以後沒機會運用這些建議了。我或許該問問你為什麼攻擊我？」人群聽到聲音，逐漸從旁邊營地靠攏過來，像幽靈般從樹叢間浮現。男孩的眼神在周遭越來越多的人身上游移，最後終於停在我身上。他遲疑了一會兒，還是開口了：「我想救這位女士脫離你的魔掌。」

四周微微一陣騷動，大家忍不住覺得好笑，但被傑米一個手勢制止了。傑米不置可否的說：「我懂了。你聽到我們的交談，然後覺得這位女士是有頭有臉的英國人，而我是……」

「喪盡天良的惡徒，不但偷竊還暴力行凶！你的長相和所作所為，早就登在通緝令上，傳遍了整個漢普郡和索塞克斯！我一眼就認出你了，你這個叛亂分子，無恥淫棍！」男孩激動大罵，臉色比火光更紅。

我咬著嘴唇垂下頭看鞋子，以免對上傑米的眼光。

「好吧，就像你說的，如果真是這樣，你要不要給我個好理由，阻止我動手殺了你？」傑米一邊親切說著，一邊流暢地從刀鞘抽出短劍轉動刀身，火光在刀面上閃動。

男孩臉上血色盡失，在陰影中彷彿像個幽魂，但他隨即站直，扯動兩邊抓住他的人，挺起胸膛說：「我早有心理準備。我準備好赴死了。」

傑米若有所思的點點頭，然後彎腰，把短劍的刀身浸入火中。金屬色澤變深，升起一縷煙霧，散發嗆鼻的燒鐵味。火焰觸及刀身的地方透出一股幽冥似的藍色，一股深紅的熱力灌入，彷彿讓致命的武器活了起來，所有人都看得入神。

傑米用血跡斑斑的手帕纏裹住手，接著小心地從火中拉出短劍，一步步慢慢走向男孩，刀鋒彷彿有意志似地朝向穿著背心的男孩。手帕接觸燒熱的刀柄發出一股強烈刺鼻的焦味，短劍沿著背心正面往上劃，也燒出一條細細的焦線，焦味變得更加刺鼻。最後，因冷卻而變深的刀鋒終於止住，離男孩使勁往上抬的下巴不到幾寸。男孩扯著纖細的脖頸，細細的汗水緩緩流下，在鎖骨凹陷處閃耀。

「是嗎？不過，我還沒準備好要殺你，暫時還沒有。」傑米輕輕說道。他克制的聲音中透出平靜的恐嚇意味，讓人不由得從心底升起一股恐懼。

「你跟哪一團來的？」問題像鞭子凌空抽下，在場的人都縮了一下。刀鋒移得更近，煙霧飄散夜風裡。

「我……才不告訴你！」男孩結結巴巴，接著抿緊雙唇，纖細的頸子開始顫抖，一路往下。

「說！你的軍隊離這裡多遠？人數有多少？行軍方向？你說不說？」傑米開口一句句問道，刀鋒隨之沿男孩的下巴邊緣步步逼近。男孩像受驚的馬一樣翻著白眼，但還是猛搖頭，金髮飄散開來，雙臂不斷掙扎，羅斯和金凱只得把他抓得更緊。

深色的刀面倏地緊緊貼在耳下的下顎骨角旁。男孩抽氣尖叫，燒灼的皮膚發出異味。

「傑米！」我大聲驚叫，但傑米沒轉頭，眼睛仍然緊盯著男孩。抓著男孩的人鬆了手，男孩雙膝一軟跪在滿地枯葉裡，手抓著頸子。

傑米用齒間發出聲音說道：「夫人，這不關妳的事。」傑米伸手抓住男孩衣領，一把拉他起身，另一手揮刀對著男孩左眼。傑米側著頭，無聲地質問男孩，但男孩仍然搖頭拒答，力氣微弱但充滿堅決。

男孩的聲音在顫抖，而且小得快聽不見，還得清清喉嚨才有辦法說得大聲些。「我……不說，你再怎麼折磨我，我也不會說半個字。」

傑米抓著他，四目相對，接著傑米鬆手退後一步，緩緩說道：「好，我想折磨你也沒用。不過，如果我對這位女士下手呢？」

我一時之間還沒意識到傑米的打算，他便突然抓住我的手腕，把我拽過去。凹凸不平的地面害我差點朝傑米的方向跌去。然後，他粗魯地把我的手臂扭到背後。

「你可能不在乎自己的性命，不過既然你不顧一切要救這位女士，或許要考慮一下她的名節吧？」傑米拉我轉身，手指插入我的長髮中，把我的頭往後一揪強吻了我，動作蠻橫而凶暴，我不禁掙扎反抗。

傑米放開我的頭髮，用力把我拉向他，讓我面向男孩。男孩已經嚇住了，圓睜著雙眼，放大的深黑瞳孔裡反射出熊熊火光。

男孩聲音嘶啞地咆哮：「放開！別碰她！」

傑米的手伸向我連身長裙領口，用力一扯，撕碎了布料，露出了我一大片胸口。我一個直覺反射動作便踹向傑米的小腿脛骨。男孩口齒不清地大吼著要衝上前，但又被羅斯和金凱及時拉住。

「我不只要碰，還要在你面前好好享用她，然後再交給我的手下恣意處置。啊，在我殺了你之前，你也也來一次吧？男人沒嘗過女人的滋味就歸西，多可惜，對吧？」

我死命掙扎，但蜷在背後的手臂像上了鐵箍一樣，於是我放聲尖叫。傑米溫熱的大掌往我嘴上一捂，封住了我的聲音。我往他的掌根使勁一咬，嘴裡嘗到血的味道。傑米悶哼一聲，猛力抽手，塞了一團布到我嘴裡。他的雙手迅速伸向我肩膀，把破裂的衣服扯得更開，我塞住的嘴只能無助地發出唔聲。傑米繼續扯破亞麻布和斜紋布，我整個上半身都赤裸地曝露出來，兩手被固定在身側。羅斯看了我一眼，然後快速撇開視線，死盯著他抓住的男孩。還不滿十九歲的金凱，則是震驚地瞪著我，嘴巴錯愕地張大，像捕蠅草。

「住手！」男孩的聲音顫抖，出於憤怒的成分更甚於恐懼。「你這個……卑鄙的懦夫！竟敢這樣侮辱女士，蘇格蘭的敗類！」他不再掙扎，只剩下大喘怒氣而劇烈起伏的胸口，然後毅然決然地抬起下巴。「好，看來我別無選擇。放開那位女士，你想知道什麼？我說。」

傑米一隻手暫時離開了我的肩膀。我沒看到他比的手勢，不過羅斯放開了男孩受傷的手臂，很快走去拿我的斗篷。剛才抓到男孩時一陣騷動，我的斗篷不小心掉到了地上。傑米把我兩隻手拉到背後，扯下我的腰帶，把我的手牢牢綁在背後，又從羅斯手上接過斗篷一甩，俐落地披在我肩上仔細綁好，然後退後一步，戲謔地對我一鞠躬，然後轉向那男孩。

「我答應你，不會對這位女士不軌。」他的聲音聽起來像是滿腔怒火，又像是滿腹慾火無處宣洩，但我聽得出來其實他是苦苦壓抑著大笑的衝動。

男孩一臉鐵青，簡潔地回答他們的問題。他叫威廉．格雷，是麥頓子爵的次子，和兩百人的軍隊一起來到丹巴爾，想加入科普將軍麾下。他的同伴駐紮在此地以西三哩處。他在森林裡散步，因為注意到我們的火光，才過來查看。沒有，沒有同行的夥伴。對，部隊帶了重型武器，十六門馬車載的「飛馬大砲」，兩門十六吋迫擊砲。軍隊大部分人都配槍，還有三十匹馬。

連番訊問讓男孩備感壓力，加上手臂受了傷，他顯然越來越疲憊，可是他還是拒絕就坐，只是靠著樹幹，用左手掌護著手肘。

審問進行了將近一個小時，同樣的問題一問再問，以找出前後矛盾的漏洞、深入詢問細節、刺探遺漏的內情、發現遭閃避的重點。最後傑米終於滿意了，深深吐了一口氣後離開，留下男孩垂頭喪氣地站在櫟樹搖曳的陰影裡。傑米伸手，一言不發，但穆塔夫一如以往知道傑米的想法，遞給他一把手槍。

傑米轉身面對男孩，確認子彈填裝的狀況。十二英吋長的心形槍托在黑暗中發出隱隱的金屬光澤，火光映照著扳機與引火撞針，發出銀閃閃的光芒。傑米最後終於抬起頭，隨口問道：「頭還是心臟？」

「什麼？」男孩瞠目結舌，一臉茫然。

傑米耐著性子解釋道：「我要開槍殺了你。間諜的下場多半是吊死，但是因為你對女士的俠義精神，我就讓你死得乾脆俐落。所以，頭還是心臟，你挑一個吧！」

男孩迅速抬頭挺胸站直身子，舔舔嘴唇後，嚥了一口口水。「對，當然。我想……射心臟好了。謝謝。」他顯然最後才想起來，補上道謝。接著他抬高下巴，緊閉雙唇。他的嘴仍然帶著孩子般的柔軟弧度。

傑米點點頭，舉起槍，槍發出喀搭的輕聲，在寂靜的櫟樹下迴盪。

「等等！」男孩說。傑米詫異地看他，這時槍口已經平舉，正對準著男孩單薄的胸膛。

男孩挑釁地看著圍觀的人，開口問道：「我要怎麼知道，我……我走了以後，這位女士不會受到欺侮？你怎麼確保這件事？」他還能動的那隻手緊捏著拳頭，但依然在發抖。羅斯發出一個怪聲，又巧妙地假裝打噴嚏掩飾過去。

傑米垂下手槍，用盡鋼鐵般的意志力努力控制自己的表情，裝出正經而認真的模樣。

「首先，我已經承諾你了，雖然我看得出你不太相信一個……蘇格蘭懦夫的話。」傑米不禁撇了撇嘴。「讓這位女士親自保證，你或許願意相信？」他朝我揚眉，金凱馬上放開我，並笨拙地拿掉我嘴裡的布團。

嘴裡的布團一拿開，我怒吼道：「傑米，這太過分了！你怎麼可以做出這種事？你這個……」

「懦夫，或敗類，看你喜歡哪種說法。你說呢，穆塔夫？你覺得我是懦夫還是敗類？」傑米接過我的話，又轉頭問他的副手。

穆塔夫抿著嘴，冷冷地撇著嘴角。「如果你放開你老婆的時候，手上沒拿短劍，那我覺得你很快就會被你老婆剁成餵狗的碎肉了。」

傑米轉身面對男孩，臉上帶著歉意：「我強押著自己的妻子加入這場騙局，我得向她道歉。我向你保證她絕對不是自願加入的。」話才說完，傑米馬上可憐兮兮地就著火光檢查手上被我咬破的傷口。

「你的妻子！」男孩錯愕地睜大眼睛盯著我，又瞪著傑米。

「我也向你保證，雖然有時候，我有幸和這位女士同床共枕，但從來沒強逼過她，以後當然也不會。」

傑米隨即轉頭對著金凱再補上這句：「不過，還是先別放開她，金凱。」

「詹姆士·弗雷瑟，你要是敢碰那個男孩，這輩子休想和我同床！」我咬牙切齒地說道。

傑米揚起一邊眉毛，露出的犬齒在火光中閃了一下。「對我這樣一個無恥的淫棍來說，這威脅聽起來非同小可。然而，在這種情況下，我不能只顧自己，畢竟現在是打仗啊！」剛剛垂下的槍口這時又舉了上來。

「傑米！」我尖叫道。

傑米放下槍口轉過身來，誇張地表現出耐心十足的樣子。「是的，吾愛？」

我深吸一口氣，以免聲音因為憤怒而顫抖。我只能揣測傑米心底的打算，並希望自己接下來所做的事情是對的。但不管最終是對或錯，等這件事結束……我想像我一腳踩住倒地的傑米該死的喉嚨，看他在地上扭動掙扎……這畫面太吸引人了！但我必須制止自己再往下想，好專心完成眼前的目標。

「你不能證明他是間諜，他說自己是無意間發現你的，在森林裡看到火堆，誰不會覺得奇怪？」我說。

傑米點點頭反問道：「那他企圖謀殺我呢？妳怎麼說？不管他是不是間諜，他的確想置我於死地，他自己也承認了。」傑米輕輕碰碰頸側的割傷。

我凶惡地說：「他當然想殺你，他說他認出你是通緝要犯。搞清楚，以前你的項上人頭可值不少錢！」

傑米猶豫地搓著下巴，最後轉身面對男孩。「好吧，確實如此。威廉．格雷，這個想救你一命的人說得有道理，而不管查理王子殿下或是我自己，處決人犯也都是正正當當的，不管是不是敵人都一樣。」傑米邊說邊向金凱招手。

「金凱，你和羅斯帶著他，往他所說的營地方向去。如果他告訴我們的訊息沒錯，就把他綁在離營區一千五百公尺的樹上，讓他的同袍經過時可以發現他。要是他說謊……」傑米停住，冷峻的視線投向男孩說道：「就割斷他的喉嚨。」

傑米看著男孩的臉，一絲不苟地說道：「我饒了你一命，希望你好好珍惜。」

傑米走到我背後，切斷縛住我手腕的布條。我憤怒地轉過身面對傑米，這時他手指著男孩，對我說道：「能不能請妳在那男孩離開前，看看他的手臂？」在櫟樹下，男孩身體一軟突然坐倒在地，剛才裝出來的凶惡模樣都不見了，表情茫然，就像一面牆壁，當我看向他時，他垂下眼睛，避開我的視線。

我不發一語，走到男孩身邊蹲了下來。他看起來失魂落魄，也沒有抗拒我幫他檢查和治療，雖然治療過程一定很痛。

我被撕破的上衣不斷從肩膀滑落，我不耐煩地把衣服拉回去，左邊拉完又換右邊，惹得我心浮氣躁。男孩手臂的骨頭很輕，瘦骨嶙峋，比我的手臂粗不了多少。我用夾板包住他受傷的手臂，用自己的手帕當吊腕帶，把手臂吊起。「還好骨頭斷得很俐落，可以接起來，但至少兩週內盡量不要活動。」我盡量鎮靜交代，他點點頭，還是不看我。

傑米一直默默坐在一旁看著。待我處置完男孩的手，我便帶著壓抑已久的怒氣朝傑米走去，使盡全力甩了他耳光。這用力的一巴掌在傑米的臉頰摑出一片白色的印記，他眼眶泛淚，但還是面不改色。

金凱拉起那男孩，推著他的背朝空地外走去。一直走到陰暗的森林邊，男孩突然站住，轉過身來。他不看我，只對著傑米開口。

男孩義正辭嚴地說：「我欠你一命，雖然我寧可你不要這麼做，但既然你施恩於我，我在道義上確實對你有所虧欠。希望來日能償還你這條命，一旦我倆不再相欠……」他壓抑著憤怒的聲音有點顫抖，最後他不再矜持，直接傾洩出他的意圖：「我就要殺了你！」

傑米站了起來，居高臨下地看著男孩，冷靜而嚴肅地點頭道別：「期待我們有生之年不會再相見。」

男孩挺胸回敬道：「格雷家的人說到做到。」接著金凱便拉著他的手臂離開，兩人消失在黑暗中。

所有人謹慎地屏息等待，直到腳踩在樹葉上沙沙的聲音消失在黑暗中。先是其中一個人從鼻孔裡輕輕哼笑出聲，接著又有人竊笑。人群中蔓延著一圈圈越來越明顯的笑聲。

傑米步入圓圈中，環視著大家，笑聲倏地停止。傑米的目光找到我，丟了一句：「進帳棚。」

從我的表情，傑米早已識破我的下一個動作，先趁我舉起手前抓住我的手腕。

傑米冷冷地說道：「如果妳還要甩我耳光，至少讓我換邊臉頰，而且我還可以幫妳省下這個麻煩，不管怎樣，先進帳篷吧！」

傑米放開我的手，接著大步走到火邊威嚴地揚頭示意，四散的眾人便聚到他面前。他們睜大雙眼，凹陷的眼眶覆滿黑影，臉上掛著猶疑中帶點警戒的表情。

傑米對大家說著夾雜了一點英語的蓋爾語，我沒辦法聽懂每一句話，不過我知道他正追究著當晚是誰值哨。傑米和緩但冷靜的語調，幾乎可以把在場的人變成石頭。

眾人眼神在暗地裡飄來望去，並出現緊張不自在的動作。面對傑米的質問，他們似乎聚攏得更近。但接著這個緊密的隊伍迸了開來，其中兩個人肩並肩離開夥伴的保護往前一站，目光垂地，幾乎不敢抬頭。

這兩人是麥克路爾兄弟，一個是喬治，一個是索利，年紀相仿，都是三十好幾。兩人既羞愧又害怕地站在一起，歷經風霜的手指正絞扭著，彷彿期盼能握住一雙手，保護自己度過眼前的風暴。

傑米凝視著這兩個怠忽職守的哨兵，不發一語，接著說了足足五分鐘，在場的空氣已經凝結。傑米的聲音還是一樣和緩，但沒有人敢發出聲音。這段話的壓力之大，讓結實魁梧的麥克路爾兄弟也瑟縮著。我往裙子擦掉手心的汗，很慶幸自己聽不懂多少，但也開始懊悔沒有聽傑米的話回帳篷去。

接下來的發展，讓我更是後悔。傑米突然轉向穆塔夫，等在一旁的穆塔夫手上已經拿了條長皮帶，一端打了結，方便抓握。「你們兩個，脫掉上衣過來！」

麥克路爾兄弟立刻笨手笨腳地解著上衣鈕釦，好像巴不得伏法就刑。

目睹這一幕，讓我十分難受，雖然相對於這樣嚴重失職而言，傑米鞭打處罰的力道已經非常輕微了。現場除了皮帶抽甩的聲音，以及受罰的人偶爾的抽氣聲，空地裡一片寂靜。

最後一鞭結束，傑米鬆手放下皮帶。他滿身大汗，髒兮兮的上衣黏在寬闊的背上。他甩頭示意麥克路爾兄弟離開，便拉起袖子擦臉。兩兄弟一個人痛苦地彎腰撿起上衣，另一個雖然扶著他，自己卻也發抖著。

傑米揮鞭的時候，大夥氣都不敢喘一聲。現在大家終於卸下緊張情緒，一起呼出長長一口氣。

傑米看著大家，微微搖頭。夜風吹起，他的頭髮跟著飄揚。

「各位兄弟，粗心大意的後果沒有人承擔得起，每一刻都不能草率。」他深吸一口氣苦笑道。「我也不例外。我沒有遮住營火，引來了那小子。」他的額頭又開始冒汗，於是伸手抹下，擦上蘇格蘭披肩。接著傑米朝穆塔夫揚頭示意，然後把皮帶遞給穆塔夫。「你願意為我效勞嗎？」

穆塔夫遲疑了一下，才伸出枯瘦的手接過皮帶，明亮的黑眼閃過一絲趣味。「這是我的榮幸……大人。」

傑米背對穆塔夫，解開上衣的時候，瞥見我僵立在樹幹間。他啼笑皆非地揚起一邊眉毛，好像在問我：「妳想繼續看下去嗎？」我猛搖頭轉身，跌跌撞撞地穿過樹幹離開，乖乖朝帳篷走去。

—

其實我沒有真的待在帳篷，帳篷鬱窒的空氣實在難以忍受，我胸口好悶，急切地想離開這裡透透氣。我從帳篷附近走上一座小山丘，尋覓著此刻亟需的新鮮空氣。我跌跌撞撞來到一小塊空地，一口氣就地平躺，雙臂枕在頭下。山腳下營火旁正演到最後一幕，但即使是最細微的聲音我也不想聽見。身下粗糙的野草碰到我裸露的皮膚，感覺冰涼涼的，於是我弓起身，拉起斗篷把自己整個蒙住。我裹成一團，與周遭隔絕，靜靜地躺著，聆聽自己砰砰的心跳聲，等待混亂的心情平復。

不久，我聽到大家四五個人一組紛紛離開，回到各自休息的地方。斗篷隔絕了聲音，我聽不出他們說的話，聲音壓得很低，語氣中帶了一點敬畏。又過了一會兒，我發現到傑米就在我身旁。他不發一語，但我感覺得到他。我翻身坐起，見他抱膝坐在石頭邊，頭就擱在交疊的前臂上。

我心裡掙扎著想伸手撫順他的頭髮，但又想拿石頭敲他的頭，最後決定這兩件事都不做。

我盡可能地收起柔情，不帶情緒地開口：「你還好嗎？」

傑米緩慢地鬆手並直起身，動作非常輕緩，接著深深嘆了口氣：「欸，等會兒就沒事了。」一陣靜默後，他開口道歉：「對不起，扯壞妳的衣服。」我意識到他看見我裸露的胸口在黑暗中發出的朦朧白光，於是趕緊兜攏斗篷。

我激動叫道：「你就只為了我的衣服道歉？」

傑米又嘆氣。「也為其他的事道歉。」他思索了一下，又說：「我想妳也許願意犧牲端莊形象，以免我傷害那個小夥子。但在那樣的情況下，根本來不及問妳。如果妳是不情願的，那麼夫人，希望妳能原諒我。」

「你是說你本來還要繼續折磨他？」

傑米聽了大為惱怒：「繼續折磨？我根本沒傷到那小子！」

我把斗篷裹得更緊。「所以打斷他的手、用燒紅的刀子燙他，不算是傷到他？」

「不算。」他大步踏過我們之間的草地，抓住我的手肘一拉，讓我不得不直接面對他。「聽我說，在我牢牢制住他時，他硬要脫身才把自己的手弄斷。他勇氣十足，但是近身打鬥經驗不足。」

「那刀子呢？」

傑米哼了一聲。「哼！那只是耳朵下的皮肉傷，不到一天就沒感覺了。或許有點痛，但只是嚇嚇他，不是真的要傷害他。」

「是啊！」我掙脫開來，轉身面向森林遠遠看著我們的帳篷。

他的聲音跟上來。「我應該嚴厲拷問他的，英國姑娘，一旦使出刑求手段，受的傷可能永遠都不會復元。若非必要，我希望不必這麼做。不過，我得老實告訴你，英國姑娘，這在戰爭期間確實有其必要。」他帶著警告意味的聲音從我後方的陰影傳來。「我得知道他的同伴在哪兒、他們的武力……光嚇嚇他不可能讓他就範。若不誘騙他，就得用拷打來逼出情報。」

「他說了，不管你怎麼做，他都不會鬆口！」

傑米聽起來有點疲倦。「拜託，英國姑娘，我當然有辦法讓他開口。只要狠下心，沒有誰是拷問不出來的。這點我很清楚。」

我冷冷地說道：「對，你再清楚不過……」

我們相持不下，陷入冷戰的僵局。我聽到其他人低聲交談、躺下入睡，偶爾有靴子踩踏堅硬地面的聲音，還有人攏起一堆落葉，好隔絕秋天林地的寒意。我的眼睛已經適應黑暗，能看到我們帳篷的輪廓，就在十公尺外落葉松的遮蔽下。我也能看到傑米，他的身影比夜晚的黑暗更濃重。

「我……明白你沒有別的選擇，也盡力不傷害他……好吧，沒事了。」

「謝謝。」我看不出傑米是不是在微笑，但聲音聽起來含著笑意。

「這是你唯一可以想到的辦法了，但如果我沒給你個藉口饒他一命，你要怎麼辦？」我說道。

傑米聳聳肩，黑暗中聽到他輕輕笑了。「我不知道，英國姑娘。那時我就等著妳的應和，如果妳沒意識到……我應該會對他開槍。畢竟，憑白放他走，豈不是太讓他失望了？」

「你這臭蘇格蘭佬。」我輕叱道，但已不帶多少怒氣了。

他深深嘆口氣：「英國姑娘，晚餐才開始，我就被刺傷、咬傷、打耳光、抽鞭子，況且晚餐還沒吃完。我不喜歡嚇唬孩子，也不喜歡抽人鞭子，但這兩件事我不得不做。離這裡五公里外還有兩百個英軍，我也還沒有對策。我又累、又餓、又痛，如果妳還有點溫柔的同情心，請可憐我吧！」

他說得萬般委屈，讓我不由得笑了，決定站起身朝他走去。

「過來吧，我看看有什麼可以幫你。」傑米只是把上衣披在肩上還沒穿好，我把手伸進上衣，檢查他背部火燙的肌膚。我往上輕觸，告訴他：「沒有傷口。」

「被皮帶打不會有傷口，只是會痛。」我脫掉他的上衣，讓他坐下，用冰涼的溪水沖淋他的背。

「這樣有沒有好一點？」我問道。

「嗯……」他放鬆了肩膀的肌肉。不過，當我碰到某個疼痛的部位時，他瑟縮了一下。

我把注意力轉到他耳下的割傷。「你不會真的開槍殺他吧？」

「妳以為我是哪種人，英國姑娘？」他佯怒道。

「你是蘇格蘭懦夫，頂多是個喪盡天良的惡徒，誰知道這種人會做出什麼事？更別說是無恥的淫棍。」

傑米大笑，我的手能感覺到他的肩膀顫動。「頭轉過去。想要我的溫柔同情，就乖乖坐好。」

傑米靜靜地坐著，過一會兒才開口：「不會，我不會開槍殺他，但我利用妳騙了他，讓他覺得自己很愚蠢，我總得想辦法保住他的自尊。他很勇敢，我希望讓他覺得自己夠格死在敵人手下。」

我搖搖頭，低聲說：「我真不了解男人。」一邊給他的刀傷抹上金盞花藥膏。

傑米伸手握住我的手，把我兩隻手拉到他下巴底下。「妳不必了解我，英國姑娘，我只要妳愛我。」他的聲音好輕好柔。接著微微前傾，吻著我闔起的手。「還有餵我。」最後補了這句，然後放開我的手。

「溫柔的同情心，就是愛和食物嗎？你要的不多嘛！」我笑道。

鞍袋裡有燕麥烤餅、起士和一點冷培根。沒想到過去兩個小時的緊張和鬧劇這麼耗費心力，連我也餓了，於是和傑米一起吃著遲來的晚餐。

人聲已息，四周悄然無聲，也看不到無人守備的星火，我們和一切人煙彷彿相隔甚遠。只有風忙著把樹葉吹得嘩嘩響，細小的枝葉在樹幹間上下晃動。

傑米背靠著樹，俊俏的臉龐在星光中朦朦朧朧，但身體很著實地發揮不安分的本性。

「我答應了那位想保護妳的小子不會下手侵犯妳，除非妳邀請我上妳的床，否則我就只好去和穆塔夫和金凱睡了……穆塔夫會打鼾啊！」

「你也會啊！」我笑道。

我目光灼熱注視著他，輕輕轉動單薄的肩膀，被傑米撕破的連身長裙溜下一邊。「既然你已經對我起了個頭……」我又緩緩轉動另一邊肩膀，上衣整個滑落腰際。「我想你應該好好完成這項任務……」

他溫暖的手臂就像溫熱的絲綢，滑過我冰涼的肌膚。

「所以說，戰爭就是戰爭，對吧？」他呢喃著把臉埋入我的髮間。

「我總是不記得日期。塞凡提斯誕生了嗎？」稍晚，我對著滿天星斗問傑米。

傑米俯臥（他不得不俯臥著）在我旁邊，頭和肩膀伸出帳篷外。他慢慢睜開一隻眼睛，看向東方的地平線。看不出黎明的跡象，那隻眼睛又緩緩轉回來，停在我臉上，眼神猜忌中帶著無奈。

「你突然想討論西班牙小說？」他低啞說道。

「也不是，我只是想知道，你有沒有聽過『唐吉訶德精神』。」

他用手肘支起身，兩手按摩頭皮讓自己完全清醒，然後轉向我，眨著眼睛，但一臉警覺。

「塞凡提斯大約在兩百年前出生，英國姑娘，而我有幸受過完整的教育，所以沒錯，我知道誰是唐吉訶德。你最後一句話應該不是在暗示我什麼吧？」

「你的背不痛嗎？」

他試著弓起肩膀。「不是很痛，但可能有點瘀傷。」

「拜託，傑米，你到底為什麼要他打你？」我叫道。

他下巴枕在交疊的前臂上，斜斜轉頭，眼睛斜挑更明顯了。他微笑，我視線中的那隻眼睛又更瞇了。

「穆塔夫打得很高興啊！我九歲的時候，有一次趁他把靴子脫掉納涼，塞了一塊蜂窩到他靴子裡，所以我欠他一頓。那次他抓不到我，不過他光腳追著我亂跑的時候，我倒是學會不少有趣的新詞彙。他……」

我使盡力氣一拳往他肩膀擊過去好讓他住嘴。「噢！」傑米驚得手肘一滑，滾成側躺，背對著我。

我在他背後抬起膝蓋抵著他，一手環住他的腰。他寬闊平滑、布滿肌肉的背泌出歡愛後的汗水，隱隱爍光蓋過了天上的星星。我吻著他兩邊肩胛骨中的凹溝，然後微微欠身輕吹著燒人的呼息，得意地看著他的肌膚在我指下顫抖，背脊豎起汗毛，布滿細細的疙瘩。

「為什麼？」我追問道。我把臉靠在他濕熱的背上，疤痕在黑暗中看不清楚，但我仍然感覺得到那一道道堅硬的深刻細紋。

他沉默不語，肋骨隨著每一次緩慢的深呼吸，在我的手臂下起伏。「欸……」才開口，又陷入沉思。

「我也找不出確切的原因，英國姑娘。可能是覺得虧欠你，也可能覺得虧欠自己。」傑米終於說。

我用掌心輕撫過一邊的肩胛骨，他的骨架寬闊平坦，皮膚下清晰地透出骨骼輪廓。

「你沒有欠我什麼。」

「是嗎？在三十個男人面前扯爛自己妻子的衣服，這是紳士的行為嗎？對一個十六歲的俘虜暴力相向，算是勇士之舉嗎？還有比這更糟糕的嗎？」他說得酸楚，我的手靜靜撫著他。

「但是輕易放過他，接著兩天後失去一半的手下，會是比較好的結果嗎？探知敵情是職責所在，不能讓紳士觀念牽著鼻子走。」

「我確實不能。責任和榮譽召喚我，要我追隨詹姆斯國王的兒子，我發誓擁戴他，卻又設法破壞他的志業。為了我深愛的人們，我不得不給出虛假的誓言，辜負我賴以生存的榮譽……」

我不捨地看著他布滿瘀血的背說道：「榮譽之下盡是血腥地獄。無理的榮譽很……愚蠢。不管再怎麼英勇，終究還是愚蠢。」

「對，你也說過未來局勢會改變。然而，如果我終究還是成了第一個犧牲榮譽的牆頭草……我該不該敢到羞愧？」他突然翻身面對我，星光映出他眼底的不安。「我不會回頭，現在也沒辦法回頭了。但是，英國姑娘，有些時候我對於被拋開的那一部分自我感到十分哀傷。」

「是我不好。」我撫著他的臉、他的眉與唇，還有清瘦的下巴上新冒出的短髭。「是我的錯。要不是我出現在這兒，告訴你未來會發生什麼事……」對他內心的崩解，我也湧上深切的哀傷，為那個不再天真勇敢的青年而失落。然而，走入這盤局，我們何曾有過其他的選擇？我不得不言，而他必然得行。我腦海中頓時浮現出聖經舊約的經文：「我閉口不認罪的時候，因終日唉哼而骨頭枯乾。」❶

傑米彷彿意識到我借聖經經文想表達「別讓良心遭受傷害」的意思，淺淺笑道：「我可是記得亞當不曾請上帝收回夏娃，況且夏娃把亞當害得才慘吧！」我笑開來，他傾身輕啄我的前額，然後拉起毯子蓋住我的肩膀。「睡吧，我的小肋骨，早上我可需要一個賢內助呢！」

—

耳邊傳來清脆的金屬撞擊聲，被喚醒的我從毯子裡探出頭，朝聲音的方向睨著眼，發現傑米膝上蓋著披肩，就在我鼻子前三十公分的地方。

「你醒了？」一串銀鈴聲突然從天而降，沉重地繫在我脖子上。

我驚訝地坐起身，低頭往下看時問道：「這是什麼？」傑米繫的是一條由皮革鞋帶串了數個約十多公分長的金屬插銷所組成的奇特「項鍊」。有些是握柄處的鐵環生鏽了，有些是全新的，但所有的插銷上頭全是刮痕，似乎都是從某個比較大的東西扯下來的。

「這是戰爭的獎章，英國姑娘。」傑米說。

我抬頭一看見他的臉，驚叫出聲。

「喔，我忘了，還來不及洗掉。」傑米一隻手遮著臉。

「傑米，你嚇到我了！你臉上塗的是什麼？」我一隻手撫著砰砰狂跳的胸口。

「黑炭。」他拿布擦臉的時候悶聲說道，接著他放下手中的布對我露齒而笑。擦過臉以後，他鼻子、下巴和額頭的炭痕掉了，但還殘存一點汙漬，所以皮膚帶著一點青銅色，而且眼睛周圍還留著浣熊一般的黑眼圈，嘴唇也兜著一圈黑影。時近黎明，濛濛的亮光透進帳棚，他深色的臉龐與頭髮幾乎融入背後灰褐色的帆布，給人一種極為錯亂的感覺，彷彿我在和一個無頭人說話。

「這主意是你想到的。」傑米說。

「我想到的？你看起來活像黑臉走唱秀❷的演員，你究竟上哪兒鬼混了？」我問他。

---

❶原文典出〈詩篇32:3〉之When I kept silence, my bones waxed old through my roaring all the day long，其引申意為傷害良心。

❷黑臉走唱秀（minstrel show）是流行於十九世紀的美國巡迴表演劇團，由白人扮演並模仿黑人所表演的歌舞笑鬧劇。

傑米他滿臉的汙痕，潔白的牙齒閃閃發亮地咧嘴笑道：「敢死隊突襲啊！還是敢蝕隊？是這樣說嗎？」

「老天爺，你跑去英軍的營區了？你該不會是一個人去吧？」

「這麼帶勁的活兒怎麼可以不帶上我的人馬呢？我留了三個人暗中保護你，其他人就跟著我去，這個晚上收穫可真豐盛。」他得意地指指我脖子上的「項鍊」。

「這些是大砲馬車的開口銷❸。我們搬不動大砲，破壞它又會發出聲音，於是我們拔了開口銷、拆了輪子，這下他們也走不遠。那十六門結實的輕野砲困在沼地裡，就幫不上科普將軍的忙了。」

我驚愕地看著那條項鍊。「幹得好！可是他們不會想辦法弄個類似開口銷的東西嗎？看起來粗鐵絲就可以派上用場了。」

傑米沾沾自喜地點點頭。「對！可以做新的開口銷，問題是他們沒有新的輪子一樣沒轍。」傑米掀開帳篷的簾布，手向山丘下一指。我看到穆塔夫在那兒，像個形銷骨立的惡魔，正指揮幾個相同裝扮的惡魔手下，快活地把三十二個大木輪往熊熊火焰中投進去，看來已經投到最後一個了。旁邊地上堆著一疊車輪鐵圈，佛戈斯、金凱和另一個年輕人玩起了新遊戲，用一根棍子把鐵圈滾來滾去。羅斯坐在旁邊一段木頭上，一邊啜著牛角杯，一邊懶洋洋地把鐵圈套在他壯碩的手臂上溜轉著。

看到這幅景象，我笑了出來。「傑米，你真是太聰明了！」

「或許吧！不過，妳倒是穿得太透明了，妳還有衣服穿吧？因為我們現在得趕緊上路。我們把英軍的哨兵綁在廢棄的羊圈裡，其他英軍現在應該起床了，目前大概離我們不遠。快，該走了！」這時我頭上的帳篷突然震了一下，好像有人把一邊的繩子扯開，似乎是要驗證傑米說的話。我驚叫著鑽進去找馬鞍袋，傑米就留在帳棚外指揮大家撤離。

我們在下午前抵達托拉能村。這個小村莊踞於海邊山丘上，平時很寧靜，現在卻因為高地軍隊進駐，一片人聲鼎沸。遠方的小山丘上，可以鳥瞰這片延伸向海灘的小平原，也可以看到軍隊主力所在。但人員來去還是像平常一樣隨意，進入村子的人和出去的人一樣多。進出的小隊依稀維持軍隊的隊形，信差來回奔忙，有些騎小馬，有些靠兩隻腿，還有婦孺、隨軍人員，因為太多人了有些只好坐在屋外，靠著石牆，在時有時無的陽光下餵哺嬰兒，又呼喚經過的信差，想知道最新行動的狀況。

我們停駐在這喧喧擾擾的村子外圍，傑米派穆塔夫去找總指揮官喬治·穆瑞勳爵，他自己則到小屋，進洗手間打理一下。

我的儀容實在有待改善，雖然我的臉沒有特別用炭塗黑，但卻有好幾道汙漬，一看就知道在戶外過了幾夜。小屋裡的婦人好心借我毛巾和梳子，我坐在她桌前，和我頑固糾結的頭髮奮戰。突然門開了，穆瑞勳爵毫不拘禮地走進來。

穆瑞勳爵平日無懈可擊的裝束現在有點邋遢，背心好幾顆釦子沒扣，襪子鬆垮垮地滑落，襪帶有一條沒繫，假髮也隨便塞在口袋，逐漸稀薄的棕色鬈髮豎了起來，顯然他曾因為大感挫折而揪過自己的頭髮。

「感謝上帝！終於來了個神智清醒的人了！」他身體前傾，瞇著眼注視著傑米說道。傑米紅髮上的煤炭汙漬幾乎都洗掉了，但灰色的髒水流下他的臉，滴在上衣前襟，而他的耳朵因為洗得太匆忙而忽略，看起來

❶開口銷是一種普遍用於防止卡榫、軸心等機件脫位解體的固定插銷。

還是一片烏黑。「這是怎麼……」穆瑞勳爵有點驚訝，但隨即不再說下去，很快地搖了搖頭，好像要把他腦海中的畫面驅逐出去。他於是回到原本熱切的模樣，假裝不覺有異。

「勳爵大人，近來可好？」傑米說得十分恭敬，也假裝沒看到綁著緞帶的假髮尾端從勳爵的口袋露出，隨著勳爵大動作的比手畫腳，晃呀晃地像小狗的尾巴。

「近來可好？」勳爵重述傑米的問候接著說：「哼，我告訴你，這些人一下往東，一下往西，然後一半下山去吃午餐，另一半跑得不見人影！你說說，我怎麼可能好？」

勳爵喘了口氣，不再那麼激動：「我剛剛說的這些人，就是殿下的皇家高地軍。」等他又冷靜了一點，才說起前天軍隊剛到托拉能村的狀況。

穆瑞勳爵和部隊一起抵達後，將主力留在村裡，與一支分隊急忙前往占領俯瞰平原的山脊。隨後查理王子抵達，對這項行動表達不滿，還當著大家的面大肆咆哮。接著，殿下就帶著一半的軍隊往西行，名義上的另一位總指揮官伯斯公爵則乖乖地緊隨在後，或許是要去評估能不能從普雷斯頓發動攻擊吧！

軍隊分裂的時候，勳爵正忙著與村民商討計策，畢竟比起殿下或他的愛爾蘭心腹歐蘇利文勳爵，村民對附近地勢知道的遠比他們來的多。然而，這位歐蘇利文勳爵卻趁機擅自指揮一小隊羅切爾的卡梅隆帶來的族人，要他們前往托拉能的教堂墓地。

勳爵冷冷地說：「科普自然派了一對輕野砲去轟炸他們。我今天下午還和羅切爾鬧得很不愉快，他因為手下受了這種毫無意義的損傷很不高興，這我能理解，所以當他要求撤出時，我也就答應了。沒想到殿下的跟屁蟲又冒出來了，歐蘇利文，這畜生！只不過因為他和殿下一起抵達艾立開島，他就自以為……算了，總之，他就在那兒發牢騷，說什麼如果要從西邊發動攻擊，卡梅隆族人就一定要待在教堂墓地……你聽聽他說什麼，一定要，一定要喔！我斬釘截鐵地告訴他，就算要進攻，也是從東邊發動。現在連有沒有辦法進攻都有問題，因為目前我們根本不知道自己一半的人馬在哪裡。對了，王子殿下也同樣行蹤不明。」聽他那最後一句的語氣，就明白他對於查理王子殿下目前的行蹤也漠不關心。

「還有那個羅切爾！羅切爾的卡梅隆氏族抽籤獲得了在戰事中從右翼攻擊的權利（如果真的還有戰要打的話），麥唐納氏族原本也同意這樣安排，現在卻反悔了，堅持說如果他們不能按照傳統保有在右翼出擊的權利，他們就不打了！」

穆瑞勳爵剛開始陳述時還頗為冷靜，此刻卻越說越激動，懊惱得突然站了起來，兩手猛力抓著頭髮。

「卡梅隆氏族之前整天都在操練，一直來回行軍，現在八成被操得老二屁眼都分不清了……恕我失禮，夫人。」勳爵看了我一眼，補上一句：「然後克林蘭諾的人又和格倫加立的手下互毆。」他停住，腆著下巴，滿臉通紅。「要不是看在格倫加立的身分，我早就……唉，算了。」他手一揮不再提格倫加立，又開始踱步。

「唯一值得慶幸的是，因為我們在移動，英國人也一直被逼著團團打轉。科普整個軍隊調轉方向至少四次了，現在科普的右翼已經快延伸到海邊了，他們一定在想我們接下來到底會做什麼。」他彎腰看向窗外，好像覺得科普將軍本人會從大馬路那裡走過來問問題。

「呃……勳爵，請問您手下那一半人現在到底在哪裡？」傑米動了一下，顯然就要跟著勳爵一起在屋裡踱步了，但我一把揪住了他的衣領。勳爵碎碎念個不停時，我手裡拿著沾了溫水的毛巾，忙著把傑米耳朵上的汙垢擦掉。現在傑米的耳朵豎起，而且有點漲紅。

「就在小鎮南方的山脊上。」

「那麼我們依然占領制高點了？」

「沒錯，聽起來是個好消息吧？」勳爵無精打采地笑道：「不過占據制高點對我們好處不多，因為山脊下的沼澤都是水塘和泥濘，簡直百孔千瘡。老天真沒長眼啊！有道六公尺深的壕溝裡面都是水，沿著山腳有一百公尺長！現在兩軍之間只隔著五百公尺，我們盡力的話，也可能拉到八百公里。」穆瑞勳爵一手插進口袋想找手帕，拉出來後卻站著發楞，呆呆地看著手上差點被拿來擦臉的假髮。

我動作優雅的遞給他那條覆滿煤灰的髒手帕。勳爵閉上眼，兩只鼻孔大力吸口氣，然後睜開雙眼，以一貫的優雅動作對我鞠躬。

「聽憑差遣，夫人。」他用那塊骯髒的破布整張臉擦過一遍，彬彬有禮地交還給我，然後啪地戴上那頂亂蓬蓬的假髮。

勳爵語氣一變，轉向傑米，表情堅定地說：「要是我因為那個蠢蛋輸了這場仗，那我就該死了。」

「你手下有多少人，弗雷瑟？」

「有三十人，勳爵。」

「馬呢？」

「六匹，還有四匹載貨小馬。」

「載貨馬？噢，載你們的物資？」

「是的，勳爵。還有昨天晚上從英軍一個小隊搶來的六十袋軍糧，以及一門十六吋的迫擊砲。」

傑米最後一句話說得輕鬆自在、漫不經心，聽得我都想把手帕塞到他喉嚨裡。

穆瑞勳爵瞪著他看了一會兒，然後嘴角上揚，化成微笑。「是嗎？和我來吧，弗雷瑟。路上你可以好好和我說。」勳爵轉身向門口走去，傑米瞪大眼看我一眼，抓起帽子跟上去。

穆瑞勳爵突然在門口停步並轉過身來。他抬頭瞧瞧傑米這高個子，上衣領子沒翻好，外套也草草搭在一邊手臂上。

「弗雷瑟，就算再怎麼匆忙，還是別忘了展現禮儀。去和你妻子吻別吧，我在外面等你。」接著動爵倏地轉身，單膝一屈，向我深深一鞠躬，假髮髮尾都往前翻了過來。「告辭了，夫人。」

——

我對戰爭期間的軍隊概況有點了解，明白在開戰之前會有段暴風前的寧靜。村裡唯一一條大街上，男人、婦女、隨軍人員、流離失所的特拉能村人三三兩兩、漫無目的地晃盪，不知道何去何從。只有信差趕著送信，快速掠過人群。

我之前在巴黎見過穆瑞動爵。該行動的時候他不會客氣拘禮，不過我想，他是因為對查理王子的舉動感到焦躁，又不想與歐蘇利文為伍，才單獨來見傑米，而不是因為事態緊急，或真視傑米為心腹。現在高地軍總兵力約在一千五百至兩千人之間，傑米的三十個手下算不上是天降神兵，不過也不會完全遭到冷落。

我看看佛戈斯，他浮躁不安得像患了席登罕氏舞蹈症❶的蟾蜍，於是我決定主動發函與其他人聯繫，一方面也讓佛戈斯有點事做。有句話說：「在盲人的國度，獨眼人就是國王。」我從自己的經驗裡體認出了新解：「如果沒人知道怎麼做，有道理的建議就會有人接受。」

鞍袋裡有紙墨，我坐下來寫信給珍妮。這屋子裡的婦人可能從沒看過女人寫字，以近乎敬仰的眼光看我。查理王子在海邊的格倫芬南高舉旗幟號召人馬時，就是珍妮帶領三百族人響應，穿山越嶺加入他的旗下。珍妮的兄弟休．卡梅隆返家時聽到這消息也火速趕往格倫芬南，以領主之位帶領族人。但珍妮也不想乖

❶舞蹈症患者的肢體會不由自主地出現一些快速而沒有規則的動作，就像跳舞一樣。

乖回家，錯過好玩的事。查理王子曾在愛丁堡稍事停駐，接受忠臣的讚美擁戴，珍妮那次在愛丁堡也很開心，而且她也想護送王子親征。

我沒有印章，但袋裡有傑米的蘇格蘭呢帽，呢帽上的徽章有弗雷瑟家族的紋章與銘言。我拔出徽章，壓在封緘的融蠟上，使這封信更為正式。

「交給有雀斑的那位蘇格蘭女士。」我囑咐佛戈斯，滿意地看他跑出門，沒入街上鬧哄哄的人群裡。我不知道珍妮在哪裡，不過軍官都駐紮在蘇格蘭教會附近的牧師住宅，那兒是搜尋的好起點。找人的事就交給佛戈斯去忙，至少他就不會在家搗亂。

一吩咐完，我轉向屋裡的婦人。

「好了，現在有什麼毯子、手帕、襯裙要縫嗎？」

◆

珍妮的個性一定很有魄力，而我的猜測也很快得到證實。一個女人可以召集三百個男人，帶領他們翻山越嶺，為一個充滿異國口音、愛喝白蘭地的紈褲子弟作戰，想必是個極為有趣的人，而且有種難得的天賦，可以讓所有人對她言聽計從。

「很有道理。阿契堂哥應該做了些安排，不過他現在一定只想和軍隊待在一起，畢竟那兒才有意思。」她微揚堅毅的下巴挖苦道。

「妳沒有堅持同行，讓我很意外。」聽我這麼一說，她笑了，不甚出眾的五官加上突出的下巴，讓她有著一張像似溫馴鬥牛犬的臉。

「如果可以我也想去，可是沒辦法。」她坦白承認。「休來了，他一直想趕我回家。我告訴他，要我乖乖回家……」她環顧一下確定四周沒人，鬼鬼祟祟地對我低聲說道：「他媽的別想！只要我在這裡還派得上用場，就別想要我回家。」

她站在小屋門檻上，若有所思地打量街道。

「我不覺得他們會聽我的，畢竟我來自英格蘭。」我說道。

「你說的沒錯。不過，他們會聽我的。不知道會有多少人受傷，祈禱老天不會太多。」她悄悄地在胸前畫了十字。「不過，從牧師住宅附近的房子開始最理想，那裡提井水比較方便。」她下了決定，步出門檻走上街，我緊跟在後。

我們成功說服了他們，除了靠珍妮的地位和她的魄力，也因為男人心知肚明：束手坐視是世界上最悲慘的工作（這倒不是因為男人深有體悟，女人坐著等的時候可多太多了）。等太陽緩緩沉入特拉能的蘇格蘭教會後方，我們已經籌組出醫療隊的雛型了。

—

附近樹林裡，落葉松和赤楊木的葉子紛紛掉落，在沙地上鋪排成一片鬆散、平坦的黃褐色。觸目盡是蜷縮的黃褐色葉子，風一捲就飛離了樹梢，好像波濤中的小船。

一片葉子在我身邊盤旋，隨著風稍微止息而輕輕降落。我攫住它，放在掌心端詳，看著葉片的主脈與支脈。葉片腐爛後，這蕾絲般的葉脈仍會保存下來。忽然有風，從我掌中颳走這片葉，葉子飄落到地面，讓風沿路吹送到村中空盪盪的街道上。

我抬起手遮擋落日的昏光，看到村外高地軍紮營的山脊。王子殿下帶領的另一半軍隊在一個小時前回來了，秋風捲殘葉般帶走還留在村中的士兵，一起去和穆瑞勳爵會合。在這個距離，我只能辨認出偶爾幾個小小人影，他們黑色的身影襯著逐漸變灰的天空，零星越過山脊。在道路盡頭四百公尺的地方，我看到英軍升起的第一道火光，在逐漸黯淡的天色下燃亮微弱的光芒。村里燃燒泥炭，那股濃重的氣味混合了英軍柴火更刺鼻強烈的味道，疊在鄰近海水的腥味之上。

高地軍的家眷受到熱情款待，現在多半住在沿街上的小屋裡，和主人共進簡單的麥片粥與鹽醃鯡魚晚餐。我的晚餐在屋內準備好了，但我沒什麼胃口。

一道瘦小的身影從我身側出現，就像拉長的影子一樣靜悄悄。

「夫人要來用餐嗎？女主人為您準備好晚餐了。」

「好，我馬上過去。」我最後朝山脊瞥了一眼，便轉身進屋。「一起來吧，佛戈斯？」進門前我問道。佛戈斯依然站在路上，抬手遮著眼，想看清村外山脊上的活動。傑米嚴格叮囑他得緊緊跟在我身邊，但他顯然想投入作戰部隊，一起準備翌日的戰役。

「好的，夫人。」他嘆口氣轉身，暫時回到無聊的和平生活。

—

夏季的漫漫白晝很快讓渡給黑夜，燈火早早就點亮，之後我們也準備妥適了。這個夜晚並不平靜，遠方地平線一直有動靜與火光。佛戈斯也靜不下來，在小屋內外跑進跑出，傳遞口信、探聽小道消息，每隔一陣子就從陰影中現身，像隻瘦小陰暗的幽靈，眼裡閃著興奮的光彩。

我正忙著把床單撕成條，疊成一堆準備消毒，佛戈斯忽然抓著我的衣袖說：「夫人！夫人！」

「又怎麼了，佛戈斯？」他打斷了我的思緒，我正思考如何向婦女們說明，治療傷患一定要經常洗手。

「來了一個男人，夫人。他有話想和殿下的軍隊指揮官說。他說有很重要的事。」

「去啊，我可沒攔著他呢！」我扯著上衣一道不聽話的接縫，用牙齒拉鬆一端，然後用力一扯，接縫發出讓人滿意的撕裂聲，整齊俐落地裂開。

我吐掉一兩條線頭。佛戈斯還站在原地，耐心等著。

我只好開口：「好吧，你覺得……還是他覺得我可以幫什麼忙？」

佛戈斯熱切地說：「夫人，您允許的話，我可以帶他去見主人，讓主人帶他去見指揮官。」

在佛戈斯看來，這個「主人」實在是無所不能。譬如說，主人毫無疑問能走在水面上、把水變成酒，還有讓穆瑞勳爵去見一個從黑暗中現形、帶著重要消息的神祕陌生人。

我拂去擋在眼前的髮絲。我原本用頭巾包住頭髮，但捲曲的髮絲一直跑出來。「那男人在附近嗎？」

蠢蠢欲動的佛戈斯光是聽到這句話就夠了，他立刻跑出敞開的門不見人影，很快就帶著一個纖瘦的年輕人回來，那人熱切的目光立刻盯住我的臉。

「您是弗雷瑟夫人嗎？」我點頭時，他笨拙地朝我鞠躬，但兩手好像不知道該擺哪兒，在馬褲上擦了擦，但也準備好面對可能發生的事。「我……我是李察・安德森，來自懷特堡。」

我回禮道：「辛苦你了，李察。我的僕人說，你有重要的消息要告訴喬治・穆瑞勳爵。」

他像隻河烏一樣猛點頭。「是這樣的，弗雷瑟夫人，我從小住在這兒，我……很了解這邊的地形，甚至可以說是瞭若指掌。高地軍隊駐紮的山脊那裡有一條路可以下來，走那條路可以繞過底下的壕溝。」

「原來如此。」我聽完感覺胃部一緊。如果高地人要在明天早上發動突襲，就必須趁夜離開山脊這個制高點。而突擊要成功，他們當然得跨過或繞過壕溝。

我以為自己知道未來會發生的事，但坦白說，此刻我是毫無把握。我曾是歷史學家的妻子（想到法蘭克，我內心總是隱隱作痛），明白史料往往極不可靠。就這點來說，我不確定自己的出現會不會改變歷史。

我胡亂猜想著，如果我不讓安德森和穆瑞動爵見面會發生什麼事。會改變明天那場戰役的結果嗎？如果傑米和他手下，以及其他高地軍衝過泥濘的地面摔入壕溝，會遭到屠殺嗎？穆瑞動爵會想出其他方法嗎？或者不管我說什麼，安德森都會想盡辦法向穆瑞動爵通報？

我不能就單為了試探而冒險。我低頭看著佛戈斯，他早已坐立不安，準備動身了。

「告訴我，你確信你可以安然無恙找到主人嗎？去山脊的路上就跟礦坑一樣黑，我不希望你們在山上誤闖被殺。」

佛戈斯信心滿滿：「我找得到！」或許真的找得到，他身上好像有種特別的雷達可以偵測到傑米。

我勉強答應：「那好吧，但看在老天的份上，小心一點。」

「是，夫人！」一轉眼佛戈斯已經在門口，準備出發了。他們離開半個小時後，我才注意到我放在桌上的刀子不見了。我胃中一陣翻攪，這才想起雖然我要佛戈斯小心一點，但完全忘了叮嚀他記得回來……

黎明前，天還初濛之時，第一聲炮擊響起，隆隆聲響和我床榻共鳴著。我的臀部像夾著尾巴似地不禁縮緊，一手抓住睡在我身旁婦女棉被下的手指。明白戰事即將爆發，理應保持心理戒備，但其他人似乎無動於衷。隱約傳來孩子的抽泣，婦女喃喃低聲安撫：「聖母馬利亞，米迦勒天使，聖畢哲，請保佑我們。」有的婦女已下床走動，地板發出嘎吱聲，有人小聲說話，但似乎所有人都豎起耳朵，仔細聆聽下方平原的交戰。

我瞥見麥克弗森太太站在窗邊，窗外天色逐漸發白，她摺著被子，臉色因恐懼而蒼白，傳來的轟隆聲讓她閉上雙眼、微微顫抖。我原以為大家無動於衷，但看來並非如此。這些婦女對下山的祕密通道、拂曉出擊與攻其不備的戰略或許一無所知，但她們更明白，自己的丈夫與兒子此刻正面對著砲彈與火槍，而且英軍人數是我方的四倍。

即使在承平時期，預言也是一項危險的工作，而且我覺得這些婦女完全不會相信我對戰事的預測，所以我能做的就是讓她們有事可忙。我腦海中閃過一個畫面，升起的太陽照在紅髮上，使擁有閃耀紅髮的主人成了最明顯的目標。第二個畫面緊接在後，一個門牙微凸的男孩帶著一把偷來的刀子，雙眼晶亮，以參戰為榮。然後我難受地閉上眼睛，微微哽咽。我只能盡其所能讓自己有事可忙。

「各位！我們昨天已經做了不少事，但還有更多事情要做。我們需要煮開水，用大鍋燒水、奶油鍋來浸洗，能進食的傷患我們就準備麥片粥，不能的就替他們準備牛奶。包紮傷口要準備牛脂和蒜頭❷，木條可以用做夾板，還有瓶罐、水壺、杯子、湯匙，縫針和堅韌的縫線。麥克弗森太太，可否麻煩你……」

我對這場戰役所知不多，只知道蘇格蘭軍應該會得勝，詹姆斯黨人軍隊死傷「輕微」。從年代久遠、斑駁泛黃的教科書紙頁，我再次憶起那零碎的資訊：「……詹姆斯黨勝利，只有三十人傷亡。」

在醫護領域裡，任何受傷都算是傷亡，而隨著烈日穿透海上霧氣高升的正午時分，我們小屋中的傷患早已遠超過三十人。我想書裡說的應該是「死亡」。戰役中得勝的一方凱旋而歸，沒受傷的人扶著受傷的同袍，慢慢地回到村裡。

奇怪的是，王子殿下命令先救戰場上的英軍，還要悉心照料。「這些人是我父王的子民，我要他們受到

---

❷牛脂可製成藥膏，蒜頭水具有消毒殺菌的功效。

良好照料。」他口氣十分堅決，把「父」這個字說得特別大聲。他似乎忘了剛為他打下勝仗的高地人也是他父王的子民。

聽到王子殿下這番話，我對珍妮小聲說：「看看這對聖父聖子的行徑，高地軍最好祈禱聖神不要在今天降臨吧❸。」

麥克弗森太太聽到這番不敬的嘲諷，露出驚駭的表情，但珍妮卻笑了。

蓋爾語的歡呼吶喊蓋過傷患微弱的呻吟聲。這些傷患有些躺在舊步槍綁成的臨時擔架上，其他多半則只靠著朋友攙扶。有些傷患自己跌跌撞撞走進來，眉飛色舞，陶醉在高昂的士氣裡。他們支持的信念獲得光榮勝利，傷口的疼痛似乎也無關緊要了。儘管他們身上負傷必須來這裡治療，打勝仗還是讓他們樂陶陶的，屋裡熱鬧又興奮。

「老天爺，你有沒有看到他們跑得多快？就像被貓追的老鼠，夾著尾巴逃跑！」一個傷患說，似乎忘了自己左臂從指節到肩膀都遭火藥灼傷。

「而且一群人還丟了尾巴！」他的朋友接了一句，哈哈大笑。

並非所有人都沉浸在歡樂中。還有三三兩兩的高地人，抑鬱地走過山丘，抬著朋友靜止的身體，蘇格蘭披肩末端蓋上那張蒼白虛無的臉，由上天照看。

對我挑選來的助手而言，這是第一場試煉，而她們也像戰場上的戰士一樣挺身面對挑戰。她們一開始畏縮不前、牢騷抱怨，變得很難相處，然後迫於情勢，終於帶著無窮的精力投入戰鬥。

但她們嘴上還是抱怨個沒完。

麥克瑪多太太又帶回另一個滿滿的水瓶，掛在牆上指定的位置，然後彎身翻找放置蜂蜜水瓶的桶子。年邁的麥克瑪多先生是特拉能村的漁夫，受徵召為軍隊效力。她是這班負責管水的人，在傷患間穿梭，催促他們盡量喝蜂蜜水，然後再巡一次患者，並負責收拾兩、三個喝完的瓶子。

「如果不要給他們喝那麼多水，他們就不會尿那麼多了。」她已經抱怨不只一次了。

我再三耐心解釋：「他們需要水，可以維持血壓、補充流失的液體、避免休克……妳想想，因為我們這樣的照顧，死亡的人數不多吧？」我也不客氣說道。麥克瑪多太太不斷質疑和抱怨，耗掉我大半的耐心。她嘴裡的牙齒一顆不剩，在她原本嚴厲的面容上，又增加一股悲傷的感覺，好像在說：「一切都沒了，何必多費事？」

「嗯。」她應了一聲便沉默不語。既然她不再埋怨，拿著水回去巡病人，就暫時當她認同我吧！

我走出屋外，除了想離開麥克瑪多太太，也想遠離屋裡的氣味。屋內飄盪煙霧、熱氣、身體汙濁的異味，讓我有點頭暈。街上滿滿都是人，喝醉了在慶祝，從戰場上搜刮了不少戰利品，收穫頗豐。一群穿紅色格子花呢的麥吉利瑞族人，把英軍大砲像危險的野獸一樣五花大綁，然後拉著到處跑。大砲的點火孔與炮口雕刻著伏臥的野狼，這奇妙的雕飾讓大砲更像一頭野獸了。我想，這大概是科普將軍的一座展示品。

有個小小的黑色身影跨坐在大砲口，頭髮像奶瓶刷一樣豎起。我一認出他來，先是閉起眼睛感謝上蒼，接著睜開眼睛沿街道急忙往前走去，把他從大砲上抓下來。

「臭小子！你竟然偷偷溜掉？要不是我忙到焦頭爛額，一定好好賞你幾個耳光！」我氣急敗壞用力搖晃著他，然後緊緊抱住他。

---

❸天主教有「聖父、聖子、聖神」三位一體的概念，這裡克萊兒用聖父、聖子比擬查理父子，希望不要再有個「聖神」出現，做出讓人不耐的行徑。

他叫道：「夫人，夫人？」眼睛在午後的陽光下傻氣地眨著。

我這才明白我剛剛說的他一句都沒聽進去。「你還好嗎？」我緩和下來輕聲問道。

他臉上閃過疑惑的表情，臉蛋上盡是泥巴和火藥的痕跡。他點點頭，滿是汙垢的臉上露出茫然的微笑。

「夫人，我殺了一個英國兵。」

「是嗎？」我不確定該慶祝還是該安撫，畢竟他只有十歲。

他皺起眉頭，臉擰成一團，似乎非常努力想記起一件事。

「我猜我殺了他。他倒在地上，我用刀子刺他。」他迷惑地看著我，好像我可以告訴他真相。

「來吧，佛戈斯。我找點吃的給你，再找地方讓你睡覺。其他事情別想了。」我說道。

「是，夫人。」他順從地跟在我身邊，腳步蹣跚，沒多久我就發現他差點一頭栽倒在地。我吃力地拉他起來，然後拖著他朝教堂附近的小屋走去，我把醫院治療中心設在那兒。我本來想先餵他吃點東西，但才走到那間小屋（歐蘇利文差點就要把裝載軍用物資的馬車安排在這裡），他已經快走不動了。

我於是帶他進屋，讓他蜷縮在一張箱型床上睡覺。這間小屋由一位婦女負責，主要照顧那些忙於照料傷患的婦女留在家中的孩子。把佛戈斯留在這兒再好不過了。

到了下午三點多，小屋裡已經擠了三十多人，兩個女助手忙得不可開交。這屋子一般只住一家五、六口人，現在擠得那些還能站的人都踩到躺的人的蘇格蘭披肩上了。我往小屋另一端看出去，受指揮官徵召的牧師宅邸那裡，軍官來來去去。我不時注意那扇半開半掩、破舊的門，但進去報告傷亡人數或接受祝賀的人裡面，一直沒有傑米的身影。

我不斷告訴自己傷患中也沒有傑米，又力圖驅離這縈繞心頭的憂慮。我早就忙到沒有時間去山坡上的小帳棚探查，死者都放在那裡，整齊地排成一列列，好像仍等著最後的檢查。但傑米一定不會在那裡。

我告訴自己，絕對不會……

門打開，傑米走了進來。

當他的身影映入眼簾，我雙膝一軟，只得伸手扶住小屋的木製壁爐。他也正在找我，眼睛快速在房裡逡巡，看到我時，眼神亮了起來，俊美的臉上綻放著令我屏息的笑容。傑米看起來狼狽不堪，身上有火藥燻黑的汙痕和飛濺的血跡，那雙赤腳沾滿泥漿，渾身都髒透了。但他完好無缺地站在我面前，我別無所求了。

一個躺在地板上的傷患大聲向傑米問好，引開傑米的視線。儘管喬治·麥克路爾的耳朵只剩一絲血肉相連，還是抬頭對的他的長官微笑。傑米也向下對著喬治微笑，然後很快視線拉回我身上。

「感謝老天。」傑米湛藍的雙眼與我相視時，我們用眼神對彼此傾訴著。

我們只有這一眼的交流，接著傷患陸續湧進，村裡身強力壯的人都受了徵召，加入照顧傷患的行列。羅切爾的兄弟阿契·卡梅隆是醫生，他在小屋之間奔忙，名義上是負責人，實際上也四處幫了一點忙。

我要求所有拉利堡的弗雷瑟族人都先送到我的小屋，進行傷患評估分類，快速判斷傷勢嚴重程度，讓還能行動的到街上另一間小屋，交由珍妮處理，生命垂危的則送到阿契在教堂的主治療區。我認為阿契能勝任派發鴉片酊的任務，而且教堂環境也能給傷患一些安慰。

我盡力處理重傷患者，骨折的到隔壁，由麥金塔軍團的兩位軍醫上夾板及繃帶。非致命的胸傷則讓患者盡可能舒適地靠牆半坐，好讓他們能順暢呼吸，因為沒有氧氣或外科治療器材，其他的我也愛莫能助。我無法治療的頭部重創傷患則送到教堂，與病危傷患在一起。如果阿契也無法讓他們好轉，至少交到上帝手中也比較好。

最糟糕的是肢體缺損及腹部創傷，因為無法消毒，我只能在治療不同傷患時，勤加洗手，同時逼我的助手也這麼做（只要他們還由我直接監督），並確保我們使用的敷料都先經過煮沸。毫無疑問，即使我曾說明洗手、消毒的重要，我知道其他小屋裡的人會覺得這是浪費時間，一定會跳過這些程序。我心知肚明，如果我都無法讓昂吉醫院的修女及醫生相信世界上有細菌，那我也不可能說服得了這群蘇格蘭家庭主婦以及兼做獸醫的軍醫。

有些患者傷勢是能夠治療的，但可能死於感染，對他們我不准自己多想。我可以用乾淨的雙手和繃帶，造福拉利堡的患者，也許再多加幾個人，其他的我不用期待太多。在遙遠的法國戰場上，我學會一句名言：「你無法拯救世界，但如果動作快一點，你可以救眼前的這個人。」

傑米站在門口評估狀況，然後動身協助那些粗重的工作，搬運傷患、抬起裝熱水的大鍋，到特拉能廣場井裡打桶乾淨的水。我不再擔憂掛心著他，甚至因為忙著處理一連串的工作與雜務而差點忘了他。傷檢分類中心往往非常像屠宰場，這裡也不例外。地上因為人來人往而滿是塵土，只要能吸收血水和其他液體，這樣的地面其實還不壞，但那些已經吸飽水的地變得很泥濘，走起來有點危險。

滾水的大鍋在火上揚起一陣陣水蒸氣，工作本來就熱，如今更熱了。每個人都汗流浹背，醫療人員因為工作渾身濕黏，傷患則是因為害怕與久候不耐，滿身臭汗。下方戰場的煙霾傳到村中街道上，從敞開的大門飄進來，讓人雙眼刺痛。剛用滾水燙過的亞麻布，原本掛在火邊的晾鯖魚架上滴水，結果都給這股煙霧染髒了。傷患像浪濤一波又一波湧進小屋，每一波新的傷患都讓大家忙得暈頭轉向。我們拚命掙扎，不讓潮水般的工作擊倒，等待這波勢頭過去，再勉力撐起身子，打起精神收拾殘餘的一片狼藉。

當然，即使最忙亂的時候，還是有幾段間歇期。到了下午接近傍晚，傷患零星地進來，我們才得以歇腳步入穩定的程序，看護留下來的傷患。雖然還是忙，但至少可以鬆一口氣，停步環顧四周的狀況。

我站在敞開的門邊，呼吸海面吹來的新鮮空氣，這時傑米走了進來，抱了一捆柴火。他把柴火放在壁爐地上，走到我身旁，一隻手環住我的肩。汗水沿著他的臉頰流下，我拉起圍裙一角為他拭去汗珠。

「你去過其他小屋了？」我問道。

他點頭，呼吸漸漸緩下來。他臉上布滿火藥的黑垢和血漬的斑點，但我看出他臉色蒼白。

「去了。戰場上還有人在搜括戰利品，但仍有很多人下落不明。不過，我們拉利堡的傷患都在這兒，不會在其他地方。」他對屋子另一端三名傷患點頭示意。那三個人都來自拉利堡，在壁爐附近或躺或坐在一塊，和其他蘇格蘭人你一言我一語地開玩笑。屋裡幾個受傷的英國兵不發一語躺在門附近，自成一區，只擔心落入敵手後黯淡的未來。

傑米看著那三個拉利堡的人，問道：「他們還好吧？」

我點頭：「喬治．麥克路爾可能會少隻耳朵，我還不確定。不過，情況不壞，他們會沒事的。」

「很好。」他疲倦地笑了笑，用蘇格蘭披肩的一角抹抹熱燙的臉。他的披肩草草裹著身子，不像平常那樣整齊地披在肩上。也許是為了活動方便，但是披肩裹在身上一定很熱。

他轉身準備離開，伸手取了門勾上的一個水瓶。

「別拿那瓶！」我說。

「為什麼？」他疑惑問道，接著搖搖廣口瓶，發出隱約的嘩嘩聲。「這瓶是滿的。」

「我知道。那瓶是尿壺。」我說。

「哇！」傑米轉而用兩根指頭捏著瓶子，想換另一瓶，但我阻止他。

「沒關係，拿去外面倒掉，然後用這瓶裝水。」我遞給他另一個看起來一模一樣灰色的粗陶瓶。「小心別搞混了。」我提醒他。

「嗯。」他露出蘇格蘭人特有的表情應道，接著朝門口轉身。

這時，我終於清楚地看到他的背，叫道：「等等！那是什麼？」

「什麼？」傑米也嚇了一跳，瞥過頭看著自己背後。

「這個！」在蘇格蘭披肩上方，有個泥濘的印子印上他髒兮兮的上衣，那是一個清晰的圖形，我碰了一下，不可置信喊倒：「是馬蹄印！」

他聳聳肩說：「喔，那個呀！」

「你被馬兒踩到了？」

「欸，牠不是故意的。馬兒不喜歡踩人，我想牠會覺得腳下軟軟的。」傑米此時還為馬兒叫屈。

我抓住傑米一隻袖子，不讓他溜掉：「就算是吧！站好，告訴我究竟發生了什麼事？」

傑米不太情願：「不重要啦，肋骨感覺沒斷，只是有點小瘀青。」

「最好是！」我挖苦他，手一邊已經揭開他背上髒汙的上衣，看到一枚馬蹄痕的弧線清清楚楚印在他背上，就在腰部上方。「老天爺，連馬腳趾甲都一清二楚。」我觸碰那塊蹄印，他不由自主縮了一下。

傑米解釋，當時有個龍騎士騎著馬突然衝出來。一般高地人習慣了毛茸茸的高地小馬，對其他的馬種都很陌生，所以會認為英軍騎兵的馬都受過訓練，會用馬蹄踢人、會張嘴咬人。由於擔心被馬的攻擊，高地人多會鑽到馬肚子下，用劍、鐮刀和斧頭惡狠狠地砍過馬肚和馬腿。

「但你當時覺得他們不是要攻擊你？」

「當然不是，英國姑娘。他想逃，但兩邊都被擋住了，所以只能從我身上跳過去。」傑米有點不安。

傑米從騎士眼裡看出想逃的龍騎士決定讓馬兒跳過去。一眨眼間，龍騎士用馬刺一踢馬的側腹，傑米立刻伸手護著頭飛身撲倒。

「空氣從我肺裡給擠了出來，我感覺馬蹄重重踩在身上，但不會痛……那時候不痛。」傑米把手探到背後，心不在焉地揉了揉那塊印子，輕皺著臉。

「好吧！從那之後你小便了嗎？」我放下上衣問道。傑米錯愕地注視著我，彷彿我腦子突然失常了。

「兩百公斤重的馬踩在你的腎臟上，我想知道你小便裡有沒有血。」我不耐煩地解釋道，畢竟還有傷患在等我。

他恍然大悟：「原來如此。不過，我也不知道。」

「那好，我們來確定一下。」我走向放在角落的大藥箱裡翻找，拿出從昂吉醫院帶來的驗尿小玻璃杯。

「裝滿以後拿回來給我。」我遞給他，轉身走向壁爐處理那一大鍋煮滾的亞麻布。

我往後看，發現他表情古怪地打量玻璃杯。

「老兄，要幫忙嗎？」一個大塊頭英國兵躺在地鋪上，笑嘻嘻地抬頭看傑米。

傑米滿是汙垢的臉上，潔白的牙齒閃爍。「好啊！」他傾身向前，把杯子遞給英國人。「拿去，我瞄準的時候幫我拿著。」英國人旁邊響起一陣嘻嘻哈哈的笑聲，暫時忘了自己的痛苦。

英國人愣了一下，伸出大掌握住脆弱的玻璃杯。這個英兵臀部吃了一記子彈碎片，握得不是很穩，唇上開始冒汗，但還是微笑著。

「你站在那兒，六便士賭你射不進。」英國兵挪動杯子，把杯子放在離傑米光腳丫約一公尺的地板上。

傑米若有所思的往下看，一手摩娑下巴，好像在測量距離。這時我正幫一個傷患包紮手臂，因為這場鬧劇的吸引，他已經不再痛苦呻吟。

「乖乖，不容易哩，要賭六便士？欸，看在錢的份上，值得試試看！」傑米故意加重蘇格蘭口音，原本微微斜挑的眼睛一笑之下，瞇得像貓眼一樣。

「老兄，我贏定了。」英國兵呼吸沉重，但還是笑嘻嘻地說道。

「兩便士銀幣賭站著的老兄贏！」壁爐角落有個麥唐納的族人大叫。

另一個外套反穿以作為俘虜標記的英國兵，這時也手忙腳亂摸索外套下襬，找口袋的開口。

「哈！一包菸草賭他辦不到！」他耀武揚威地舉著一個菸草小布袋大喊。

叫嚷聲此起彼落，有的要加入打賭，有的叫罵粗話，傑米蹲低，裝模作樣地估計自己和玻璃杯的距離。

「好了。」傑米終於開口，站起身、挺直胸膛。「你準備好了嘿？」

躺在地上的那個英國兵嘻嘻地笑。「喔，準備好了，老兄。」

「好，那就來吧！」

屋裡全都靜了下來，大家都在期待，有人支起手肘觀看，忘了身體的痛楚，也忘了彼此是敵人。

傑米環顧室內一圈，對拉利堡的人揚了下頭，然後慢慢拉起蘇格蘭裙的下襬，手伸進去。他專注地皺著眉，胡亂摸索，然後臉上露出一絲疑惑的神情。

傑米說：「我出門的時候他還在啊？」屋內爆出一陣狂笑。

玩笑開得成功，傑米也笑著把蘇格蘭裙往上掀一點，握住他清晰可見的「武器」，小心瞄準。他瞇起眼睛，膝蓋微彎，手握得更緊。

什麼都沒有。

「他射不出來！」有個英國兵得意洋洋地呼喊。

「他的火藥濕掉了！」另一個英國兵大叫消遣道。

「槍裡沒子彈啊，老兄？」趴在地上的英國兵嘲笑傑米。

傑米一臉疑惑地覷著他的「武器」，屋裡又掀起一片怪叫和噓聲。然後傑米恍然大悟的表情。

「哈！槍膛空了，就這樣而已嘛！」傑米帥氣地把手伸向牆上的一排罐子，對我揚起一邊的眉毛問著，看我一點頭，就拿下一罐水，對著張開的嘴倒。水濺出下巴潑到衣服上，他喝著水，喉結劇烈地上下起伏。

「呼！」傑米放下罐子，用袖子抹去臉上的水滴，向觀眾一鞠躬。

「好，來吧！」傑米開始把手往下伸，但見了我的表情之後，手也停在半空中。他看不到背後敞開的門，也不知道誰站在那兒，不過屋裡突然一片靜默，讓他明白狀況有變，所有賭注都不算數了。

—

查理王子殿下低頭穿過門楣走進小屋。他為了前來探視傷患，特別穿了深紫色的馬褲與搭配的襪子，潔白無瑕的上衣，還有顯然是為了表示與軍隊休戚與共而穿的卡梅隆的花格子呢外套與背心。他肩上另外還圍了蘇格蘭披肩，別上蘇格蘭煙水晶胸針，頭髮剛撲好粉，聖安德魯勳章掛在胸前，閃閃發亮。

查理王子站在門口，姿態高貴地想用眼神激勵他的手下，同時也顯然擋到後面的人了。他緩緩舉目四顧，看到眼前二十五個男人不舒服地擠在地上，醫療助手蹲在旁邊，染血的繃帶亂七八糟地丟在角落，藥物和器材散放滿桌，還有站在桌子後面的我。

王子殿下通常不太理會隨軍的婦女，不過禮儀的約束已經根深柢固了，所以即便我裙子上有著血跡與嘔吐物的汙漬，頭髮還散開溜出頭巾，朝六個方向豎起，他還是當我是個女士，朝我致意。

「弗雷瑟夫人。」王子對我優雅一鞠躬說道。

「殿下。」我屈膝回禮，心裡希望他不會停留太久。

「夫人，非常感謝您代我們辛勤付出。」王子輕柔的義大利腔調比平常明顯。

「謝謝您。請小心血漬，您腳邊的地面很滑。」

王子小心繞過我說的那攤血，優美的嘴有點繃緊。門口通了，謝爾登、歐蘇利文、巴梅立諾勳爵紛紛走進來，原本擁擠的小屋變得更擠。查理王子盡了該盡的禮節，便小心翼翼地在兩床地鋪中間蹲下來。

王子輕輕將手放在一個人的肩上。

「英勇的同袍，你叫什麼名字？」

「吉伯特．門羅……呃嗯，殿下。」男子慌忙加上最後一句，敬畏地看著查理王子。

查理王子伸出精心修剪過指甲的手指觸摸繃帶和夾板，門羅右手僅存的部分就包在裡面。

查理王子簡單明瞭地說：「門羅，你的犧牲很了不起。我在此承諾，你的犧牲不會被遺忘。」王子的手撫過門羅長了落腮鬍的臉頰，門羅高興又不好意思，臉都紅了。

我正在幫一個頭皮受傷的人縫傷口，但還是能從眼角瞥到查理王子繞了小屋一圈。他走得很慢，一床床探視，無一遺漏，停下來問每個人的名字和家鄉，表達感謝與關心，道賀或致哀。

這情景讓所有人意想不到，無論英兵或高地兵都一片沉默，只能勉強低聲回答殿下的問題。最後，查理王子終於直起身來，韌帶發出清晰的喀喀聲。他蘇格蘭披肩的一角沾上了泥巴，但他似乎沒注意到。

「我向各位表達父王的祝福與謝意。各位今日的功蹟，我們永誌不忘。」躺在地上的士兵雖然沒有心情歡呼，但有些人面帶微笑，屋裡響起一片低沉的道謝聲。

查理王子正要轉身離開，卻看到傑米遠遠站在屋內的角落，怕謝爾登的靴子踩到他的光腳丫。殿下的表情頓時開朗起來，顯得很高興。

「老弟！我今天沒見到你，還以為你遇到什麼事了。」查理王子俊逸紅潤的臉上出現一抹責怪的表情。「你為什麼沒到牧師宅邸，和其他軍官一起用餐？」

傑米微笑，恭敬地鞠躬：「我的手下都在這裡，殿下。」

查理王子聽了這句話揚起眉毛，張嘴似乎想說什麼，此時巴梅立諾勳爵向前一步，在查理王子耳邊悄聲說了幾句話。王子的表情突然變得十分擔憂。

「這些話聽聽！」查理王子因為情緒激動搞混句法對傑米說道。「勳爵大人告訴我你不幸負傷！」傑米看起來有點狼狽，很快朝我看一眼，想確認我有沒有聽到查理王子的話。他知道我一定聽見了，又迅速看回王子的方向。

「不算什麼，殿下，只是一點割傷。」

「讓我看看。」這句話雖然淺白，但顯然是道命令，傑米毫無異議地解下蘇格蘭披肩。

深色格子花呢內面幾乎變成黑色，披肩下的上衣從腋窩到臀部都染紅了，血液乾涸的地方凝固成一塊塊褐色。

我先放下頭部受傷的患者，向前處理他的傷勢。我解開上衣，輕輕把傷處的衣服拉開。雖然流了很多血，但我知道傷勢不會太嚴重，傑米還直挺挺地站著，血也止住了。

這是軍刀劃過的痕跡，斜斜掠過肋骨，傑米運氣好，刀子割的是這個角度，要是再直一點，就會深深劃入肋骨間的肋間肌了。傑米的傷口長約二十五公分，皮開肉綻，因為沒有繼續施壓，底下又開始滲出血來。這個傷口要縫很多針，但除了可能受感染，傷勢並不是很嚴重。

我轉身向王子殿下說明傑米的狀況，但看到他臉上的表情，我錯愕了。一瞬間，我以為那是「菜鳥的顫抖」，不習慣看到傷口和血的人都有這種現象，剛開始會很驚恐。戰地救護站許多實習護士解開包紮時，常常看一眼就奪門而出，吐完再回來照顧傷患。尤其是在戰場上受的傷，外觀看起來通常特別駭人。

但王子殿下並不是因此流露出這樣的表情。雖然他絕對算不上天生的戰士，但十四歲時第一次在義大利的加艾塔作戰，也曾負傷流血，像傑米一樣。我認為查理王子並不是膽怯，儘管他水汪汪的棕色眼睛剛才一瞬間顯露出震驚，但這股情緒現在已經褪去。查理王子並不是因為血淋淋的傷口而心生畏懼。

站在查理王子面前的不是陌生的佃農或牧羊人，不是無名的子民——他們的本分就是為斯圖亞特的目標奮戰。站在他面前的是一個朋友。我想是傑米的傷口突然讓他醒悟，這些血是因為他的號令而流，這些人是因為他的目標而負傷。如果這份理解就像刀劍深深刺傷他，是很自然的事。

他注視著傑米受傷的身側，好長一段時間不發一語，才抬頭看著傑米的雙眼。他低下頭握住傑米的手。

「謝謝你。」查理王子低聲說。

只有在這一刻，我想或許他原本能當個好國王。

—

根據王子殿下的命令，教堂後面的小斜坡上搭了個帳篷，為陣亡士兵提供最後的掩護。英國傷兵雖然醫療上受優待，但在這裡待遇就和其他人一樣，人一列列排著，布蓋著臉，只能從服裝辨別哪些是高地人。所有人在這裡等待翌晨下葬。凱堡的麥唐納帶來一個法國神父，神父疲倦地耷拉著肩膀，他髒汙的高地蘇格蘭披肩上搭著紫色聖帶，看起來很不相襯。他在帳棚裡慢慢走，在每一具橫臥的軀體腳邊停下來，為之祈禱。

「主啊，求祢賜給他們永遠的安息，並以永恆的光輝照耀他們。」神父無意識地在胸前畫十字，再走向下一具屍體。

今天稍早我看過帳篷，而且緊張地數過高地人的屍體。二十二具。我進入帳篷，發現現在人數攀升到二十六具。

第二十七具躺在教堂附近，即將走完旅程的最後一段。亞歷山大．金凱．弗雷瑟的腹部和胸口傷痕累累，體內還有止不住的緩慢出血，他正緩緩地步向死亡。他被送進來時我看過他，他臉色死白。整個下午他都一個人孤獨地躺在戰場上，身邊盡是敵人的屍體，自己血液慢慢流失，漸漸死亡。

他努力想對我微笑，我用水浸濕他的唇，在唇上塗上牛脂。讓他喝水等於是馬上要他的命，因為液體會猛然流出他千瘡百孔的腸子，產生致命的休克。我遲疑地評估該如何處理他嚴重的傷勢，想著盡早讓他解脫或許比較仁慈……但我後來放棄了，因為我知道他至少希望能見到神父，向神父告解。所以我讓他去教堂。在我照護生者時，貝寧神父在教堂照護垂死者。

傑米每半小時左右就去教堂看一下，金凱撐了很長一段時間，儘管生命的實體逐漸消逝，他卻仍緊抓不放。但傑米這次去了，遲遲沒有回來，我知道掙扎現在終於結束了，於是去看看能否幫忙。

原本金凱躺在窗邊的一塊地上，現在那兒沒有人，只有一大塊深色的汙漬。金凱也不在放死者的帳篷裡，而且到處都找不到傑米。

最後我終於在教堂後的山丘上稍遠的地方看到他們。傑米坐在石頭上，金凱的身體在他臂彎，金凱的一頭鬈髮靠在他肩上，兩隻毛茸茸的腿垂落在一側。傑米和金凱就像他們身下的石頭一樣動也不動，彷彿失去生命般靜止，雖然真正與世長辭的只有一個人。

我觸摸金凱那蒼白無力的手，確定一下，然後把我的手放在那豐厚的棕髮上，他的頭髮感覺還是如此生氣蓬勃，多麼不協調。男人不該沒嘗過女人的滋味就死去，但金凱已經等不到了。

「傑米，他走了。」我輕聲說道。

傑米好一陣子一動也不動，但後來也點點頭，張開雙眼，彷彿不願意面對這一夜的事實。

「我知道。我帶他出來沒多久，他就死了。但我不想讓他走。」我抬著金凱的肩膀，輕輕將他放在地上。地上青草翠綠，夜風捲起草莖環繞著他，輕輕吹過他的臉頰，歡迎他重回大地的懷抱。

我心裡明白：「你不想讓他死在屋裡。」穹蒼俯視我們，雲朵愜意流轉，許諾無盡的庇護。

他緩緩點頭，然後跪在那具軀體邊，親吻他寬闊、蒼白的額頭。

「如果我是他，我也會希望有人為我這麼做。」傑米輕聲說。他拉起蘇格蘭披肩蓋住那褐色的鬈髮，用蓋爾語低聲說些我聽不懂的話。

野戰醫院是容不下眼淚的，有太多太多事情要做，儘管我看了那麼多傷痛與死亡，一整天我都沒有掉過淚。但現在我不再強忍，即使只有一下也好。我把臉靠在傑米的肩膀上尋求力量，傑米輕輕拍我幾下。我抬起頭，抹去臉上的眼淚，看到傑米依然用乾澀的雙眼，盯著地上靜靜的軀體。傑米感覺到我在看他，於是低頭看我。

「他還活著、還有感覺的時候，我已經為他哭過了，英國姑娘。」他靜靜地說。「現在，屋子裡狀況怎麼樣？」

我吸吸鼻子，又擦了擦，挽著他走回小屋。「有個人需要你幫忙。」

「是誰？」

「哈米許．麥克貝。」

傑米的臉幾個小時來一直緊繃著，現在那張滿是汙漬的臉，終於放鬆了些。「他回來了？太好了。他情況嚴重嗎？」

我翻了翻白眼。「等一下你就知道了。」

麥克貝很受傑米信賴，他塊頭高大，一臉捲曲的棕色鬍子，個性沉默。只要傑米喊他，他一定出現在身邊，旅途上需要什麼他都迅速去辦。他話不多，但有時埋在鬍子中的臉會緩緩綻放羞怯的笑容，就像一朵花在晚上綻放，罕見而燦爛。我知道自從他在戰場上失蹤，傑米儘管有其他瑣事和壓力，還是一直掛心著他。一天逐漸接近尾聲，脫隊的士兵一個個回來，我也一直注意有沒有麥克貝的身影。但夕陽下山，軍營亮起了火堆，麥克貝還是沒回來，我也開始擔心會在死者中發現他的身影。

但半小時前，他回到醫療站，行動緩慢，不過可以靠自己的力量行動。血跡流下他的腿直至腳踝，他走路時小心翼翼，兩腿叉開，但說甚麼也不願意讓一個「汝人」碰他，檢查哪兒受傷。

麥可貝躺在提燈附近的毯子上，雙手交握橫放在大肚皮上，眼睛很有耐心地死盯著天花板的椽木。傑米在他身邊跪下時，他眼睛轉了過去，但其他地方都沒動。我巧妙地躲在後面，讓傑米寬闊的背遮住我。

「好了，麥可貝，情況怎麼樣啊？」傑米一隻手放在麥可貝粗厚的手腕上，向他打招呼。

「沒有大礙，老爺，沒有大礙。只是有點……」麥可貝嗓音低沉，遲疑地說。

「這樣，那我們來看看。」麥可貝沒有抵抗，讓傑米掀開蘇格蘭披肩一角。我從傑米的手和身體中間的間隙偷看，明白了麥可貝猶豫的原因。

他鼠蹊部上方遭人用劍或長矛刺入，再往下猛地扯了一道口子，陰囊一側呈鋸齒狀裂開，一顆睪丸垂懸在外，光滑的粉紅色外皮帶著光澤，像撥開的水煮蛋。

傑米和其他人一看到傷口，臉上血色盡失，一個助手反射性地摸自己，想確定自己的是否還完好無缺。傷口儘管看起來可怕，但睪丸本身看起來沒有損傷，也沒有大量出血。我碰碰傑米的肩膀，對他搖頭，表示不管是否會影響男性心靈自尊，這傷勢其實並不嚴重。傑米眼角餘光瞄到我的動作，於是拍拍麥可貝的膝蓋。

「不嚴重啦，麥可貝。別擔心，你還是可以當爸爸。」

麥可貝眼光一直憂慮的低垂，聽到這句話，抬眼望向他的長官。「老爺，我擔心的倒不是這個，我已經有六個孩子了。我擔心的是我老婆，不知道她會怎麼說，如果我不能……」周圍響起一片哄堂大笑，麥可貝頓時紅透了臉。

傑米向後看我一眼，確定後強忍住笑意，堅定地告訴他：「麥可貝，那件事也不會有問題。」

「老爺，謝謝你。」麥可貝感恩的呼出一口氣，完全信任長官的保證。

傑米語調輕快繼續說：「不過，傷口還是要縫。由誰來縫，你可以自己選。」

傑米手伸向打開的工具包，拿起我自己做的縫合針。我看過剃頭手術師❹素來用於縫合的工具，被那粗糙的品質嚇壞了，於是自己找了最細的繡花針，用鉗子夾著在酒精燈上加熱，輕輕彎折成適當的半月形，做了三打縫合針，用來縫合嚴重的傷口。同樣地，我也自己做了縫合用的腸線，製作過程麻煩又噁心，不過至少我能確保自己用的材料無菌。

傑米用粗厚的大拇指和食指捏著一根細細的縫合針，看起來很好笑，他努力想把線頭穿過針孔，都變成鬥雞眼了，更讓人懷疑他會有任何縫合技巧。

傑米專注地舌尖都微吐出來了而不自知。他一邊穿線，一邊說：「要嘛由我來縫，或者……」他一句話還沒說完，不小心弄掉縫針，手忙腳亂地在麥可貝的蘇格蘭披肩裡翻找。找到以後，他得意地把針舉在麥可貝憂心忡忡的眼前，然後繼續說下去：「或者，由我妻子幫你縫。」傑米頭一偏，我現身在大家面前。我盡力裝著一副平靜的模樣，從傑米不太靈活的手裡把針抽走，一次就把線乾淨俐落地穿過針孔。麥可貝棕色的眼睛慢慢從傑米的大爪子上，移到我靈活的巧手上。傑米還故意把有點扭曲的右手放在左手上，努力讓自己的手看起來更笨拙。最後麥可貝鬱悶的嘆口氣往後一倒，嘴裡咕噥著同意讓「汝人」碰他的私密部位。

傑米好意地拍拍麥可貝的肩膀，安慰道：「甭擔心，老兄，起碼她照顧我那兄弟好一段時間，也從沒把我給閹了。」旁邊的傷患和助理大笑，傑米正要起身，但我先往他手裡塞了一個小瓶。

「這是什麼？」他問。

「酒精和水，消毒用的。如果他不想發燒、長膿泡或其他毛病，就得清洗傷口。」我說。麥可貝從受傷的地方走了很遠才回來，傷口附近除了血跡，還有汙垢和塵土。穀類釀造的酒精是強力的消毒劑，即使像我一樣加入無菌蒸餾水，把濃度稀釋一半，殺菌力還是很強。這依然是我對抗感染最有效的工具，即使助手抱怨、病患痛得大吼大叫，我還是堅決要用。

傑米看看酒精瓶，又看看裂開的傷口，聳聳肩。傍晚我幫他縫身側的傷口時，他就嘗過這個滋味了。

「呼，麥可貝，幸好這是用在你身上。」傑米輕鬆說道。他先把膝蓋緊緊壓在麥可貝的腹部，然後把瓶裡的液體潑在裸露的傷口上。

痛徹心扉的吼叫震得牆壁搖撼起來，麥可貝就像被切斷的蛇一樣痛苦地扭著身子，等叫聲平息，他也一臉慘綠。等我開始動手縫合他的傷處時，他即使覺得痛，也不吭一聲了。這裡多數的病人，就連傷勢最嚴重的，在面對我們提供的這些簡陋治療都表現得很堅強，麥可貝也不例外。儘管羞得無以復加，他動也不動，眼睛死盯著提燈的燈焰，在我縫合期間，他連一條肌肉都沒動。只是他的臉色反覆地從青轉白再漲紅，洩露了他的情緒。最後，他的臉轉成醬紫色。我縫合完成後，鬆垂的陰莖開始變得有點硬挺，拂過我的手。這下子證明麥可貝相信傑米是有道理的，不過麥可貝也狼狽地不得了，我一結束縫合，他就急忙把蘇格蘭裙往下一蓋，跌跌撞撞地站起來，蹒跚走進夜色中，留下我對著縫合工具竊笑。

—

我在角落找到一個醫材箱，背靠牆坐在上面。一陣抽痛從小腿往上蔓延，這是因為肌肉突然放鬆，神經

---

❹在中世紀歐洲，外科手術一般由剃頭師傅執行，剃頭手術師常負責在戰時或戰後照顧傷患。

起了反應。我脫掉鞋子，靠牆向後躺，因為站立而繃緊的肌肉放鬆，脊椎和脖子的抽痛緩和了些，讓我覺得舒服許多。

在這樣疲憊的狀態下，每一寸皮膚似乎變得敏感，突然間，暫時不需要強迫身體工作了，身體殘存的力量似乎將血液推向末梢，就好像肌肉已經愉快地休息了，但神經系統還在遲疑。我告訴自己：妳現在暫時不用動了。

屋裡空氣溫暖，響著呼吸聲，不是打鼾那種健康的吵雜聲，而是有人因為呼吸會痛而淺短地喘氣，還有人因為無人在旁，不再需要像個男子漢默默忍受疼痛，所以呻吟出聲。

這間屋子裡的人傷勢都很重，但沒有立即的危險。然而，我知道死神會在夜裡步入病房的走道，尋找降低防備的人，讓他因為孤獨與恐懼誤入歧途，邁向死亡的小徑。有些病人有妻子睡在身邊，在晚上安慰他們，但這間屋子裡的人都沒有。

他們有我。如果我無法治癒他們，讓他們不再疼痛，我至少可以讓他們知道自己不是孤獨的。有人站在這裡，將他們與陰影隔絕。其他事我也許力有未逮，但我至少能待在這裡陪伴他們——就只是陪伴。

我站起來，再次慢慢巡視，在每個地鋪邊停下來，低聲說話或碰觸、拉好被子、撫順糾結的頭髮、按摩抽筋肢體的腫塊。在這床餵一個人喝水，在那床幫一個人換包紮，看到有人姿勢緊繃困窘，知道他需要上廁所，於是平靜地遞上尿壺讓對方解放。我手中的陶罐變得越來越溫暖、沉重。

我走到戶外倒尿壺，逗留了一陣子，享受這涼爽的雨夜，讓輕柔的水氣滌盡那些粗糙多毛的碰觸，以及其他男人流汗的氣味。

「妳沒怎麼睡呢，英國姑娘。」路的那一方傳來帶著蘇格蘭腔的輕柔聲音。那兒是另一間醫療小屋，軍官住的神父宅邸則在另一個方向。

我不動聲色地說：「你也沒怎麼睡啊！」我突然意識到，不知他有多久沒睡了？

「昨晚我和軍隊一起，睡在野地裡。」

「那你睡得可真舒服啊！」我誇張地消遣，他不禁笑了出來。在潮濕的野地裡睡六個小時，接下來在戰場上遭馬匹踐踏、刀劍割傷，天知道他還受了哪些傷。然後還要召集手下、集結傷患、照顧傷者、弔唁死亡的部屬、侍奉王子。在這期間，我從沒見他停下來吃喝或休息。

我也不叨念他了，更別提要求他和那些傷患一起躺著休息。他要陪伴那些人，這也是他的工作。

「還有其他人可以幫忙，英國姑娘。要不要我請阿契找人過來？」他溫柔地說。

聽起來很令人心動，但我沒想太多就打消這個念頭，因為我怕一旦承認自己很疲倦，就再也動不了了。

我伸個懶腰，手撐在後腰上。

「不用了，我會撐到天亮，然後再找人接替。」我也說不上來，就覺得自己一定要陪他們度過今晚，天亮了，他們就安全了。傑米也不多說，只是環住我的肩，讓我靠著他一會兒。我們在靜默中分享彼此身上的力量。

傑米最後抽開手說道：「那我和妳待在一塊兒。天亮前，我自己一個人睡不著。」

「拉利堡其他人怎麼辦？」

他轉頭望向小鎮外圍軍隊紮營的地方。「有穆塔夫帶著。」

我說：「那就不用擔心了。」窗裡透出的光，讓我看到他的笑容。小屋外有條長凳，天氣晴朗時主婦會坐在這裡，處理魚貨或縫補衣物。我拉著他在我身邊坐下，他靠著小屋的外牆，吐出一口氣。他很明顯累壞了，這副模樣讓我想到佛戈斯，那孩子在打完仗後，也是一臉糊塗狼狽的樣子。

我伸手按摩傑米後頸，他閉著眼睛轉向我，額頭貼著我的額頭。

「當時怎麼樣？情況如何？說給我聽聽。」我輕聲問傑米，手指使勁，慢慢按摩他肩頸僵硬的肌肉。

他先是沉默，接著嘆口氣，開口說起來。一開始有點吞吞吐吐，後來說得順了，似乎不吐不快。

「我們沒生火，因為穆瑞勳爵認為我們要在天亮前下山，不能讓山下發現我們在移動，於是我們在黑暗中坐了一會兒。甚至不能說話，因為聲音會傳到山下的平原。所以我們就坐著。」

「然後我感覺有東西在黑暗中抓住我的大腿，嚇得我膽汁都湧上來了。」傑米把指頭伸進嘴裡小心翼翼地揉著。「差點害我把舌頭咬斷。」雖然看不到他的臉，但我能感覺到他臉上的肌肉抽動，他笑著。

「是佛戈斯嗎？」

笑聲像幽靈一樣，飄盪在黑暗中。「就是佛戈斯。那臭小子，一路爬過草叢，我還以為是蛇呢！他小聲告訴我安德森的事，然後我就跟著他爬過草叢，帶安德森去見穆瑞勳爵。」

他的聲音遲鈍又恍惚，我的撫觸蠱惑了他，讓他開口。

「命令下來，我們要沿安德森說的小徑移動，所有人都站起來，在黑暗中出發。」

—

那個晚上沒有月亮，一片漆黑，也不像平常有雲，可以將星光折射到地上。高地軍在狹窄的小徑上，跟著安德森靜靜前進，除了前面人移動的腳跟，看不到其他東西。大家穿過潮濕的草叢，每一步踏在小徑上的足跡，都讓小徑變得更寬闊。

軍隊悄然無聲，軍令不用喊的，而由士兵一個傳過一個。大刀和戰斧裹在蘇格蘭披肩裡，火藥瓶塞在上衣裡，貼著快速搏動的心臟。

一踏上堅實的土地，高地軍依然保持安靜，席地而坐，盡量把自己舒服地安頓下來。火還是不能生。他們吃手上的冷軍糧，整頓好休息，裹在自己的蘇格蘭披肩裡，眼裡看著敵軍的營火。

「我們可以聽到他們在說話。」傑米閉著眼，雙手枕在後腦勺、靠著屋子的外牆說著：「我聽到有人在開玩笑、有人在和人要點鹽巴、有人在傳皮酒囊，而且我知道幾個小時後你可能會殺了對方，或對方會殺了妳。這種感覺很奇怪。你忍不住會去想，這個聲音的主人長什麼樣子？白天看到他，認得出來嗎？」

然而，雖然即將到來的戰爭讓人恐懼，還是不敵十足的倦意，那時「黑臉弗雷瑟族」（因為他們臉上還留著黑炭的痕跡）和他們的頭兒已經超過三十六小時沒睡了。傑米撿了一捆草當枕頭，蘇格蘭披肩塞在肩膀周圍，與他的手下一起躺在波浪起伏的草叢中。

好幾年前，他還在法國軍隊時，有位軍士曾和這些年輕的傭兵說過該怎麼在大戰前一晚入眠。

「先安頓下來放鬆，反省自己，好好念一遍《悔罪經》。雨果神父說，如果你在戰地這樣做，即使沒有神父聽你懺悔，你的罪還是可以赦免。既然睡著時不能作惡，醒來時你就已經蒙受天恩，也準備好把那些混蛋殺個片甲不留。等著你的不是一場勝仗，就是極樂天堂，那還有什麼好怕的？」

傑米雖然私底下覺得這番話邏輯有點問題，但不失為一個好建議。良心得到安慰能減輕靈魂的負擔，一再重複的禱詞也有安撫效果，讓腦海不再想像可怕的畫面，讓自己鎮靜下來進入夢鄉。傑米望著漆黑的天空，用意志力讓僵硬的肩頸放鬆，投入大地的懷抱。星辰黯淡迷濛，不如鄰近英軍營火來的光明。

傑米的思緒來到身邊的手下，一個一個點名。比起自己的罪孽汙穢，他們讓傑米更內疚不安。羅斯、麥克瑪多、金凱、肯特、麥克路爾……他停了一下，感謝老天，至少自己的妻子和那孩子佛戈斯還安全。他繼續想著克萊兒，想沉浸在美好的記憶裡，她堅定的微笑，環抱她美妙溫暖、真實存在的軀體，當天下午和他吻別時，那火熱的身軀緊緊抵著他。儘管傑米又累又倦，穆瑞勳爵也在附近，傑米還是衝動地想撲到她身上，連衣服都不脫立刻占有她。真奇怪，戰爭迫在眉睫時，總是讓他充滿對她的慾望，就像現在……

他還沒默數完每個人，眼皮卻已經闔上了，好像是疲倦將他往下拉似的。想起克萊兒，他的下身微微抽緊。他努力想驅散慾火，繼續還沒結束的點名，像個牧羊人數著一群要帶去宰的羊兒入睡。

但這場仗不會是場屠殺。他努力說服自己，想讓自己安心。詹姆斯黨只有輕微傷亡。如果克萊兒說得沒錯，會有三十人死亡。詹姆斯黨軍隊有兩千人，拉利堡的人成為三十人之一的機率非常小，對吧？

他裹在蘇格蘭披肩裡微微打顫，極力擺脫那短暫卻翻攪他五臟六腑的疑慮。「如果」克萊兒說得沒錯。他仍不免感到疑慮，儘管看到她在那受詛咒的巨石陣旁，她的面容因為恐懼而崩潰，金色的雙眸驚恐地圓睜，身形輪廓逐漸模糊。而一樣驚恐的他伸手攫住她往回拉，只能感覺手中她脆弱的手。也許他該讓她回去屬於自己的地方。不，不是「也許」，他「應該」讓她回去。但他把她拉了回來。他雖然給她機會選擇，但卻不顧一切想要她，是那股力量把她留在身邊。她留了下來，給他機會去選擇是否相信她。挺身行動，或轉身逃離。他已經做出選擇，而什麼也阻止不了黎明降臨。

他的心怦怦地跳，手腕、腹腔和下身的脈搏也附和著心臟快速跳動。傑米鎮靜不下來，於是繼續點名，每一下心跳伴著一個人名。威利．麥納柏、鮑比．麥納柏、喬迪．麥納柏……謝天謝地，幸好小瑞比．麥納柏安全在家……威爾．弗雷瑟、伊旺．弗雷瑟、喬夫瑞．麥克路爾……他有沒有打傷喬治及索利．麥克路爾？傑米動了動身子，微微一笑，感覺肋骨邊的疼痛逐漸消失。穆塔夫，欸，強悍的老傢伙……至少我用不著擔心你。威廉．穆瑞、魯弗斯．穆瑞、喬迪、華萊士、賽蒙……

傑米總算閉著眼數完，把他們交託給黑暗的上蒼，嘴裡下意識地以法文低聲念著禱詞，沉沉睡去。

「上帝啊，我很抱歉……」

我到屋裡巡了一趟，換掉一個傷患腿上浸滿血的敷料。血現在應該要止住了，卻還是繼續流，可能是因為營養不良，骨質脆弱。破曉前如果血仍然止不住，我就得找阿契或某個兼任獸醫的手術師來，替他截肢、燒烙傷口。

想到這點就讓我心情沉重，即使四肢健全要生活都很不容易了，遑論少了一條腿。我只能往好處想，在重新包紮的地方撒上一點明礬和硫磺。這些藥物就算沒有幫助，也不會有壞處，撒上去應該會痛，但我也愛莫能助。

我一邊包紮那個人的腿，一邊低聲告訴他：「這可能會有點灼熱感。」

那人低聲說：「夫人，別擔心，我會撐下去。」在燭光下照映下，他的汗水流過臉頰，閃閃發亮，但他依然對我微笑。

我拍拍他的肩，拂去遮住他眼睛的髮絲，餵他喝水。「很好，一小時候我再來看看，希望你能忍過這段時間。」

他又說了一遍：「我會撐下去。」

我走出屋外，以為傑米睡著了。他抱膝而坐，臉枕在手臂上，但他一聽到我的腳步聲便抬起頭。我坐到他身邊，他握著我的手。

「我在黎明聽到大砲聲，好擔心你。」我想起屋裡的那個人，他的腳就是大炮炸斷的。

傑米溫柔一笑。「我也擔心妳，英國姑娘，我們都在為彼此擔心。」

安靜的高地軍像一陣霧氣，一次一步，通過一片海草。黑幕並未升起，但夜的感覺不同了。是了，是風的感覺不同，從海上吹向即將拂曉的寒冷陸地，還能聽到遙遠沙地上隱隱傳來海浪的呼嘯聲。

儘管夜色不墜，光明已經到來，正好讓傑米看到腳邊有個人，再一步他就會踢到那人縮成一團的身體，跌個倒栽蔥。

這麼近碰上一個人，害傑米嚇得心臟狂跳，他蹲低好看個仔細。這人穿著英軍的紅外套，正在熟睡，還活著也沒有受傷。傑米瞇眼努力看著黑暗的四周，豎耳聆聽有沒有其他人熟睡的呼吸聲，但只聽到海浪聲、草叢擺動聲與風聲，還有隱藏在士兵靜默的咆哮中，那躡足行進的沙沙聲。

傑米匆匆回頭，舔舔在潮濕空氣中的乾燥嘴唇。後面有人離他很近，他不能耽擱太久。下一個人的腳步可能不會這麼小心，要是他叫出聲來就糟了。

傑米把手探向短劍，但又遲疑了。戰爭是一回事，但他通常不願意殺害在熟睡的敵人。對方看來只有一個人，離自己的軍隊有點距離。他不是哨兵，他們知道高地軍就駐紮在山脊上，再怎麼懶散的哨兵也不敢睡覺。或許這個士兵半夜想小解，體貼地走遠了一點，完事後卻在黑暗中迷失方向，所以就地倒下睡著了。

傑米濕淋淋的掌心幾乎握不住滑溜的金屬槍身。他在蘇格蘭披肩上抹抹手，然後站起身，抓住鎗管，槍托劃出一個弧度被托起，然後瞄準下方。一股衝擊的力道猛力衝撞傑米的肩胛骨，對方那顆堅硬的頭顱一動也不動。敲擊的力道讓地上的英兵四肢攤平，但他除了大大地呼了一口氣，並未發出任何聲音，現在他四肢像破布一樣攤開，趴在地上。

傑米手掌仍在刺痛，他再次彎下腰，摸索著對方的下巴探尋脈搏。傑米感覺到脈搏跳動，安心站起身來。此時背後傳來一聲模糊的叫喊，傑米立刻旋過身，火槍已經架在肩膀上，卻發現鎗管瞄準的是凱堡的麥唐納族人。

「老天爺！」對方一邊用法語低聲說，一邊在胸前畫十字。傑米氣得咬牙。原來是凱堡一個該死的法國神父，受歐蘇利文的指示，像戰士一樣穿著上衣和蘇格蘭披肩。

「那位神父堅持要盡他的職責，為戰場上的傷亡者行聖禮。歐蘇利文之所以這樣建議，是因為他認為如果英軍在戰場上，抓到穿著神職長袍的神父，下手肯定毫不留情。」傑米最後批評了一句：「至於穿成這樣，英軍會不會留情我是不知道，不過神父穿著彩格披肩實在愚蠢至極。」接著把髒兮兮的披肩往肩上拉高，晚上越來越涼了。神父除了穿著可笑，行動也不怎麼聰明，他好不容易明白拿槍的是個蘇格蘭人，安心地噓口氣，張開嘴。傑米動作快，立刻摀住神父的嘴巴，免得他沒頭沒腦地發出聲音。

傑米在神父耳邊低吼：「神父，你在這裡做什麼？你應該待在部隊後方！」

聽到這句話，神父瞪大眼睛，原來這位上帝的使徒在黑暗中迷失方向，以為自己仍在部隊後方，現在終於明白原來自己在高地軍的前鋒，雙膝有點發軟。

傑米回頭一看，他也不敢把神父帶回後方，在霧濛濛的黑夜裡，他很可能撞上一個正在前進的高地兵，被誤認成敵軍而遭當場射殺。傑米抓住矮小神父的後領，用力往下壓。

傑米在神父耳邊小聲說：「躺在地上不要動，直到戰爭結束。」神父猛力點頭，然後突然看到地上的英國士兵就躺在幾呎外的地方。他抬頭畏懼地看著傑米，然後手伸向皮帶，從其他人配戴短劍的地方，摸索他攜帶的聖油和聖水瓶。

傑米氣得翻白眼，激烈地比手畫腳一陣，想告訴神父那人沒死，不需要神父為他進行儀式。但神父看不懂傑米這些動作的意思，傑米只好彎腰，抓著神父的手指按在英兵的脖子上，用最簡單的方法告訴他，這個英國兵並未陣亡。正當傑米做出這個可笑的動作時，一道聲音劃破霧氣從背後傳來，讓他嚇得僵住了。

「站住！誰在那裡？」

——

「有水嗎，英國姑娘？我說得口好乾。」傑米問道。

「混蛋！你怎麼可以在這裡打住！接下來呢？」我說。

「給我水，我就告訴妳。」傑米笑道。

「好。」我遞給他一罐水，看他灌進嘴裡。「快告訴我接下來發生了什麼事？」

傑米放下罐子，用袖子擦擦嘴。「接下來沒有了。不然你覺得我該回答他什麼？」他若無其事地對我嘻嘻笑，在我搧他耳光前靈巧地躲開。

「嘿！怎麼可以對為國王陛下效忠、英勇負傷的將士這麼無禮？」傑米佯怒道。

「受傷？傑米．弗雷瑟，你要是再不說，我包管你會受更重的傷，讓這劍傷一點也不夠看！」

「怎麼威脅我了？妳講的那首詩是怎麼說的？『痛苦惱怒使她秀眉緊蹙，汝為救死扶傷的天使』❺……噢！」

「下次我會直接扭斷你的耳朵。」我放開他的耳朵催促道：「快說！我等一下要回去了。」

傑米小心翼翼地揉揉耳朵，總算靠回牆上，繼續講他的故事。「總之我們照樣蹲在原地，神父和我面面相覷，聆聽著一百五十公尺外哨兵的動靜。那個人又說：『誰在那裡？』我在想我有沒有辦法看準時機站起來，在他從背後開槍射我之前，用短劍把他解決掉，不過他的同伴又該怎麼辦？畢竟我不能指望神父幫忙，除非我死了，他倒是可以幫我做最後的禱告。」

兩個詹姆斯黨人蹲在草叢裡，陷入緊繃的靜默之中，連動一動放開交握的手都不敢。

「拜託，你又看到什麼啦？」好不容易另一個哨兵說話了，傑米感覺神父繃緊的手因汗濕而滑脫，原本壓抑住的顫抖釋放到全身。

「那裡除了刺金雀花灌木叢，什麼也沒有，不用那麼緊張，老兄。」第二個哨兵肯定地說。傑米聽到手拍在肩上，也聽到靴子踏在地上，那哨兵跺腳想讓身體暖和起來。「這裡到處都是該死的刺金雀花，黑暗中可能像你剛剛那樣，被看成該死的高地人大軍。」傑米覺得自己聽到一股悶笑聲，從他聽力範圍內山坡上的「刺金雀花灌木叢」中傳來。

傑米望向山巔，星光逐漸黯淡，他判斷再十分鐘就會出現第一道曙光。屆時科普將軍的手下很快就會明白，高地軍並不如他們所想的，駐紮在行軍一小時的另一方，高地軍的前鋒部隊已經在他們面前。左邊海岸的方向發出細微聲響，習慣作戰的人一定警覺到了。傑米想，一定有人被刺金雀花絆倒了。

「誰？怎麼回事？」附近的哨兵出聲警戒。

傑米想，看來神父要靠自己了。傑米起身，抽出大刀，大踏一個箭步就來到哨兵身邊。在黑暗中只能看到一個形影，但這樣已經夠清楚了。傑米站在原地，用盡全身的力氣，冷酷無情地刀鋒一揮而下，劈開了那哨兵的頭顱。

「高地兵！」第二個哨兵尖叫，接著像從灌木中竄出的兔子，逃竄到逐漸消退的黑夜中。傑米還來不及把刀從血淋淋的頭顱中抽出。他一腳踩在地上那哨兵的背上，用力一拔，那景象血肉模糊，骨頭還發出刺耳的摩擦聲，他只能咬牙忍受那噁心的感覺。

---

❺蘇格蘭詩人沃爾特・史考特爵士（Walter Scott，一七七一～一八三二年）所撰。

警報已經傳遍英軍部隊上下，傑米聽得到，也感覺得到。被叫醒的士兵一陣騷動，沒頭沒腦地摸索武器，盲目地四處搜尋看不到的敵人。

克林蘭諾的風笛手在右後方，還沒有發出衝鋒的訊號。於是傑米繼續前進，心臟快速跳動，左手臂因剛剛的砍殺還陣陣刺痛，肚子肌肉緊縮，眼睛努力瞪大要看穿逐漸稀薄的夜色，剛剛濺在臉上溫暖的血液在寒風中變得又冷又黏。

傑米盯著眼前一片黑暗，像在尋找英國兵。他屈身向前，抱著膝蓋。「我先是聽到，然後也看得到了，那些英國兵，在地上扭動，像肉裡的蛆。我還看到後方的人，喬治．麥克路爾跟在我後面，華萊士、羅斯在另一邊，我們還是一步一步走著，但越來越快，看著那些薩克遜佬在我們眼前潰不成軍。」

右方傳來一陣模糊的轟隆聲，一門大砲開火了。不久後又傳來另一聲。這些砲聲彷彿進攻訊號，洶湧而來的高地軍發出一波吶喊。

傑米閉著眼睛回憶。「風笛在這時響起，我忘了要開槍，直到聽到後面傳來開槍聲，才想起我把槍留在神父旁邊的草叢裡了。在那種情況下，你只能注意到四周環境的一小部分。」

「你聽到一聲吶喊，然後突然就跑起來。剛開始一兩步跑不快，你鬆開皮帶，蘇格蘭披肩披散開來，你連跑帶跳，泥巴濺得滿腿，濕冷的草黏在腳上，上衣下襬飛揚，不再貼著你的光屁股。風灌進上衣，鼓起肚子，又衝出衣袖……吶喊聲領導著你，你也大喊起來，就像小時候從山坡上迎著風，一邊叫一邊往下衝，看看能不能乘著聲音飛起來。」

高地軍乘著自己的吶喊聲衝入平原，突襲英軍的灘地，讓英軍淹沒在血淋淋的攻擊與恐懼中。

「他們拔腿就跑，有一個人正面迎擊，整場戰役中就只那麼一個人。其他人我都是從背後追殺的。」傑米低聲說著，抬起髒兮兮的手揉著糾結的五官，我可以感覺他內心深處的顫慄。

他的聲音輕得像耳語。「每件事……我都記得。每一次襲擊，每一張臉。我面前躺了一個人，因為恐懼而尿濕褲子，馬在嘶鳴……還有各種臭味，火藥味、血腥味和我自己的汗臭味。每件事我都記得，但我好像站在別的地方看著，我的人似乎不在那裡。」頭貼著膝蓋抱膝而坐的他睜開眼斜瞄著我，我發現他顫抖著。

「你懂嗎？」他問道。

「我懂。」

雖然我不曾拿起刀劍作戰，但經常以雙手和意志力戰鬥。我必須撐過一片混亂的死亡場景，因我別無選擇。這確實會造成一種奇異的解離感，意識似乎飄到身體上方，冷酷地判斷指揮，讓身體服從指令，直到危機解除。總是在危機結束後，身體才會開始顫抖。

而我的危機還沒結束。我把斗篷從肩上解下，裹住傑米，然後走回小屋。

清晨來臨，接班的人也到了，兩位村婦與一位軍醫解除了我的重擔。腿受傷的那人臉色發白，身體狂打顫，但血止住了。傑米挽著我的手帶我離開，走在街道上。歐蘇利文一直為軍用物資頭痛，搶到馬車後問題暫時解除，食物供也還充足。我們也吃得很快，還沒嘗到熱麥片粥的味道就吞下肚，食物對我們來說就像呼吸，只是應付身體的營養需要。我感覺身體逐漸吸收了營養，終於有能力想到另一個迫切的需求——睡眠。

每間宅邸和小屋都躺滿傷患，健康無恙的人都睡在野外。傑米本來可以和其他軍官一起睡在牧師宅邸，但他拉著我的手，一起掉頭走過小屋，往山上走去。我們走到村外零星散落的一片小樹林中。

「走的有點遠，不過我想你或許想要一點隱私。」他低頭看我，向我道歉。

「是的，我需要。」從小我跟著朗柏叔叔田野調查，睡在帳篷或泥屋裡，雖然我那個年代的人可能覺得我成長的環境也不那麼舒適，但我還是不習慣這裡的風俗，一大群人緊挨著睡在一起。一群人無論吃飯、睡覺，甚至交歡，全都擠在丁點大的小屋。屋內以燃燒泥炭來照明取暖，但空氣中則瀰漫著燒炭而升起的濃煙。只有洗澡不會一起，因為他們不洗澡。

傑米領著我，穿過一株巨大馬栗樹低垂的枝枒，來到一小片空地，地上鋪滿厚厚的臘樹、赤楊木和懸鈴木落葉。太陽剛升起，樹下仍有寒意，有些發黃的樹葉邊緣還結著細細的霜柱。

傑米的腳跟在地上的落葉堆中撥出一塊凹地，然後站在凹地一頭，手放在皮帶扣環上，對我笑了笑。

「這件披肩穿的時候姿勢不太雅觀，不過非常好脫。」傑米拉鬆皮帶，蘇格蘭披肩瞬間就落到他的腳踝邊，身上只剩一件上衣蓋到他的大腿。傑米通常穿著軍用的輕便型蘇格蘭裙，腰部有帶扣，然後肩膀圍上另一件蘇格蘭披肩。但現在他的蘇格蘭裙因為近戰而扯破弄髒，所以他找了另一件舊的皮帶型蘇格蘭披肩。這披肩是一整塊長長的布，在腰部打褶，沒有釘釦，只用皮帶固定。

「你怎麼鑽進去的？」我好奇地問。

「先把它鋪在地上，像這樣。」傑米跪下，攤開披肩，蓋在覆滿落葉的凹地上。「然後每隔幾公分折一褶，躺上去，捲起來。」

我爆出笑聲，接著也跪了下來，幫忙撫平這塊厚重格子呢羊毛布的皺褶。「到時候我想看你示範，穿之前記得叫醒我。」

傑米溫和地搖搖頭，陽光篩過枝葉，在他頭髮上閃耀。「英國姑娘，我比你早起的機會，就像蟲出現在雞舍裡的機會一樣低。就算會再被馬踩一次，我非睡到明天不可。」傑米小心躺在樹葉襯底的格子呢布上。

傑米伸出手喚道：「過來躺著，我們可以蓋妳的斗篷。」

雖然現在只有釘床可睡我也願意，不過柔順的羊毛布底下墊著樹葉，就像床墊，躺起來格外舒服。我放鬆緊偎著傑米，單單這樣躺在一起就好幸福。

一開始有點冷，但我們的體溫煨熱了小窩，寒意很快退去。我們離村子好遠，風吹來村裡繁忙的聲音，聽起來稀稀落落。我昏昏欲睡，一邊高興地想，說不定真的要到明天，他們才會找到我們。

我前晚已經脫掉襯裙，把它撕成細條多做些繃帶，所以現在傑米和我之間只隔著裙子及上衣的薄薄布料。一堵堅實溫暖的硬挺微微動了一下，頂著我的小腹。

我驚呼：「傑米，你應該已經累得半死了啊！」雖然疲倦，我還是被他逗樂了。傑米帶著倦意笑著，伸出溫暖的大手環住我的後腰，將我摟緊。

「不只是累得半死，英國姑娘，我早就累到奄奄一息了，但我那話兒好像傻到不曉得這件事。只要和妳躺在一起，我就想要妳。我只想要妳。」

我摸索著傑米上衣的下襬，把上衣往上推，溫柔地環抱他。他的腰腹部很溫暖，但往下的硬挺又更加溫暖灼熱，在我的撫弄下發出絲緞般的光澤，隨著每一拍的心跳猛烈搏動。

他輕哼一聲，有些疼痛又帶著滿足，然後緩緩翻身仰躺，雙腿稍微分開，我的斗篷半掩著他。陽光灑上我們所躺的落葉堆，溫暖的日光讓我的肩膀放鬆下來。早秋涼爽的氣候加上徹底的倦意，讓每樣東西似乎都染上金色的光輝。我覺得懶洋洋地，心神飄盪，望著他炙人的陽剛在我指間微微發顫。所有的恐懼、疲倦、過去兩天的喧囂，正慢慢退卻，只留下我們兩人相依相偎。

朦朧朧的倦意就像一把放大鏡，放大著極微小的細節與感覺。在傑米皺成一團的上衣下，可以看到他劍傷疤痕的尾端，結了黑色的痂，和平滑的肌膚形成對比。兩三隻蒼蠅嗡嗡低飛，想過來一探究竟，我揮手攆走它們。寂靜響徹耳際，遠處鎮上迴盪的喧鬧聲蓋住了枝葉間的呼息。

我的臉頰貼著他，感受他堅硬、弧度優美的髖骨在肌膚下隆起。他鼠蹊的凹陷處肌膚是透明的，藍色的靜脈分支精巧纖細。

傑米緩緩抬起手，如同樹葉飄浮在空中，輕輕放在我頭上。

「克萊兒，我需要妳。我好需要妳。」傑米低語。

少了礙事的襯裙就容易多了。我覺得身體無意識地輕飄起來，拖曳著裙襬，沿著他火熱的身軀往上移動，緩緩坐在他身上，像一朵雲移到山巔，庇護他的需要。

傑米激動地闔上眼，頭往後仰，紅銅色的頭髮散落在葉子上。但他伸出手輕柔地停在我臀線弧度上，穩穩扶住我的腰。

我也闔上眼，感覺到傑米內心的形體奔騰，就像我感覺到身下的他一樣深切而篤定。疲憊感阻擋了一切思緒與回憶，拋開一切外在的感受，只留下對彼此的感知。

傑米呢喃：「就要……來了。」我點頭，明白他感受到我的回應。於是我抬起身軀，裙下的長腿加強加深了交纏的力道，蓄勢而發。

一深，一淺，再深，再加深……一股戰慄傳遍他全身，也充塞我全身，彷彿水分從植物根部升起，足足輸往葉片最邊緣。他深深喘息著，直到緩緩入睡，像一盞燈漸漸轉暗。

我躺在傑米身邊，只來得及拉起沉重的斗篷蓋在我倆身上，意識便一片昏暗。他溫暖的種子在我腹中沉沉安頓，我把所有的重量全部交給大地，一起入眠。

第三十七章

荷里路德宮

我認為做人該公平。

話說回來，

我想你大老遠從里歐赫堡跑來愛丁堡，

應該不是專程來向我道歉。

在普雷斯頓打了一場出色的勝仗後，查理王子帶著手下凱旋回到愛丁堡，沐浴在滿溢的奉承中。查理王子接受眾人吹捧時，手下的將軍和族長則忙著召集手下，補充裝備，準備面對接下來未知的挑戰。

這場勝仗讓查理王子大受鼓舞，他大放厥辭揚言拿下史特林，揮軍卡來爾，然後向南推進直攻倫敦。我則在閒暇時間計算縫合針的數量、收集柳樹皮、看到不用的酒精就收為己有，準備調製消毒劑之用。就在我檢查藥箱裡新補充的藥材時，一陣敲門聲嚇了我一跳。

「什麼事？」我打開門問道。門外的信差是個男孩，比佛戈斯大不了多少。他盡力想裝出一臉恭敬的表情，但卻抑制不了天生的好奇心，眼睛往房裡亂瞟，停在角落那只大藥箱上，看得入迷。顯然關於我的謠言已經傳遍了荷里路德宮。

「弗雷瑟夫人，王子殿下請您前去一趟。」男孩回答。他明亮的棕眼仔細打量我，顯然想找出惡魔附身的跡象，我外表正常似乎讓他有點失望。

我說：「喔？好吧，殿下在哪裡？」

「在晨間會客室，夫人。我帶您去。」他轉過身，突然想到什麼，又折回來，在我關上門前叫道：「啊！有勞您帶著藥箱。」

他陪我走過長長的走道，前往皇宮的皇家側樓。這位小隨扈對這次的任務很得意，一臉沾沾自喜。顯然有人指導過他皇家侍從應有的良好舉止，但他腳步輕盈、充滿活力的模樣，透露出他做這份工作還沒多久。

我心裡好奇，查理王子找我究竟有什麼事？雖然他看在傑米的面子上容忍我，但白夫人事件讓他尷尬不安，非常不快。我不只一次看到他在我出現時，偷偷在胸前畫上十字，或以食指和小指快速比出山羊角的手勢來避邪。他會讓我幫他治病，那是萬不可能的。

沉重的大門上裝飾著交錯的木條，推開大門，進入空間不大的會客廳後，我覺得此行要幫查理王子治病的機率更低了。王子顯然身體健康，倚著彩繪大鍵琴，一根手指斷斷續續奏著一支曲調。王子細嫩的皮膚上帶著紅暈，但這是出於興奮而不是發燒。他抬起清澈的雙眼殷殷望著我。

「弗雷瑟夫人！謝謝妳快這麼來！」王子今天早上打扮得比平常更華麗，帶了假髮，穿著一件新的乳白色絲綢繡花背心。我想一定有什麼事讓王子心情如此激動，他只要情緒一激動，英文文法就顛三倒四的。

「蒙您召見是我的榮幸，殿下。」我端莊地說，行了個簡短的屈膝禮。查理王子獨自一人，這情況也不尋常。他真的要我幫他治病嗎？他匆匆朝一張金色的錦緞椅比了一下，示意我坐下。椅子對面是另一張椅子，但王子在我面前走來走去，心神不寧無法安坐。

他突然開口：「我需要妳幫忙。」

我有禮貌地應聲：「請說。」會是淋病嗎？我心中猜測，暗中打量王子。自從露易絲之後，我沒聽說他有別的女人，但話說回來，只要一次就可能染病。他雙唇開開闔闔，欲言又止，最後還是鬆口了。

「有位頭領，我是說，有位首領來找我。他也想投入我父王的志業，但還有點疑慮。」

「您指的是族長嗎？」王子點點頭，精心上捲的假髮下，那雙眉毛蹙了起來。

「沒錯，夫人，他當然支持我父王的主張……」

我喃喃說：「喔，當然了。」

「……但他希望先和妳說話，夫人，然後再決定是否帶領手下追隨我。」

聽來他似乎覺得這件事難以置信，這時我才了解他雙頰通紅的原因，一來是覺得困惑，二來是在壓抑怒氣。

我也覺得困惑，腦海中第一個想到的是某位患了絕症的族長，要他追隨王子的志業得先看我能不能施行奇蹟把他治好。

「殿下確定他要先和我談？」我肯定自己的名聲還沒傳那麼遠。

查理王子冷冷把頭撇向我。「他是這麼說的，夫人。」

「但我不認識任何族長，當然，格倫加立與羅切爾除外。喔，還有克林蘭諾和凱堡。但他們都已經在您麾下了，而且到底為什麼……」

「他想妳正認識他。」查理王子打斷我，發脾氣讓他文法更是一團糟。他握緊拳頭，顯然竭力控制自己保持禮貌。「這很重要，非常重要，夫人。一定要說動他加入，所以我要求……我懇求妳，請您說服他。」

我摸摸鼻子，若有所思看著查理王子。又一個重要的決定，又一個機會讓事情隨我的選擇改變，又一次，我茫然若失，不知道如何是好。

查理王子說得對，一定得說服族長帶著人力物資加入詹姆斯黨的志業。卡梅隆家族、數支麥唐納族，以及目前其他志士，加起來勉強達到兩千人，裡頭還有一些三教九流、烏合之眾，這些人素質之差大概沒幾個將軍見識過。然而，這團素質參差不齊的軍隊也拿下了愛丁堡，在普雷斯頓大勝英軍，而且很可能延續下去，勢如破竹征戰附近鄉下地方。

我們無法阻止查理王子，或許就如傑米說的，要阻止災難，唯一的辦法就是盡力幫助查理王子。多一位強大的族長，加入擁護者的行列，會大大增加其他人加入的機會。或許這將是個轉捩點，讓詹姆斯黨提升成一支真正的大軍，真正有能力實現計畫，進軍英格蘭。果真如此，事態該死的究竟會如何發展？

我嘆口氣。不論要作什麼決定，都得先見見這位神祕的族長。我低頭看看自己的裝束，確定這身打扮適合會見族長，這習慣大概是給王子傳染的。我站起來，手臂挾著藥箱。

我說：「我會盡力的，殿下。」

王子放鬆了緊握的拳頭，露出啃過的指甲，眉頭也舒展開了。

「啊，很好。來吧，我親自帶妳見他去。」他轉身朝較寬闊的午後會客室走去。

查理王子猛地推開門，把門口的守衛嚇得向後一跳，查理王子一眼也不瞧就大步走過去。這個房間很長，牆上掛了壁毯，遼闊的房間另一端是一座巨大的大理石壁爐，框著荷蘭的臺夫特磁磚❶，白底上用藍色與深紫紅彩繪荷蘭的鄉間風景。壁爐前有一張小沙發，一位高大魁梧的男子，穿著高地服飾站在旁邊。

如果房間沒那麼寬闊，這男子看來會是個龐然大物，他穿著蘇格蘭裙，像樹幹一樣粗的腿上穿著格紋襪。不過，因為這房間很大，還有用石膏板裝飾的挑高天花板，他的身形看起來就只和房間兩端掛毯上的神話英雄差不多高大。

看到那身形巨大的訪客，我一動也不動地站住了，我認出對方，非常震驚，同時感到難以置信。查理王子原本還繼續往前走，現在有點不耐煩地回頭望了一眼，示意我和他一起走到火爐邊。我和那大個子點頭致意，然後慢慢繞過沙發，低頭看著躺在沙發上的人。

他看到我，淡淡一笑，鴿灰色的眼裡閃過一絲光芒，好像覺得有趣。

他看到我的表情，作出答覆：「沒錯，我也完全沒想到還會遇見妳。也許有人會認為我們是命中注定。」他轉頭，手伸向個子高大的保鑣兼僕人。

「安格斯，請拿杯白蘭地給克萊兒夫人，她看到我太驚訝了，可能有點心緒不寧。」

---

❶臺夫特磁磚是十六世紀荷蘭著名的磁磚工藝，主要風格為藍色紋樣襯白底，十七世紀傳入英國。

這麼說還真是太客氣了，我想。我跌坐在一張八字腳椅上，接過安格斯拿給我的水晶酒杯。

柯倫的眼睛沒變，聲音也沒變，儘管年輕時一場病讓他不良於行，還是傳達出領導麥肯錫家族三十年的威嚴。但除此之外，一切都惡化了，令人遺憾。他的黑髮中密密參雜著灰髮，臉瘦得皮包骨，呈現刀割般銳利的輪廓。連原本寬闊的胸膛也凹陷了，強壯的肩膀駝了，整個人形銷骨立。

柯倫手上已經有杯半滿的琥珀色液體，迎著火閃閃發光。他痛苦地撐起身坐好，嘲諷地舉杯。

「妳看起來過得很好……外甥媳。」我從眼角瞥見查理王子驚訝地張大了嘴。

「你看起來不怎麼好。」我直截了當地說。

他面無表情地低頭看著歪扭的弓形腿。一百年後，這個病會因為最著名的病人，取為圖魯斯・羅德列克症❷。

他說：「是不好。不過，自從妳上次看到我已經兩年了，那時唐肯夫人認為我活不過兩年。」

我啜了一口白蘭地，喝出這是最頂級的白蘭地。查理王子非常不安。

我說：「我想你不會把女巫的詛咒太當一回事。」

柯倫優雅的嘴角一撇，笑了笑。儘管現在形容憔悴，但他過去像他兄弟杜戈爾一樣，容貌狂野而俊美，當他睜開眼簾，眼中散發的力量掩蓋了身體的殘缺。

「不，不是詛咒。我清楚記得她當時是在觀察我，不是詛咒我。我見過的人裡，沒幾個的觀察力比潔莉絲更敏銳。不過有個人例外。」他優雅地朝我點了個頭，加強他所表達的意思。

「謝了。」我說。

柯倫抬頭看查理王子，查理王子聽得滿頭霧水，目瞪口呆。「殿下，承蒙您允許我在此與弗雷瑟夫人會面，不勝感謝。」柯倫說道，同時微微鞠躬。他的遣詞用字非常有禮，但語調很明顯是要打發查理王子離開。查理王子這輩子還沒讓人打發離開過，這時漲紅了臉，嘴巴張著忘了要閉上。等他回過神來，便收緊雙唇，很快點個頭，轉身離開。

「我們也不需要守衛了。」我在他背後叫喚。查理王子雙肩聳起，藏在假髮髮尾下的後頸紅得通透；不過他還是比了個生硬的手勢，門邊的守衛驚訝地看我，就隨查理王子出去了。

「好了。」柯倫不滿地瞥了眼門口，再把注意力轉回我身上。

「我要求見妳，因為我想向妳道歉。」他開門見山地說。

我往後靠向椅背，滿不在乎地把酒杯放在肚子上。

「喔，道歉？」他這句話出乎我意料，但我還是竭盡嘲諷之能事。「你是說，你以巫術之名要燒死我，所以覺得不好意思？」我大方地擺擺手表示不用在意。「千萬別這麼想啊！」我瞪著他。「你要跟我道歉？」

柯倫微微一笑，沒有絲毫不自在的樣子。「我想說道歉可能有點不恰當。」他開口。

「不恰當？因為你害我被抓起來扔進賊坑，三天沒有像樣的食物飲水？因為你害我被剝到衣不蔽體，在克蘭斯穆所有人眼前受鞭刑？因為你害我只差一點，就要給塞在瀝青桶用一堆乾泥炭燒死？」我停下來，深吸了一口氣，多了幾分從容才開口。「就像你說的，道歉的確是很『不恰當』。」

柯倫臉上的笑容消失了。「我出口輕率，請妳原諒。我無意嘲弄妳。」他輕聲說。

---

❷圖魯斯．羅德列克症又稱為緻密成骨不全症，症狀包括四肢短小如侏儒、全身性骨緻密度增生硬化、易發生骨折等等。著名法國印象派畫家圖魯斯．羅德列克便因此病所苦。

我看著他，在他黑睫毛下的眼中，看不到任何開玩笑的意思。

我又深呼吸一口氣，說：「我知道你無意嘲弄我。我知道你等一下會說，你也無意誣陷我用巫術，害我被捕。」柯倫一雙灰眼變得銳利：「妳知道這件事？」

「潔莉絲告訴我的。我們一起待在賊坑裡，她告訴我你想處理掉的人是她，我只是運氣不好。」

柯倫突然變得非常疲倦。「確實如此。如果妳在城堡裡，我就能保護妳了。妳到底為什麼會到村裡？」

「有人告訴我潔莉絲生病了，要找我。」我簡單回答。

「喔，有人告訴你？可以請問是誰嗎？」柯倫輕聲說。

「珞海兒。」即使到現在，聽到那女孩的名字我還是無法抑制一股怒氣衝上心口。她嫉妒我嫁給傑米，想拆散我們，故意要害死我。一個十六歲的女孩會有這麼深的惡意，真是可怕。即使到現在，我除了憤怒，又冷冷地暗自得意。我幾乎沒有意識到自己在想，傑米是我的了，只屬於我。妳永遠、永遠沒辦法把他從我身邊搶走。

柯倫若有所思地凝視著我漲紅的雙頰。「啊，我就想事情可能是這樣。」他揚起一道濃眉，開口問：「如果只是道歉有點不恰當，妳想報仇嗎？」

「報仇？」我看起來一定是愣住了，柯倫淡淡一笑，但沒有開玩笑的意思。

「對。那小姑娘半年前結婚了，嫁給我手下一個次級地主，莫道爾的修．麥肯錫。如果妳要懲罰那個姑娘，他會照我吩咐去做。妳想怎麼做？」

我眨眨眼，這提議讓我吃了一驚。柯倫看起來不像急著要答案，他靜靜坐著，啜飲安格斯剛為他斟上的白蘭地。他並沒有看著我，但我起身走向窗戶，想獨處片刻。

這裡的牆有五呎厚，往前靠在深深的窗戶凹臺我可以完全藏起來。燦爛的陽光照亮我靜止手臂上金色的汗毛，這讓我想到潮濕、惡臭的賊坑，當時坑頂的開口射進一束陽光，讓整個坑相較之下更像一個墓穴。

在坑裡的第一天，我又冷又髒，嚇得難以置信。第二天我發現潔莉絲真正的陰謀，以及柯倫會如何處置她。我痛苦地打顫，越來越害怕。第三天我被拖去受審，我充滿恥辱與恐懼站在那裡，秋天低垂的天空厚雲罩頂，珞海兒的話觸動了柯倫的捕獸夾，那夾鉗已經在我身邊張開。

珞海兒，皮膚白皙、雙眼湛藍，臉龐圓潤美麗，但她和里歐赫堡其他姑娘沒什麼不同。我想過她的事——和潔莉絲待在坑底時，我有很多時間想各種事。儘管我當時憤怒又害怕，而且現在依然很憤怒，但無論是當時或現在，我還是不認為她本性邪惡。

「老天爺，她那時不過才十六歲！」我內心驚道。

「夠大了，可以嫁人了。」後方傳來譏諷的聲音，我才知道自己剛剛的想法脫口而出了。

我轉過身，柯倫依然坐在沙發上，粗短的腿蓋著毯子，安格斯靜靜站在旁邊，垂著眼看著主人。我說：

「沒錯，她想得到傑米，也許她以為自己愛傑米。」

城堡的院子裡有人在操練，有喊叫和武器互擊的叮噹聲。陽光反射在長劍和火槍的金屬上，古代圓盾的黃銅鉚釘上，還有傑米紅銅色的頭髮上。微風吹起傑米的頭髮，他的臉因為操練紅通通地流了汗。他舉起一隻手抹過臉，穆塔夫面無表情不知說了什麼，讓他哈哈大笑。

或許我對珞海兒並不公平，一口咬定她對傑米的感情不如我。她只是不成熟所以欺負我洩憤，或是真的對傑米充滿愛意而恨我，我無從得知。不論出於哪一個理由，她都沒有得逞，我活了下來，而且傑米依然屬於我。我看著傑米拉起蘇格蘭裙隨意抓著屁股，陽光灑落，紅銅色的汗毛讓原本線條剛硬的大腿柔和了些。

我笑了，走回柯倫旁的位子。

「我接受你的道歉。」我說。

柯倫點頭，灰色眼神思索著。「妳認為做人要慈悲，是嗎？」

「我認為做人該公平。話說回來，我想你大老遠從里歐赫堡跑來愛丁堡，應該不是專程來向我道歉。這趟路一定非常辛苦。」

「欸，是很辛苦。」柯倫背後的大個子安格斯原本一直默不作聲，這時動了一下，大頭傾向領主，證實了柯倫的話。柯倫察覺安格斯的動作，簡單舉了一下手，那手勢在說：沒事，我現在還好。

柯倫說：「不，我不曉得妳在愛丁堡，是殿下提到傑米，我才出此要求。」他臉上突然出現笑意。「殿下不是很喜歡妳啊，克萊兒夫人，但我想妳已經知道了？」

我裝作沒聽見。「所以你真的想加入查理王子？」

他只說了句：「我來這兒見他。」

我坐了一會兒，想著有沒有什麼話我可以或應該可以幫查理王子說項。也許讓傑米來說比較好，畢竟柯倫雖然差點不小心害死我而感到抱歉，但不代表他信任我。我在這裡隨行於查理王子身側，確實代表我可能不是英國間諜，但也不代表完全沒這個可能。

柯倫、杜戈爾和傑米都有種能力，如果他們不想讓人知道自己在想什麼，就可以藏的很好。而在這三個人之中，無疑柯倫的技巧最高竿。如果他不想說話，前院噴泉的石雕頭像能透露的都比他還多。

我還在心裡獨自盤算時，柯倫突然放下白蘭地酒杯，直直望著我。

「妳知道我從早上起喝了多少嗎？」

「不知道。」我回答道。他的雙手很穩，雖然因病而粗硬，但照護得很好。眼瞼有點紅，眼睛有點充血，但要說是因為飲酒，或許說是舟車勞頓也很合理。他並沒有口齒不清，動作沉著從容，看得出判斷力清晰。但我看過柯倫喝酒，對他的酒量十分敬佩。

他揮揮手讓安格斯收回手，俯身橫過酒瓶。「半瓶，晚上之前我會喝完一瓶。」所以他才要我帶藥箱來，我伸手去取放在地上的藥箱。

我翻動箱裡的瓶瓶罐罐。「如果你需要那麼多白蘭地，那麼除了鴉片類藥物，就沒什麼能幫上你了。我這裡有些鴉片酊，不過我還可以給你……」

「我要的不是這個。」他威嚇道，於是我住了嘴，抬起頭來。如果他有辦法隱藏自己的想法，他也可以充分展現出他的想法。

「要拿到鴉片酊很容易，城裡有個藥劑師在賣，還有罌粟糖漿，以及純鴉片之類的東西。」

我闔上小藥箱，把手放在藥箱上。所以他不想麻醉自己沉緬度日，不想讓氏族的領導權懸置。如果他找我不是要尋求暫時的解脫，那他要的是什麼？也許，是永遠的解脫。我了解柯倫，他可以頭腦清晰、無情地規畫如何置潔莉絲於死地，對自己自然也不會猶豫。

現在事情很清楚了，他來見查理王子，作最後的決定，判斷是否讓里歐赫堡的麥肯錫族加入詹姆斯黨的志業。決定之後，就由杜戈爾領導族人。然後……

「我記得自殺是不可饒恕的罪。」我說道。

柯倫無動於衷地說：「我想是吧！如果在我決定的時間，依照我的目的，選擇乾淨俐落地死去，那至少也犯了傲慢的罪。不過，既然我大概從十九歲起，就不相信上帝的存在，我不覺得自己會為這宗罪受太多苦。」

房裡一片安靜，只聽得到火爐嗶啵聲，還有底下操練傳來的模糊叫喊。我聽得到柯倫的呼吸，一種緩慢沉穩的噓聲。

「為什麼要問我？你說得沒錯，只要有錢，你就拿得到鴉片酊，而你也有錢。你一定也知道，鴉片酊服到一定的量會致死。說起來，要這樣死很容易。」我開口道。

柯倫搖搖頭。「是太容易了。我一生很少依賴什麼，但我希望自己頭腦清醒。即使面對死亡，我也想保持清醒。至於舒服……」他在沙發上微微挪動身體，毫不掩飾身體的不適。「目前我已經夠舒服了。」

他的下巴朝我的藥箱指了指。「妳和唐肯夫人一樣懂得醫藥。我想或許妳知道她用什麼謀害了丈夫。那看起來作用很快、很有效，而且很得體。」他最後譏諷地加了一句。

「根據法庭判決，她用的是巫術。」我說完，心裡默默接道：也根據你的計畫，法庭判她死刑。「還是你不相信巫術？」

柯倫笑了，爽朗的笑聲迴盪在陽光明媚的房裡。「不相信上帝的人，對撒旦也不會有什麼信心吧？」

我仍然躊躇，但柯倫估算別人就像估算自己一樣精明狡猾。他在請我幫忙前先請我原諒，而且讓我心甘情願地表明自己處事會公平——或者慈悲。而正如他所說，這種死法很得體。我打開藥箱，拿出一小瓶我用來殺老鼠的氰化物。

他以正式的口吻，但眼中帶著笑意說道：「非常感謝妳，克萊兒夫人。就算傑米在克蘭斯穆沒有演那一場戲，證明妳是無辜的，我也絕不認為妳是女巫。從我們第一次見面至今，我還是不了解妳是誰，或妳為什麼來這裡。但我從不認為妳是女巫。」他揚起一邊的眉毛。「我想，或許妳願意告訴我妳究竟是何方神聖吧？」

我遲疑了一下。一個人如果不信上帝、不信惡魔，那也不會相信我真實的來歷。我輕輕捏了捏柯倫的手指，然後放開。

我說：「還是叫我女巫吧，這最接近你能了解的東西了。」

第二天早上我往庭院走去，在樓梯上遇見巴梅立諾爵士。

他快活地打招呼：「喔，弗雷瑟夫人！我正好在找妳呢！」

我對他微笑，巴梅立諾爵士胖胖的，個性開朗，為荷里路德宮的生活注入一股清新。

「如果不是發燒、痢疾、梅毒的話，可以等一會兒嗎？我丈夫和他舅舅正要比劍，為琴塔納的法蘭西斯科大人示範高地的劍術。」

「喔，真的嗎？老實說，我也想看。我喜歡看俊挺的男子使劍，還有任何能讓西班牙人開心的事，我都十分支持。」巴梅立諾退一步和我站到同一級階梯，他的頭在我肩膀的高度，興致勃勃地點頭。

「我也是。」由於傑米認為讓佛戈斯在荷里路德宮內傳遞殿下的消息太危險，現在傑米都親自和殿下溝通。消息似乎很多，查理王子認為傑米是他的知己，儘管傑米貢獻的人力與金錢不多，所有高地首領中卻可說只有傑米一人獲查理王子如此偏愛。

說到錢，查理王子有信心能獲得西班牙菲利浦國王的贊助。菲利浦國王近來去函給詹姆斯王，信上消息令人鼓舞。至於法蘭西斯科大人，他雖然不是西班牙使節，不過確實是西班牙朝臣，可以向西班牙報告斯圖亞特起事的情況。藉此機會，查理王子或許便能說服高地氏族及外國君王加入他的陣營，讓復辟成功。

我們走上荷里路德宮庭院旁的走道，我開口問巴梅立諾：「你找我有什麼事？」庭院中已經聚集了一小群觀眾，不過法蘭西斯科先生及兩位要上場的劍士都尚未現身。

經我這一提醒，巴梅立諾爵士才想起來，摸索外套口袋。「喔！沒什麼大不了的，親愛的夫人。我的信使從他在英格蘭的親戚那裡拿到這個，我想你可能會覺得有趣。」

巴梅立諾爵士給我一小疊印刷粗糙的紙張。我認出那是疊傳單，在小酒館裡廣泛流傳，或貼在村鎮的門框、籬笆上，讓風吹得啪啪作響。

—

其中一張寫著：「查理．愛德華．斯圖亞特，世稱小僭君。特此公告周知，此人行為敗壞，為人凶險，已非法登陸蘇格蘭海岸，煽動當地人民暴亂，使無辜人民捲入不義戰爭之戰火。」類似的內容洋洋灑灑，最後告誡讀到此告示的無辜人民「務當竭力將此人送交其應得之審判」。告示頂端有個圖像，我想本來要畫的應該是查理王子，和本人不太像，不過看起來確實「行為敗壞，為人凶險」，這大概就是這幅畫的用意吧！

巴梅立諾從旁邊和我一起看著這張告示說：「這張的內容很克制了，其他有些內容充滿各式各樣的想像與誹謗。妳看看這張，說的是我。」他一臉愉快地指著一張告示。

傳單上是個骨瘦如柴的高地人，滿面虬髯，濃眉高聳、怒目圓瞪，帶著一頂蘇格蘭無邊帽。我斜眼看了看巴梅立諾爵士，他照著平常習慣，穿著品味出眾的馬褲和外套，衣料質地精細，但剪裁色彩低調，搭配他較為粗矮的身形。他盯著傳單，若有所思地撫摸他圓潤、鬍子刮得乾乾淨淨的臉頰。

「這個嘛，落腮鬍讓我看起來比較英勇，對吧？雖然看起來比較上相，不過留鬍子癢得要命，我可能受不了。」

我翻到下一張，差點失手把整疊傳單掉在地上。

巴梅立諾爵士看了說：「妳丈夫倒是畫得比較像，傑米長得還真像英國人眼中的高地暴徒……抱歉，夫人，我無意冒犯。不過，他體格確實很高大，對吧？」

「是的。」我有氣無力地說，仔細讀傳單上的指控。

「妳八成不知道你丈夫有烤小孩來吃的習慣吧？我一直認為，他長這麼高大，飲食上一定有什麼特別之處。」巴梅立諾爵士哈哈大笑。

這位小個子伯爵玩世不恭的態度，讓我心情穩定許多。看著這些可笑的指控與敘述，我自己都快笑了出來。不過，閱讀傳單的人卻很可能相信這些描述。我擔心他們照單全收，人往往願意甚至樂於相信最壞的事，而且事情越壞，他們越開心。

巴梅立諾打斷了我的思緒，翻出倒數第二張傳單：「我想這最後一張妳肯定會有興趣。」標題昭然寫著「斯圖亞特的女巫」，上面一個長鼻子、瞳仁如針尖的女人正盯著我瞧，底下文字指控查理・斯圖亞特召喚「黑暗力量」注入自己的叛亂。這女巫神通廣大，除了讓莊稼枯萎、乳牛的奶水乾涸、讓人失明，還能掌握男人的生死。查理身邊有這樣的人，表示他一定已經把靈魂賣給魔鬼，所以，告示最後總結：他將會「永遠在地獄裡燃燒！」

巴梅立諾說：「我想這一定是妳，但我向妳保證，親愛的，畫得一點也不像。」

「真有意思。」我把那疊告示還給他，忍住衝動不要把手往裙子擦。我覺得有點不舒服，但還是朝巴梅立諾擠出一個笑容。他敏銳地看了我一眼，然後握了一下我的手肘，要我放心。

他說：「別煩惱，親愛的。一旦陛下重回寶座，這一切荒唐的東西很快就會被人遺忘。在老百姓眼中，昨日的大惡棍就是明日的英雄，我已經看過一次又一次了。」

我喃喃地說：「Plus ça change, plus c'est la même chose（滄海桑田，人事依舊）。但要是詹姆斯國王陛下沒有奪回寶座……」

巴梅立諾說出了我的想法：「如果我們的努力不幸失敗，那除了這些宣傳單，我們還有更該擔心的事。」

「En garde.」（就位。）一句法語宣布比劍正式開始，杜戈爾擺出決鬥的姿勢，側身面對敵手，執劍的手臂彎曲，劍身就定位，深厚的手臂屈成優雅的弧形，手掌在腰邊張開，表示沒有暗藏匕首。

傑米與杜戈爾雙劍相交，發出金屬低沉的叮噹聲。

「Je suis prest.」傑米和我四目交接，臉上閃過一絲促狹。傑米已經習慣決鬥，他就像自己氏族的座右銘說的——Je suis prest（我準備好了）。

一瞬間我以為他還沒準備好，杜戈爾的劍猛地一個長刺，我不禁倒吸一口氣。但動作剛起傑米就料到了，不等劍招使老，傑米已經不在原地了。

他往旁一站，迅速使出一個敲擊，這下撥刺讓兩把劍相持不下，在握把處交纏，但只僵持了一秒鐘，兩人解開劍往後一退，又重新繞圈，伺機攻擊。

兩劍敲擊發出鏗鏘聲，傑米使出三分位撥擋，旋即長刺，劍身離杜戈爾臀部不到三公分。杜戈爾敏捷地往旁轉身，綠色的蘇格蘭裙如火焰飛舞。杜戈爾先撥擋、閃避，再迅速向上敲擊，將傑米逼近的劍擊退到一旁，然後往前踏一步，逼得傑米往後退。

我看到法蘭西斯科大人站在對面，和查理王子、謝爾登、老督里巴爾汀，以及其他幾人站在一起。法蘭西斯科那一小撮上了蠟的八字鬍下，露出一個淺淺的微笑，但我無法分辨他是讚賞傑米和杜戈爾的表現，或者只是另一個他慣常出現的傲慢表情。我沒看到柯倫，但這在預料之中，他平常就不喜歡在公開場合露面，更何況來愛丁堡這一路肯定讓他體力透支了。

傑米和杜戈爾這對甥舅，兩人對劍術都很有天分，也都是左撇子，這場比劍除了展現精湛的劍術，也極為罕見，因為兩人根據法國決鬥最嚴格的規則比試，但拿的既不是男士行頭常見的輕劍，也不是士兵的軍刀，而是揮舞著長達一公尺的蘇格蘭大刀，全用鍛鐵打成，扁平的刀鋒足可以劈開整顆頭顱。這把龐然大物身形不夠高大的人還使不來，但他們揮起來卻姿態優雅，神態裡又帶點玩味。

我看到查理王子在法蘭西斯科大人耳邊低聲說話，法蘭西斯科大人點點頭，目光從未離開草皮環繞庭院上的刀光劍影。傑米和杜戈爾的身形相似，靈活程度也相當，兩人一招一勢都像要置對方於死地。傑米的劍術是杜戈爾教的，兩人也曾背對背、肩並肩地打了多次，對彼此招式的微妙之處都了然於心——至少我是這麼希望。杜戈爾兩下長刺取得優勢，逼得傑米向庭院邊後退。傑米快步移到一邊，一個敲擊擋開杜戈爾的劍身，反手從另一個方向斬下，劍鋒快速劃過杜戈爾的右手衣袖，隨著一聲響亮的撕裂聲，一條白色亞麻垂落，在微風中飄盪。

「打得好！」我轉頭看是誰出聲，發現齊馬諾克爵士站在我旁邊。爵士三十出頭，感覺很嚴肅，面無表情，正帶著他兒子強尼在荷里路德宮作客，住在客房裡。

強尼總是離他父親不遠，我環視附近，很快就看到強尼站在他父親另一邊，看比劍看得入神，嘴巴微張。我眼角瞥見遠方柱子邊有動靜，原來是佛戈斯，烏黑的雙眼眨也不眨，死盯著強尼。我對佛戈斯皺眉，狠狠瞪他。

強尼因為身為齊馬諾克爵士繼承人而有點自負，對自己十二歲就能跟著父親赴戰場更是自得，常仗勢對其他小夥子作威作福。這些小夥子若不是避開強尼，就是在等待時機，等強尼離開他父親，失去保護。

佛戈斯就是屬於第二類。強尼曾經輕蔑地說傑米是「蘇格蘭小地主」，佛戈斯認為這是對傑米的侮辱——他想得也沒錯——從此和強尼結下樑子，幾天前才在岩石庭院對強尼出手，卻讓傑米阻止了。傑米馬上打了佛戈斯一頓，然後告訴佛戈斯，雖然對主人忠貞很好，傑米也非常珍惜他的忠貞，不過愚蠢就不對了。

傑米輕搖佛戈斯的肩膀，對他說：「那小夥子比你大兩歲，重十四公斤，你打得滿身傷，對我有什麼幫助？有時戰鬥要不惜代價，但有時候要咬緊牙關、等待時機。Ne pétez plus haut que votre cul，你說對嗎？」

當時佛戈斯點點頭，用衣角擦乾滿是淚水的臉頰，但我不曉得傑米的話他聽進去多少。我看著佛戈斯機警的黑眼，現在他眼中滿是仔細打量的眼神，我不喜歡。我想強尼如果稍微聰明點，就會知道應該站在他父親和我中間。

傑米單膝半蹲，持劍凶狠地往上一捅，劍鋒颼地削過杜戈爾耳邊。杜戈爾急忙後竄，愣了片刻，接著咧嘴露出白牙，劍身平放朝傑米頭頂一敲，響亮地發出哐的一聲。

廣場上一片歡呼叫好，這場比武從優雅的法式擊劍淪為高地鬥毆，戲謔的玩笑把圍觀者都逗得樂壞了。

齊馬諾克爵士也聽到這陣喝采聲，望著廣場對面，滿臉惱怒。

他語帶諷刺地說：「殿下的顧問都受召去見西班牙人、歐蘇利文，還有那個老公子哥兒督里巴爾汀。艾裘爵士的建議他聽得進去嗎？還是巴梅立諾、羅切爾？或是我的卑微建議？」

顯然這是個反問句，他心裡早有答案，所以我只是咕噥幾聲表示自己也有同感，眼睛依然盯著場上的兩人。鏗鏘的金屬撞擊聲在四周的石柱石地間震盪，幾乎淹沒了齊馬諾克的聲音，但他已經打開話匣子，無法再克制自己的不滿。

他說：「不，他聽不進去！歐蘇利文、歐布萊恩，還有那些愛爾蘭人，他們一點風險都沒有！就算發生最糟的情況，他們國籍不同，可以要求免予起訴。但我們呢？我們賭上了身家、榮譽，甚至自己的性命！可是他不把我們當回事，拿我們當一般的龍騎士看待。昨天早上我和殿下問好，結果他竟然頭抬得老高，從我旁邊走過，好像我跟他問好有失禮節！」

齊馬諾克非常生氣，這也情有可原。查理王子先是用自己的風采吸引人，拉攏對方為他的冒險貢獻人力金錢，之後卻又對人視而不見，回頭去找他的老顧問。而這些法國來的顧問大多認為蘇格蘭是一片不毛的荒地，蘇格蘭人都是野蠻人。

杜戈爾驚呼一聲，傑米放聲大笑，原來杜戈爾左邊衣袖又給割得半垂下來，底下光滑的棕色皮膚倒是毫髮無傷。

「我可要找你算帳了，傑米小子。」杜戈爾笑著說，汗珠從臉上流下。

傑米氣喘吁吁地說：「是嗎，舅舅？你要怎麼找我算帳？」劍光一閃，杜戈爾的毛皮袋毫髮不差地從皮帶上橫空飛出，掉在石地上叮噹作響。有東西在我眼角一閃，我立刻轉頭大喊：「佛戈斯！」

齊馬諾克往我看的方向轉頭，看到佛戈斯。佛戈斯手裡拿著一根粗棍，裝出一副若無其事的表情，要不是想到他可能做出壞事，我還真會笑出來。

齊馬諾克看了一眼，對我說：「圖瓦拉赫堡夫人，不要緊，有需要的話，我兒子會光榮地保護自己。」他看著強尼，眼裡充滿溺愛，然後又轉回頭去看比劍。我也轉回頭，但朝著強尼的方向豎起一隻耳朵。我不是覺得佛戈斯沒有榮譽感，只是我知道佛戈斯對榮譽的定義和齊馬諾克大不相同。

「行了！」杜戈爾一聲大吼，比試突然停了下來。王子一行人鼓掌，兩人汗流浹背地對他們鞠躬，再上前接受祝賀，並介紹給法蘭西斯科大人。

石柱旁突然有個尖銳的聲音大喊：「老爺！可以表演『抛物線』嗎？」

傑米轉身，因為這突如其來的打擾微微皺眉，但接著聳聳肩，笑著退後，站到庭院中央。「抛物線」是佛戈斯替這個把戲取的名稱。

傑米很快向殿下一鞠躬，抽出大刀，小心捏著刀尖，微微彎腰，接著使勁一抛，整把刀旋轉著直射向天空。所有人都盯著劍瞧，這把劍有著筐型護腕握把，頭尾不停輪番上下旋轉，鍛造的劍身在陽光下閃耀生輝。整把劍轉個不停，似乎在空中停留了好一會兒，才猛然俯衝而下。

這個把戲的精髓是用勁往上拋，讓它掉下來時劍尖朝下插入土中。傑米改良了這個把戲，直接站在下墜的弧形底下，在最後一刻才往後躲開，免得被劍叉中。

「啊！」隨著觀眾的大叫，劍直直插入傑米腳邊。傑米彎腰把劍從草地上拔出來。這時我注意到，有兩個觀眾不見了。

一個是十二歲的強尼．齊馬諾克大人，臉朝下趴在草地邊，頭上一個腫包，從柔細的棕髮間露出來。第二個早就跑的不見人影，但我從背後的影子那裡聽到一句低聲的話。

聲音聽起來很得意：「Ne pétez plus haut que votre cul，沒那個屁股，就別吃那種瀉藥！」

這樣的天氣在十一月來說溫暖得不尋常，無所不在的雲層已經散開，短暫的秋日陽光暫時照亮陰沉沉的愛丁堡。我抓緊這難得的片刻溫暖，到戶外荷里路德宮後方的岩石庭園，兩膝跪地，在地上搜索。幾個高地人也在四處閒晃，帶著自家釀的威士忌，用自己的方式享受陽光。他們看我在地上爬似乎覺得很有趣。

「夫人，妳在找毛毛蟲嗎？」其中一人嚷著。

「不，怎麼會找毛毛蟲，一定是在找小精靈吧！」另一個人開玩笑。

「要找精靈，你的罐子比我的岩石底下更容易找到！」我對他們嚷。

那人舉起酒壺，閉起一眼，另一眼誇張地瞇起望著酒壺深處。「只要酒壺裡不是毛毛蟲，我無所謂！」他答了這句，然後痛飲一口。

說真的，我在找的東西大概比毛毛蟲更讓他們摸不著頭腦。我將一塊大卵石往側邊推動幾公分，露出底下石頭表面的橘褐色地衣。我用袖珍小刀輕輕刮了幾下，數片這種奇特的地衣便落入我掌中，我再小心翼翼地將地衣抖入便宜的錫製鼻煙壺，讓地衣加入我苦心蒐集的寶貝之列。

愛丁堡民風開放、見多識廣，深深影響了來到此地的高地人。若是在偏遠的山村，人們看到我這種行為，就算不心懷敵意，也可能遭人猜忌狐疑，但在這裡，他們只把我當個溫和無害的怪人。我發現，高地人除了尊重我，也並不害怕我，這讓我很高興。

等他們知道我的丈夫是誰，甚至連我是英國人也不介意了。不論傑米在普雷斯頓潘斯戰役有什麼英勇事蹟，除了傑米自己告訴我的那部分，其他的我大概永遠也不會知道，但不管那是什麼樣的功績，一定是讓蘇格蘭人大為折服，只要傑米走出荷里路德宮，到處都聽得到有人喊著「紅髮傑米」，或打招呼致敬。

其實就在這時候，附近就有個高地人這樣叫，引起我的注意。我抬起頭看到紅髮傑米本人漫步穿過草地，一邊在宮後密密麻麻的石頭間張望，一邊心不在焉地向對方揮揮手。

傑米看到我，表情開朗起來，走過草地，向我跪著的這一片造景岩石走來。

他說：「妳在這裡啊，可以和我來一下嗎？也麻煩妳帶著那個小籃子。」

我站起來，拍拍膝上的乾草，把小刮刀放入籃子。「好，要去哪裡？」

「柯倫差人來說想和我們談談，和我們兩個。」

「在哪裡？」我邁開步伐跟上他的腳步，沿著小路走去。

「在卡農蓋特教堂。」

有意思，看來不管柯倫要和我們說什麼，他顯然不希望私下見我們的事在荷里路德宮傳開。

傑米也有相同的想法，所以才要帶上籃子。我手上提著籃子，和傑米挽著手通過愛丁堡城的皇家哩大道，就像要去買東西回家，或分發藥品給駐紮在巷弄中的士兵與家人。

愛丁堡的主要大道越往前走，角度越陡。荷里路德宮莊嚴地坐落在大道底端，側面嘎吱作響的修道院教堂穹頂，散發出一種巍峨穩固的假象，高傲地忽視聳然屹立的愛丁堡城堡。愛丁堡城堡高踞嶙峋的岩石山頂，在城堡和荷里路德宮之間，就是皇家哩大道，以大約四十五度的角度往上傾斜。我在傑米身邊走得滿臉通紅、氣喘吁吁，真不曉得柯倫是怎麼走過這八百公尺長的鵝卵石坡道，從宮裡抵達教堂的。

我們在墓園裡看到柯倫，他坐在一張石凳上，讓午後的陽光曬暖背脊，黑刺李手杖擱在身邊石凳上，兩條弓形的短腿離地幾呎，懸在空中。他駝著背，低頭沉思，遠遠看來就像侏儒，似乎原本就生長在這片人造的岩石庭院裡，身邊環繞著傾斜的石塊與蔓延的地衣。我在一座歷經風吹雨打的墳上看到一個絕佳的地衣標本，但想了想覺得還是別停下來比較好。

我們踩著草地，腳下無聲，但離柯倫尚遠，他就已經抬起頭。看來，至少他的感官一切正常。

我們走向柯倫，附近萊姆樹下有道陰影動了一下。安格斯的感官也沒有問題。大個子安格斯看到是我們，又站回去默默守護主人，再次融入周遭景物中。

柯倫點頭打招呼，示意我們坐在他旁邊。現在和柯倫近在觸手可及的距離，儘管他雙腿依舊扭曲，看起來卻一點都不像地精，和柯倫面對面，你看得出這個血肉之軀內是個大丈夫。

傑米讓我坐在附近一塊石頭上，才在柯倫指的地方坐下。大理石出奇冰冷，寒意穿透我厚厚的裙子，我動了一下，發現自己坐在一塊紀念碑上，上面雕著糾結彆扭的骷髏頭和交叉的大腿骨。我看到碑上面刻的墓誌銘，咧嘴笑了。

馬丁埃金柏德長眠於此，

願上帝憐憫我的靈魂，
我若是上帝，你為馬丁埃金柏德，
我也會憐憫你的靈魂。

傑米挑眉警告我別笑出來，然後轉身面對柯倫。「舅舅，你要見我們？」

柯倫開門見山地說：「傑米，我問你一個問題。你把我當親人看嗎？」

傑米沉默了片刻，看著柯倫的臉，然後微微一笑。「你的眼睛和我母親一模一樣，我能否認嗎？」

柯倫看起來愣了片刻。他的眼睛是清澈柔和的灰色，像鴿子的翅膀，還有濃密的黑色睫毛。這雙眼儘管美麗出眾，也可以閃爍鋼鐵般冷酷的眼光，我忍不住又一次猜想傑米母親的模樣。

「你還記得你母親？你還是個奶娃她就死了。」

傑米聽到這句話嘴唇抽動一下，但仍平靜地回答。「那時我夠大了。說到這個，我父親房裡有面穿衣鏡，聽說我有點像我母親。」

柯倫笑了一聲。他湊近凝視傑米，燦爛的陽光讓他微瞇著眼。「豈止有點，小夥子，你毫無疑問是艾倫的兒子。首先是頭髮……」他隨意向傑米的頭髮一指，傑米的頭髮微微閃耀著紅褐、琥珀、栗棕與朱紅，豐厚捲曲，交雜紅與金，變化萬千。「還有那張嘴……」柯倫自己揚起一邊嘴角，彷彿不情願地陷入回憶。「我每次都逗她，說她有張夜鷹的闊嘴。我常常說，如果妳也有條黏答答的舌頭，就可以像蛤蟆一樣抓蟲子了。」

傑米沒料到會聽到這幾句話，笑了出來。「威利有一次和我說過。」傑米話才說完，豐潤的嘴唇立刻緊閉。他很少談到去世的哥哥，我想他應該從來沒有在柯倫面前提過威利。

柯倫表現得像完全沒注意到傑米脫口而出的這句話。「那時我寫信給她，當時你哥還是小孩，因為天花夭折。自從她離開里歐赫堡，那是我第一次寫信給她。」柯倫心不在焉地看著旁邊傾斜的石碑，一邊說道。

「你是說，自從她嫁給我父親後。」

柯倫緩緩點點頭，眼睛仍然望著遠處。「對。她大概比我大兩歲，就像你姊姊和你一樣。」深邃的灰眼轉向盯著傑米。「我從來沒見過你姊姊，你們關係好嗎？」

傑米沒說話，只微微點了點頭，仔細觀察柯倫，好像想在那張歷盡滄桑的臉孔中，找出謎題的解答。

柯倫也點點頭。「我和艾倫也是。我小時體弱多病，她常照料我。我記得自己躺在床上，陽光穿過她髮間，她說故事給我聽。」柯倫優雅的嘴唇微微揚起一笑。「即使後來——後來我的腿第一次斷了，她會在里歐赫堡跑上跑下，每天早晚都到我房間，告訴我她今天見了哪些人，說了什麼。我們討論對佃農和次級地主的看法，討論事情該怎麼安排。那時我已經娶妻，但蕾蒂緹雅不想處理這些事情，她沒什麼興趣。」柯倫手一揮，表示對妻子的不滿。

「我們私底下會談——有時候加上杜戈爾，有時只有我們兩個——談氏族的財產如何維繫最好，氏族內的家系如何維持和平，可以和哪些氏族結盟，如何管理土地和林木……然後她就走了。」柯倫低頭看交疊在膝蓋上寬大的雙手，突如其來地說。「沒有請求離開，也沒有留下道別的隻字片語，就這麼走了。我不時聽說她的消息，但她本人從沒有傳來消息。」

「她沒有回你的信？」我輕聲問，不想打斷他。柯倫搖頭，頭依然低垂著。「那時她病了，她失去了一個孩子，又染上天花。也許她本來想晚點回，回信這種事很容易擱在一旁。」他不帶笑意地笑了一下，然後表情鬆弛下來，顯得一臉蒼涼。「一年後的聖誕節，她就過世了。」

柯倫直直看著傑米，傑米也坦然迎向他的目光。「後來你父親寫信告訴我，他要把你帶去給杜戈爾，希望你之後到里歐赫堡跟著我受教育。那時我有點驚訝。」

「那是我父母結婚時同意的，讓我由杜戈爾撫養，然後待在你身邊一段時間。」風吹得落葉松枯枝嘩嘩作響，傑米和柯倫不約而同聳肩抵抗突如其來的寒意，著實反映了他們一家人有多相像。

柯倫見我發覺他倆做出相同動作而微笑時，也揚起唇角，會心一笑。

柯倫對傑米說：「是啊！不過約定值不值得信賴，完全要看承諾的人是誰，我那時不了解你父親。」

正當柯倫開口想繼續說下去，但似乎又重新斟酌了一下。墓園的寂靜取代了談話聲，沉默填滿了無言的空隙，彷彿剛才他們從未開口。

最後，還是傑米再度打破沉默。

傑米問：「您覺得我父親是什麼樣的人？」我隱約感覺他的語調像好奇的小孩，因為年紀輕輕就失去父母，對父母只有年幼時的印象，所以想從其他線索認識自己的雙親。我了解這種衝動，我對父母有限的認識完全來自朗柏舅舅，我問他問題，但他的回答只有寥寥數語。朗柏舅舅並不擅長分析人的個性。

然而，柯倫卻是箇中好手。

「你是說他的樣子嗎？」柯倫仔細看著外甥，然後饒有興味地咕噥一聲。

柯倫臉上掛著有點勉強的笑容說道：「小子，照照鏡子，你會看到一張像你母親的臉，然後看到你父親那雙該死的弗雷瑟貓眼回望你。」柯倫伸個懶腰，換個姿勢，在爬滿地衣的石凳上舒展身體。柯倫習慣性地緊抿雙唇，不願透露身體不適，我明白了為什麼他的鼻與唇之間有深深的刻痕。

待柯倫調整得舒服些，又繼續說下去：「不過，回答你的問題，我不是很喜歡他，他也不是很喜歡我。但我很快就知道他是個正直的人。」柯倫停頓了一下，接著非常輕聲地說：「傑米，我知道你也一樣。」

傑米表情沒有改變，但眼皮微微顫動了一下，只有像我這樣熟悉他的人，以及柯倫這樣觀察入微的人，才察覺得到。

柯倫長長嘆了口氣。「所以我才希望和你談談，小伙子。你知道，我得決定里歐赫堡的麥肯錫族是否要追隨詹姆斯國王，還是追隨喬治國王。也就是說，我該和認識的魔鬼打交道，或是和不認識的魔鬼打交道。但無論如何我必須下個決定。」柯倫苦笑。

「杜戈爾……」傑米剛開口，柯倫手一揮打斷他，不耐煩地說：「欸，得了，我知道杜戈爾怎麼想，我這兩年都在擔心這件事。不過，我才是里歐赫堡的當家堡主，事情由我決定，杜戈爾會照我的話做。我想聽你的意見，這些族人體內也流著和你相同的血。」

傑米抬頭望，午後的陽光照在他臉上，他眼睛半闔著，蔚藍的眼中不透露一絲想法。

傑米說：「我人在這裡，帶著我的手下，這選擇肯定很明顯了吧？」

柯倫再一次移動身子，偏頭聚精會神地看著傑米，彷彿想從任何細微的聲音或表情捕捉線索。「是嗎？一個人效忠有很多原因，而且通常和他們自己宣稱的理由無關。我和羅切爾及克林蘭諾的氏族談過，也和史高特斯的安格斯及亞力斯．麥唐納談過，你覺得他們聚在這裡，只是因為覺得詹姆斯．斯圖亞特才是合法的國王嗎？現在我想和你談談，為了你父親的榮譽，請你說出實情。」

柯倫看傑米仍在猶豫，就繼續說下去，兩眼急切地望著傑米。

「我不是為自己要求的，你也看到，我操心這件事也不會太久了。我是為了哈米許問的，記得，他可是你的表弟。等他成年，若要有個氏族讓他領導，我現在就得作出正確的決定。」

柯倫不再說話，坐著不動，臉上常有的警惕表情消失了，灰色眼睛睜得大大的，等待、傾聽著。傑米像柯倫一樣坐著不動，好像凍住了，像後方墓碑上大理石雕的天使。雖然傑米嚴肅堅毅、輪廓分明的臉上沒有透露出半點痕跡，我曉得他現在心裡左右為難。我們就曾遇同樣的情況，必須決定是否從拉利堡去追隨查理王子。查理王子起事的成敗懸在刀尖，如果里歐赫堡的麥肯錫這樣的大族加入，可能會鼓勵其他氏族也響應莽撞的小僭君號召，讓起事成功。但如果起事失敗，里歐赫堡的麥肯錫一族可能也會步向滅亡。

最後，傑米緩慢慎重地把頭轉向我。他看著我，藍色眼睛對上我的雙眼。他的表情像是在說：妳對這件事也有自己的看法。我該怎麼做？

我感覺到柯倫的雙眼也盯著我，那雙眼睛上方的濃眉提出疑問。但我心裡想的是小哈米許，那個一頭紅髮的十歲孩子，和傑米長相非常相似，彷彿是傑米的兒子而不是表弟。我心裡也想，如果里歐赫堡的麥肯錫家族和查理王子在卡洛登一役戰敗，小哈米許和他的族人會面臨什麼樣的命運。如果最後發生大屠殺，拉利堡的人可以仰賴傑米的保護，里歐赫堡的人卻沒有。但這件事不該由我決定。我聳聳肩，低下頭。傑米深吸一口氣，下定決心。

「舅舅，回里歐赫堡吧！讓你的人也留在里歐赫堡。」傑米說。

柯倫一動也不動坐了很久，直看著我。最後，他牽動嘴角，但不像是在微笑。

柯倫對我說：「聶德．葛溫去保你不被燒死的時候，我差點阻止了他。我很慶幸最後沒這麼做。」

「謝了。」我用和他一樣的語氣說。

他嘆了口氣，用長滿老繭的手搓著後頸，好像領導的重擔讓脖子作痛。

柯倫把手放下，無力地擱在石凳上，放在他和傑米中間。「好吧，我會在早上晉見殿下，告訴他我的決定。傑米，謝謝你的建議。」他猶豫了一下，又加了一句：「願上帝與你同在。」

傑米傾身向前，手放在柯倫的手上，咧嘴露出一個甜美的微笑，一如他母親的微笑，並說：「也願上帝與你同在，舅舅。」

皇家哩大道擠滿熙來攘往的人群，大家都想好好運用這短短幾個小時溫暖的天氣。我們默默走著，穿過擁擠的人群，我的手深深藏在傑米的肘彎裡。最後傑米搖了搖頭，用蓋爾語低聲對自己嘟囔。

我不曉得他在說什麼，但我能回應他心裡的想法。「你做得對，換作是我，我也會這麼做。無論最後發生什麼事，至少能保麥肯錫一族平安。」

有個軍官對傑米打招呼，傑米向對方點點頭，推擠著走過滿是人潮的「世界盡頭」小巷。「或許吧！但其他人怎麼辦？麥唐納、麥吉利瑞，還有其他已經參戰的氏族怎麼辦？現在他們會不會失敗？如果我鼓起勇氣要柯倫加入，他們本來可能會成功。」傑米搖頭，臉上愁雲密布。「沒人知道，對嗎？英國姑娘。」

「沒錯，大家都知道的不多，也可以說，大家都不能知道太多。但我們也無可奈何啊，不是嗎？」我捏捏他的手臂，輕聲說道。

他向我擠出半個笑容，緊緊把我的手揣在身側。

「沒錯，英國姑娘，我覺得我們也不能做什麼。現在話已經說出口，不能改變，所以也用不著擔心了。麥肯錫不會牽連進來了。」

荷里路德宮的守衛是來自格倫加立的麥唐納族人。他認出傑米，點點頭讓我們進了庭院，幾乎沒抬頭，又繼續找身上的蝨子。溫暖的天氣讓蝨子活躍，這些蝨子離開褲襠和腋下的安樂窩，爬到上衣或格子花呢布這些危險地帶，剛好讓人捉住，被趨之大吉。

傑米面帶微笑，用蓋爾語對守衛說了幾句話。那人笑了，從上衣捏起什麼，彈給傑米。傑米假裝抓住，仔細看著手上，彷彿真有那麼一隻蟲，然後向我一眨眼，把它彈進嘴裡。

我和齊馬諾克爵士一起踏入荷里路德宮的大畫廊，我有禮地問候：「呃，齊馬諾克爵士，令郎的頭還好嗎？」其實我不是很在乎這件事，但既然不能完全避開這個話題，而齊馬諾克爵士也不能在這兒當眾痛罵我，或許在這裡問比較好。

這個房間稱為「大畫廊」，算是名符其實。房間是長條型，有挑高天花板、兩座巨大的壁爐、高聳的窗戶，自從查理王子九月凱旋光臨愛丁堡後，就常在這兒開辦舞會或宴會。現在房裡閃耀生輝，擠滿愛丁堡上流階級的名人，急著向王子輸誠，因為看起來王子真有可能會打勝仗。貴客法蘭西斯科大人站在房間另一端，和查理王子站在一起。今天王子打扮成一副陰鬱的西班牙風格，穿著寬大的深色馬褲，鬆垮的大衣，甚至戴著一個小皺領。在現場年輕時尚的客人間，這身打扮似乎引起不少人私底下嘲笑他。

「弗雷瑟夫人，他已經好多了。像他這種年紀的小夥子，頭上被敲一記要不了多久就會復原的，雖然他的自尊心需要更長的時間來修復。」齊馬諾克爵士沉著氣回答，最後還開了句玩笑，大嘴突然幽默一笑。

我對他微笑，很高興看到他的笑容。「你不生氣？」

他搖了搖頭，低頭看自己的腳有沒有踩到我曳地的裙襬。「我一直想把齊馬諾克的繼承人該學的事教給約翰，謙卑這一項我似乎教得很失敗，也許你的僕人教得比我成功。」

「也許是因為你沒有把他帶到屋外揍一頓。」我心不在焉地說。

「什麼？」

「噢，沒什麼。」我臉紅地說。「你看，羅切爾來了？我以為他病了。」跳舞時再說話會讓我喘不過氣，而齊馬諾克爵士似乎也不想聊天，於是我便環顧四周。查理王子今晚沒有跳舞，雖然他跳得很好，愛丁堡年輕的仕女更是爭相要吸引他的注意。今晚查理王子一心只想讓他的貴客高興。下午我看到一個酒桶滾進廚房，桶身烙著葡萄牙文商標，然後整晚法蘭西斯科大人的左手像變魔法似的，不停出現盛著紅寶石般醇酒的玻璃杯。

我們跳舞的路徑與傑米交錯，穿過舞動的身影，經過一位威廉思小姐身邊。威廉思小姐共有三位，三位看起來都差不多，都是年輕、棕髮、清秀，而且全都「對這崇高的志業感到無比的興趣，弗雷瑟先生」。我對她們感到厭煩，但傑米施展了無比的耐心，和她們三人輪流跳舞，一遍一遍回答同樣的傻問題。

傑米溫柔地解釋：「這讓她們有機會出來透透氣啊，這幾位可憐的小姐。而且她們父親是位富有的商人，殿下希望獲得她們家的響應。」

這位威廉思小姐看來徹底迷上傑米了，我不禁生氣地想，傑米確實獲得很大的響應。然後我的注意力移開了，我看到巴梅立諾正和穆瑞勳爵的妻子跳舞。穆瑞勳爵正和另一位威廉思小姐跳舞，經過妻子身邊時，穆瑞勳爵和妻子交流深情的目光。想到我在意傑米和誰跳舞，我不禁有點慚愧。

柯倫沒出現在舞會上，這並不奇怪。不曉得舞會前柯倫有沒有機會和查理王子談話，但很快我就認為應該沒有。查理王子看起來活潑開朗，精力十足，不像剛聽到壞消息的樣子。

在房間另一頭，我看到兩位矮壯結實的人，穿著正式禮服，兩人看來非常相似，感覺都十分不舒服也不習慣。其中一位是約翰．辛普森，格拉斯哥鑄劍協會的會長，另一位是他兒子，也叫約翰．辛普森。他們本週稍早來訪，獻給殿下配有筐型護腕握把的大刀，這些刀品質精良，享譽全蘇格蘭。這兩位工匠顯然是受邀來讓法蘭西斯科大人看看，表示斯圖亞特的支持者遍及民間。這兩位工匠的鬍鬚頭髮都相當濃密，原本是深色的，現在因長出灰髮而微微斑白。老辛普森的頭髮像鹽一樣雪白，裡頭參雜了一點黑胡椒，而小辛普森只有太陽穴與臉頰上半部，像深色山丘的雪線附近結了一圈白雪。我看到老辛普森突然猛力戳了兒子背部一下，別有用意地朝一位威廉思小姐的方向瞥去，這位小姐正由父親陪著，在舞池邊緣徘徊。

小辛普森狐疑地瞥了父親一眼，接著聳聳肩，往前一站，向第三位威廉思小姐伸出手臂，一鞠躬。

我看得興味盎然，看他們踩著旋轉舞步看得著迷，因為傑米之前遇過辛普森，他告訴我小辛普森的耳朵幾乎聽不到。

傑米得意地向我展示跟辛普森買的美麗刀劍，他說：「我想應該是因為在鍛爐前錘打鑄劍的關係，小辛普森就像石頭一樣聾，只好讓他父親負責講話，但小辛普森的觀察力很好。」

我看到小辛普森那雙銳利的黑眼睛迅速掃過舞池，仔細觀察每對舞者之間的距離。他的腳步有點沉重，但每一個舞步節拍都對上了，跳得起碼和我一樣好。我閉上眼，感覺音樂的彈撥透過木製地板震動，從倚在地上的大提琴傳出，我想他就是跟隨這個節奏。然後我睜開眼睛，免得撞上別人。小提琴拉錯了，發出尖銳刺耳的聲音，我看到小辛普森縮了一下。看來，他或許還是能聽到一些聲音。

我和齊馬諾克隨著舞者繞圈旋轉，接近查理王子及法蘭西斯科大人，這兩人正站在以瓷磚圍繞裝飾的巨大壁爐前，烘暖自己的燕尾服。沒想到，查理王子竟然在法蘭西斯科大人背後對我皺眉，一隻手偷偷示意要我離開。我們轉身時，齊馬諾克看到了，他笑了一聲。

「看來殿下不敢把妳介紹給西班牙人！」他說道。

「真的？」我們旋身離開，我回頭一望，查理王子已經開始談天，一邊說一邊揮舞誇張的義大利手勢。

「應該沒錯。」齊馬諾克跳舞技巧很好，我開始覺得比較放鬆，能夠說話，不再一直擔心絆到裙子。

「妳看過那些可笑的傳單嗎?巴梅立諾拿給每個人看。」他問，看我點點頭，又接下去：「我想殿下也看到了，那個西班牙人非常迷信，竟然會相信那些蠢話，真可笑。有點腦袋或有點教養的人都不會當真，但顯然殿下認為還是小心為上。畢竟為了西班牙黃金，很多東西都可以犧牲。」犧牲的顯然也包括齊馬諾克的自尊；查理王子對蘇格蘭伯爵和高地氏族首領的態度，依然像是對待圍繞在他桌邊的乞丐一樣，儘管今晚他們總算還受邀參加慶祝活動，但無疑是為了給法蘭西斯科大人一個好印象。

「你注意到那些畫像嗎？」我想換個話題，於是開口問。大畫廊的牆上掛了上百幅的畫，都是國王皇后的肖像，所有肖像間都有一個驚人的相似處。

齊馬諾克看著查理王子和那個西班牙人，原本表情冷峻，聽了我的話，開心地笑了。「喔，妳說鼻子嗎？是，我注意到了，妳知道背後的由來嗎？」

原來這些肖像都是出自同一位畫家的手筆，畫家名叫雅各．德威特。查理二世要重建先祖的偉業，於是委託德威特畫自己祖先的肖像，從蘇格蘭國王羅伯特．布魯斯開始畫起。

「這是為了讓大家知道他來自古老的皇室血統，並且讓修建盡善盡美。」齊馬諾克解釋，嘴角帶著苦笑。「不曉得詹姆斯國王重回寶座後，會不會進行類似的修復計畫？」

齊馬諾克繼續解釋。總之，德威特畫得飛快，每兩個星期就完成一幅肖像，這樣才能趕上國王要求的期限。問題是，德威特沒辦法知道查理王子的祖先實際上長什麼樣子，於是只要能找得到人，拖進他的工作室當模特兒，他就照那人的長相來畫，然後每幅都按上同一個顯眼的鼻子，讓他們看來像同一個家族。

「這是查理國王本人。」齊馬諾克對一幅全身肖像點點頭。畫裡的人穿著紅色天鵝絨服裝與插了華美羽飾的帽子，顯得金碧輝煌。齊馬諾克以審視的目光，往查理王子的方向看了一眼。查理王子滿臉通紅，顯然他的貴客喝酒，他也殷勤地陪著喝。

「起碼鼻子長得比較好看。他母親是波蘭人。」齊馬諾克喃喃地說，像在自言自語。

時間逐漸晚了，愛丁堡的名門世家喝酒跳舞還沒盡興，但銀製大燭臺上的燭光已逐漸搖曳、熄滅。法蘭西斯科大人可能不像查理王子那樣習慣縱情豪飲，他已經酩酊大醉，打著瞌睡，臉垂到環形皺領上。

傑米領最後一位威廉思小姐到她父親身邊，啟程回家，臉上表情明顯鬆了一口氣，來到我坐的那個角落。我在這兒找到一張椅子，可以用展開的裙襬掩護，讓我脫掉鞋子。希望我不用很快又得再穿上鞋。

傑米在我旁邊一個空位坐下來，用一條大大的白色手帕抹他通紅的臉。旁邊的小桌子有個托盤，上面放著幾塊剩下的的蛋糕，他伸手越過我去拿。

「我快餓死了。跳舞讓人食欲好得不得了，聊天更糟糕。」他說。他一口塞進整塊蛋糕，咬兩下，又拿了另一塊。

我看到查理王子對著攤成一團的西班牙貴客彎下腰，搖晃他的肩膀，對方沒什麼反應。西班牙特使的頭往後仰，八字鬍下垂，嘴巴半開。殿下站得搖搖晃晃，環顧四周想找人幫忙，但謝爾登和督里巴爾汀兩位都是老人家，而且已經睡著了，還相親相愛靠在一起，就像兩個穿著蕾絲和天鵝絨服裝的鄉下老酒鬼。

「或許你最好去幫殿下一把。」我建議傑米。

「唔嗯。」傑米嘴裡都是食物。

傑米打消繼續吃的念頭，囫圇吞下嘴裡的蛋糕，但就在他起身前，我看到小辛普森很快已經發現情況，用手肘輕推了一下他父親的肋骨。

老辛普森走向前，彬彬有禮地向查理王子鞠躬，呆滯無神的王子還來不及反應，老小兩位辛普森就一人抓手腕，一人抓腳踝，使出打鐵鍛鍊出的肌肉，把西班牙特使從座位上抬起來，抓著他往前走。西班牙特使在兩人間輕輕擺動，好像打獵捕到的獵物。他們在大廳另一端走出門，消失了，搖搖晃晃的王子殿下在後面跟著。

隨著這不太優雅的退場，舞會也結束了。

其他客人開始放鬆，準備動身離開，女士走進休息室拿披肩和斗篷，男士圍成一個個小圈圈，不耐煩地互相抱怨，說女人總要花很長的時間才能打點妥當。

我們暫住在荷里路德宮，於是從畫廊北端的另一扇門離開，穿過晨間與午後會客室，走到主樓梯。

樓梯與轉角平臺邊的牆上掛著一幅幅壁毯，在燭光下朦朦朧朧，隱隱散發銀色的光輝。就在壁毯下，高大的安格斯．莫荷矗立在那裡，巨大的影子投射在牆上彷彿壁毯的影子，隨燭光搖曳而閃爍不定。

「主人去世了。」他說。

—

「殿下說，或許這樣也好。」傑米告訴我，口吻諷刺而苦澀。

他看我聽了這句話震驚又困惑，補充說明：「因為杜戈爾一直很樂意加入殿下的大軍，現在柯倫走了，杜戈爾當家，所以里歐赫堡的麥肯錫族會加入高地軍，一起前進，無論等在前方的是不是勝利。」

悲傷和疲憊深深刻在傑米臉上，我走到他的背後，手放上他寬闊的肩膀，用手指按摩他肩膀與脖子的交界處，他沒有拒絕，偶爾舒坦地低吟出聲。我又讓他低下頭，趴在手臂上。傑米坐在我們房間的書桌前，成疊的信件與文件一落落整齊地堆疊在四周。除了文件還有一本小筆記本，紅色摩洛哥皮裝訂，已磨損得厲害。這是柯倫的日記，傑米從柯倫房裡拿來，希望從最近的紀錄找到證據，證明柯倫決定不支持詹姆斯黨的事業。

傑米之前一邊翻閱記載得密密麻麻的頁面，面容冷峻，一邊說：「這不太可能動搖杜戈爾的決定，但也沒別的方法了。」

然而，柯倫的日記裡沒有最後三天的記錄，只有短短一條，顯然是前天他從教堂回來後寫的。

和傑米及他的妻子見面。終於和艾倫和好。

這點對柯倫當然很重要，對傑米，或許對艾倫也很重要。但要改變杜戈爾參戰的決定，用處不大。

過了一會兒，傑米坐直，轉身面對我。他深沉的雙眼滿是憂鬱，感覺已經聽天由命。

「克萊兒，這代表現在我們必須全心全意為查理奉獻了，我們別無選擇，一定要努力幫他打贏。」

我喝了太多酒，口中乾澀。我舔舔嘴巴，潤濕嘴唇，才開口回答傑米。「我想是吧！可惡！為什麼柯倫就不能再多等一會兒？只要等到明天早上，就能和查理見面了！」傑米不自然地一笑。

「我想他也無能為力吧，英國姑娘。沒人能自己決定何時離開人世。」

「但柯倫就想自己決定。」我一直三心兩意，不知道是否該告訴傑米我第一次和柯倫在荷里路德宮見面時談了些什麼，但現在也不需要為柯倫保守祕密了。

傑米知道柯倫曾想自己結束生命，不敢置信地搖搖頭，嘆口氣，肩膀也重重垂了下來。「克萊兒，我在想，這會不會是一個預兆？」他喃喃地說，有點自言自語。

「預兆？」

「現在柯倫來不及在死前照自己的意思拒絕查理，這會不會是一個預兆，代表查理注定能贏得戰爭？」

我回想最後一次看到的柯倫。死神降臨時，他正坐在床上，手邊一杯白蘭地還沒喝，然後一如他所願，神智清醒地面對死亡。他的頭往後仰，兩眼圓睜，呆滯的雙眼已經看不到背後的景色。他依舊緊抿著雙唇，從鼻子到臉頰出現慣有的深深刻痕。一直與他如影隨形的痛苦，陪伴他到最後一刻。

最後我說：「天曉得。」

傑米的聲音從手臂間傳出，聽起來悶悶的。「是啊！真希望有人能曉得。」

第三十八章
與魔鬼交易

汗水從我的肋骨流淌而下，
我的信心淹沒在抽泣聲裡。
就因為失去法蘭克，
所以我必須付出這個代價？

鼻炎就像灑下陣陣冷雨的那片雲，遮蔽了山丘上的愛丁堡城堡。雨水日夜不停地落在街道上，鵝卵石地面如果有片刻沒沾上汙水，很快就會給更多痰液濺上，每條巷弄的地面都因此黏膩濕滑，而且家家戶戶的壁爐都燒著柴火，屋內從腰部到天花板都充塞著嗆人煙霧。

戶外的天氣儘管陰冷濕寒，我還是在荷里路德宮的庭院與卡農蓋特街❶消磨了不少時間。與其在室內吸入滿腔燒柴廢氣與充滿細菌的空氣，還不如淋得一臉雨。咳嗽和打噴嚏的聲音此起彼落，還好王子殿下相當注重教養，讓用力咳嗽的人知道自制，不把痰吐在拋光的蘇格蘭橡木地板上，而是吐在手帕上，或是鋪了臺夫特磁磚的壁爐裡。

每年這時節天色暗得早，我從最熱鬧的高街中央路段轉身往回走，好在天黑前抵達荷里路德宮。我一點也不擔心會在黑暗中遭到襲擊，就算現在駐紮在城裡的詹姆斯黨軍隊還沒有全都認識我，但因為他們對新鮮空氣避之唯恐不及，所以全都待在屋裡。

男人要是還能出門作生意，火速忙完就會趕緊鑽進煙霧瀰漫的珍妮哈小酒館，舒服地緊挨在一塊兒，裡頭儘管溫暖卻空氣不流通，潮濕羊毛、幾天沒洗的身體、威士忌與麥酒的氣味，幾乎壓過火爐薰人的蒸氣。

我只擔心在黑暗中滑倒，在濕滑的鵝卵石上跌斷腳踝。城裡只有守城人的提燈發出微弱的亮光，這些提燈又常在不同門口鑽進鑽出，燈光明明滅滅就像螢火蟲，讓人心煩意亂。有時這些提燈甚至一口氣消失了半個小時，因為掌燈的人閃進卡農蓋特街尾的「世界盡頭」小巷裡，灌下一杯救命的熱麥酒。

我往卡農蓋特教堂的方向看去，打量那裡的微光，估算還有多久會天黑。運氣好的話，我或許有時間去一趟霍先生的藥劑店。霍先生的藥劑店商品種類雖然不如雷蒙大師在巴黎的店，但他賣的馬栗及紅榆樹皮也是真材實料，想要薄荷或伏牛花籽，他多半也有貨。每年這時候，他賣得最好的是樟腦球，本地人認為樟腦球是治感冒、鼻炎、結核病的靈藥。我想，樟腦球治感冒的效果和現代的感冒藥大概不相上下，但至少聞起來令人神清氣爽。

儘管這段時間人人都鼻頭紅腫、一臉蒼白，宮裡一週還是舉行好幾晚的宴會，以表示愛丁堡的貴族竭誠熱情歡迎王子殿下。再過兩個小時，負責提燈的僕人就會陪同去舞會的主人出現在街上，讓高街一片閃爍。

我嘆了口氣，想到了之前參加的另一場舞會，參加的男士個個打著噴嚏，用濃重的鼻音讚美女伴。或許我的購物清單上該加上一項大蒜，這裡人把大蒜放在銀製香盒，佩戴在頸上，認為可以怯病保健。我想，大蒜實際的作用應該是驅離染病的同伴，讓他們保持一段安全距離，在我看來，這對預防感冒也有奇效。

查理王子的部隊占領了愛丁堡，雖然沒有圍攻英國人，但至少把他們逼到山丘上的城堡。兩方內部都有消息傳出，但沒有人能證實可靠性。霍先生說，最近謠傳坎伯蘭公爵在伯斯南方集結部隊，似乎很快就會向北進攻。對此我大感懷疑，因為就我記憶所及，坎伯蘭公爵在一七四六年春天以前，幾乎沒有什麼重要的活動，時機還沒到，但我也很難忽視這則流言。

門口的哨兵一邊咳嗽，一邊向我點頭，讓我進門。守在走廊和樓梯口的守衛也是咳個不停，我經過他們身邊時勉強克制衝動，才沒對他們揮舞大蒜。我上樓走到午後會客室，沒有人盤查，讓我揚長而入。

殿下身邊坐著傑米、艾涅斯、歐蘇利文、祕書，以及一位性情乖僻卻備受殿下青睞的男子法蘭西斯・湯森。他們大多紅著鼻子猛打噴嚏，寬闊的壁爐架前滿地是痰。我目光銳利地朝傑米一瞥，他無精打采、蒼白

---

❶愛丁堡的最主要幹道是皇家哩大道（Royal Mile），大道兩端連接了荷里路德宮與愛丁堡城堡，依序分為六段，分別名為：修道院街（Abbey Strand）、卡農蓋特街（Canongate）、高街（High Street）、勞恩市場路（Lawnmarket）、城堡丘路（Castlehill）、城堡廣場路（Castle Esplanade）。

無力地頹坐在椅子上。

在座的人都很習慣我到城裡搜刮藥材，也期待我蒐集來的英軍情報，所以這次也聚精會神地聽我說。等我說完，殿下優雅地向我致意，微笑著說：「弗雷瑟夫人，謝謝妳的消息，我們真是不勝感激。有什麼可以讓我報答妳，請不吝告訴我。」

我抓住機會說：「的確有，我想帶我丈夫回房休養。現在，馬上！」

查理王子瞪大了眼睛，但很快收起錯愕。艾涅斯就沒克制住，突然爆出可疑的咳嗽，彷彿就快窒息。傑米蒼白的臉突然漲成深紅色打了個噴嚏，接著把臉埋在手帕裡，手帕上方的藍眼瞪著我。

查理王子勇敢地面對我的要求。「噢……妳的丈夫啊，呃……」他臉頰浮起淡淡的紅暈。

我有點魯莽地說道：「他病了，想必您看得出來吧？我想讓他上床休養。」

「喔，休養。」麥唐納喃喃自語。

我想出了比較客氣說詞：「請原諒我丈夫暫時沒辦法服侍殿下，假使不讓他充分休養，恐怕往後就無法繼續侍奉您了。」

查理王子剛才有點慌張，現在已經鎮定下來，現在看到傑米一臉狼狽尷尬，似乎覺得很有趣。他看著傑米，傑米臉上青一陣白一陣。「這當然，我們甚為不願夫人您說的情況發生。」查理王子朝我點頭。「就照您的意思，夫人，親愛的傑米不必再與我們為伴，直至他康復為止。您只管即刻帶丈夫回房吧，並且……呃，為他施予任何……嗯，適當的治療。」王子的嘴角牽動了一下，從口袋掏出一條大手帕，學傑米把臉的下半部埋在手帕裡，輕輕咳嗽。

「保重啊，殿下。您可能給弗雷瑟先生傳染了。」麥唐納的建議不知怎地聽來有點諷刺。

「真希望我的身體有一半弗雷瑟先生的不適啊！」湯森低聲說，絲毫不掩蓋那副譏諷的冷笑，讓他看起來活像雞舍裡的狐狸。

傑米的臉看起來就像顆凍壞的番茄那樣慘紅，他趕緊起身對王子行禮，簡短說了：「感謝您，殿下。」便抓住我的手臂，往門口走去。

我們飛快走過休息室門口的守衛時，我對傑米大喊：「放手，我的手快被你扭斷了。」

傑米低聲說：「很好，等到只剩我們兩個，我還要把妳脖子扭斷。」但我看到他唇角的一抹笑意，就明白他這等粗暴也是配合演出。

等我們一進房，小心關上門，傑米便一把將我拉到懷裡，臉頰抵著我的頭，身體倚著門大笑起來。

「謝謝妳，英國姑娘。」他喘著笑道。

「你不生氣？你明白我無意讓你難堪吧？」因為臉貼在他胸前，我的聲音聽起來有點模糊。

「不，我一點也不氣。」傑米放開我說道：「老天，只要能讓我離開殿下休息一下，就算妳打算要在宮裡的大畫廊放火燒我，我也不介意。我真是受夠那群人了，而且身上每條肌肉都在痛。」他突然一陣猛咳，身子半搖晃地往門靠著穩住身體。

「你沒事吧？」我踮起腳尖，摸他額頭。他的皮膚十分燙手，他發燒我不驚訝，但這熱度讓我擔心。

「你發燒了！」我責備道。

「欸，每個人都發燒了，英國姑娘，只是有些人燒得比較厲害，不是嗎？」傑米跟我鬧彆扭。

傑米還有力氣狡辯，讓我放心不少。「別跟我辯，衣服脫掉！」眼見他笑嘻嘻地還想開口反駁，我先聲奪人道：「不准說話！看你病成這樣，除了先給你換上睡衣，我還不知道該怎麼處置你。」

傑米邊解開上衣，邊逗著我：「是嗎？你不覺得我先運動一下比較好嗎？我記得妳說過多運動多健康。」他的笑聲突然轉成一陣嘶啞的咳嗽，讓他滿臉通紅，幾乎喘不過氣。上衣落地，他又冷得打哆嗦。

「這對你來說太過健康了，老兄。」我使勁把厚厚的羊毛睡衣套上他的頭，讓他自己扭身穿進去，我則一邊脫掉他的蘇格蘭裙、鞋子、襪子。「天啊，你腳好冰！」

「妳可以……幫我……取暖。」他牙齒直打顫，好不容易擠出這幾個字。我領他上床，他也沒有抗拒。我用火鉗夾起一塊熱磚，包在法蘭絨裡，塞在他腳下。現在他抖得說不出話來。寒意很難受，但去得也快。我倒了一盆水，浸入一把薄荷與黑醋栗，這時他已經能躺好不再發抖了。

「那是什麼？」我打開籃子裡的另一個罐子時，他嗅著鼻子狐疑地問道：「妳不會要我喝吧？聞起來像隻風乾太久的鴨子。」

「很接近了，這是混合樟腦的鵝脂，要拿來揉開你的胸口。」我說。

「不要！」傑米一把抓起床罩，拉到下巴護著胸口。

「要。」我堅決地動手。我揉到一半，才發現有人正盯著我們。佛戈斯站在床另一邊角落，津津有味地看著整個過程，鼻水還流個不停。我退開頂著傑米肚子的膝蓋，伸手拿手帕。

「你在這裡做什麼？」傑米一邊質問，一邊想把睡衣拉好。

這不友善的招呼沒有嚇到佛戈斯，他忽視我遞來的手帕，用衣袖抹了鼻子，瞪大眼睛欽佩地看著敞開在眼前寬闊結實、隱隱發出光澤的胸肌。

「有個瘦巴巴的老爺要我來拿一件包裹，他說包裹在您這兒。老爺，是不是所有蘇格蘭人的胸口都這麼多毛啊？」

「老天爺！我完全忘了包裹的事。等等，我自己拿給卡梅隆。」

傑米在床上掙扎著要起身，當鼻子一靠近胸口，便聞到我剛剛抹在他胸口的鵝脂。

「噁！」傑米搧著睡衣，想驅散那股揮之不去的味道，還生氣地怒視著我：「我要怎麼把這臭味弄掉，英國姑娘？要讓我渾身死鵝味走出去嗎？」

「沒有，我要你靜靜躺在床上休養，否則你很快就會變死鵝。」要比瞪眼，我的眼睛瞪得比他還大。

佛戈斯要傑米放心：「老爺，我可以幫你送。」

我注意到佛戈斯雙頰通紅，雙眼無神，於是用手摸他額頭。「你也不准去。」

傑米諷刺道：「你該不會要告訴我，佛戈斯也發燒了吧？」

「沒錯。」

傑米一臉陰沉，同時又幸災樂禍。「哈，這下輪到你了！看你喜不喜歡人家往你身上抹油。」

我忙了一陣子，終於好好幫佛戈斯擦了一遍鵝油，讓他喝了藥草茶，在壁爐前打地鋪睡下來，然後往兩個病人下巴各塞一條乾淨手帕。

我仔細在水盆裡把手洗得乾乾淨淨。「好了，我來把這個了不起的包裹送到卡梅隆先生那兒，你們就休息、喝熱茶、休息、擤鼻涕、休息，照這個順序循環。懂了嗎，大兵？」

傑米通紅的長鼻子在被單上方隱隱露出的鼻尖，跟著傑米搖頭而擺動。他不以為然地對著天花板說：「妳已經沉醉在權力中了，這樣很沒女人味！」

我吻了他發燙的額頭，從掛鉤上抽下斗篷。

「親愛的，你真的很不了解女人呢！」

—

伊旺．卡梅隆在荷里路德宮負責情報操作。他的辦公地點在西棟靠近廚房的一個小房間。看過他吃東西的胃口後，我懷疑安排在廚房附近是有原因的。從他蒼白的臉看來，我想可能是條蟲惹的禍。他打開包裹，掃視裡面的東西。

「沒問題嗎？」我問道，並努力克制自己不要習慣性加上「長官」兩個字。我的問題打斷了他的思緒，讓他吃了一驚，猛然抬起頭來對著我眨眨眼睛。

「嗯？喔！」他回過神來，趕緊笑著道歉。「對不起，弗雷瑟夫人，一時忘我讓妳站在那兒，我真失禮。是的，沒問題……這很有意思。」他喃喃自語，然後突然又想起我的存在：「可以麻煩妳告訴妳丈夫嗎？我想盡快和他討論這包裹的事。我知道他現在不太舒服。」他小心避開我的眼睛說道。顯然，艾涅斯八卦起來很有效率，已經把我和王子會面的情況告訴其他人了。

「他是不太舒服。」我無所謂地答道。我一點也不想讓傑米下床，整晚坐著和卡梅隆與羅切爾研究這些情報包裹，這和通宵與愛丁堡的女士跳舞一樣慘。我想起那三位威廉思小姐，更正自己：可能沒那麼慘。

我收攏斗篷準備離開。「等他好一點，一定會立刻找您討論。我會轉告他。」我的確會轉告，不過要等到明天，或是後天。無論目前英國軍隊在哪裡，我肯定他們不在愛丁堡方圓百里之內。

我很快回到臥室查看，那兩塊被子安穩地隆起動也不動，整個房間都是緩慢而穩定的呼吸聲，聽起來只有一點鼻塞。我放心脫掉斗篷，走回客廳坐下來，替自己倒一杯加了白蘭地藥酒的祛寒熱茶。

我慢慢啜飲，感覺一股熱流注入胸口中央，舒適地蔓延到腹部，再循循向下流到腳趾。我剛才因為不想迂迴穿梭於屋裡無止盡的階梯和轉角，所以一口氣穿過庭院，把腳趾給凍僵了。

我舉杯到唇邊，吸入帶有苦味的香氣，感覺白蘭地的熱氣清澈了我的鼻子。我一邊嗅聞一邊想，愛丁堡城堡和荷里路德宮裡流感肆虐，但究竟為什麼我的鼻子依然暢通無阻？

事實上，我通過石陣後，除了產褥熱，一次病也沒生過。這很奇怪，以這裡的衛生清潔條件，以及我們時常居住在十分擁擠的環境來看，我這次至少應該流個鼻涕才對。但我還是一如往常，令人受不了的健康。

顯然我不是對所有疾病免疫，否則在巴黎時不會發燒。但常見的傳染病呢？當然，我接種了疫苗，所以不會染上天花、傷寒、霍亂、黃熱病等等。這裡不太可能有黃熱病，但總之我不會染上。我放下杯子，透過衣袖撫著左手胳臂。接種疫苗的疤痕隨時間已經淡了，但還是摸得出來。一個接近圓形的坑疤，直徑大約一公分。

我微微打了一個寒顫後想起潔莉絲，然後又揮開這個念頭，再次把思緒轉回我的健康情況，以免想到這個被火燒死的女人，或想到柯倫，那個把她送進火中的男人。

杯子差不多空了，我起身再倒一杯，思緒繼續轉著。或許是由於後天的免疫力？在護士訓練課程中，我學到感冒是由無數的病毒引起，每隻病毒都不同，而且會不斷變種。課程中老師解釋，一旦接觸到某種病毒，你就會對它免疫。你遇到不同的新病毒還是會著涼，但隨著年紀越大，接觸到新病毒的機會就越小。所以，老師說，兒童一年平均感冒六次，中年人只有兩次，老年人要好幾年才會感冒一次；這正是因為他們已經接觸過大半部常見的病毒，所以免疫了。

我想出一種可能。隨著病毒和人類共同演進，或許有些免疫可以遺傳？我知道透過胎盤或哺乳，許多疾病的抗體可以由母親傳給孩子，所以孩子暫時能對母親得過的所有疾病免疫。也許我從來不感冒，是因為身上有祖先對十八世紀病毒的抗體？我要感謝過去兩百年來我祖先得過的感冒？

我琢磨著這個有趣的想法，就站在房間中央喝著我的茶，忘了回座。這時傳來輕輕的敲門聲。

我因為思緒被打斷而惱火，不耐煩地嘆了口氣。我懶得把杯子放下，就走到門邊，準備答謝（然後趕走）那些來關心傑米健康的人。也許卡梅隆對文件中一段話不是很清楚，或者殿下認真考慮後，決定收回他大方的命令，轉念要傑米出席舞會。他們想讓傑米下床，先過我這關再說。

我打開門，招呼的話堵在我喉間……

那個站在門口的陰影，是黑傑克。

—

溢出的茶水潑灑到裙子才讓我回過神來，但黑傑克已經走進房間。他帶著一貫輕蔑的眼神，上下打量著我，然後瞟了一眼緊閉的臥室房門。

「妳一個人？」

「對！」

那雙淡褐色的眼睛在我和臥房門間來回掃射，評估我說的是不是實話。從他的臉色看來，他健康狀況不佳，加上營養不良、冬天長期待在室內而膚色蒼白，但警覺的表情絲毫不減。他聰明而冷酷的個性收斂了一點，掩蓋在冰冷的眼神下，但毫無疑問他的本性如故。

黑傑克突然下了決定，抓住我的手臂，另一隻手撈起我放在旁邊的斗篷。

「跟我來。」

就算他要把我大卸八塊，我也不會出聲讓臥房的門打開。

直到我們走到外面走廊，我才覺得敢開口說話。在荷里路德宮裡，軍隊人員住的區域沒有守衛，但庭院巡邏很頻繁。黑傑克要帶我通過岩石庭園或側門，一定會受盤查，更別提經過皇宮的大門了。所以，不管他想對我做什麼，一定是在荷里路德宮的範圍內能解決的事。

也許黑傑克想殺我，報復傑米傷了他？想到這點，我的胃腸一陣翻攪。我們迅速走過走廊，踏過牆上燭臺投下的一圈圈燭光，我也盡可能仔細觀察他。這一區的蠟燭並非用來裝飾或表現氣派，每枝都很小而且彼此相隔很遠，光線微弱，只是用來讓訪客認出回到自己房間的路。

黑傑克沒有穿制服，而且似乎手無寸鐵；他打扮樸實平凡，披著一件厚外套，穿著素色的短褲和長筒襪，頭上沒戴假髮。要不是他筆挺的身形，加上略顯傲慢而抬高的下巴，讓人可以輕易猜出他的身分，他大可喬裝成僕人，跟著一群群來參加舞會的人，溜進庭院。

我們從黯淡微光下走進明亮的地方，我警戒地看著他，心想：「不會，他不是要殺我，儘管他鉗著我的手臂像鐵柱一樣堅硬，但他沒有帶武器。就算他想勒死我，我也不會這麼容易就範，我身高幾乎和他一樣，而且吃得比他有營養多了。」

他似乎察覺到我的想法，在走廊盡頭停下來，拉我轉身面對他，兩手緊緊握住我手肘上方。

「我不會傷害妳。」他聲音雖低，但很堅定。

「但願如此。」我口裡說著，心裡則評估如果在這兒尖叫，會不會有人聽到。我知道樓梯底層有守衛，但那還隔著兩道門、一層樓梯平臺，以及一道長長的階梯。

此時，我們也在這兒相持不下，他沒辦法把我帶遠，我也沒辦法喚人幫忙。走廊這頭住的人不多，而且現在必定在另一棟樓裡，不是參加舞會，就是在舞會上幫忙。

他不耐地開口。「別傻了，如果要殺妳，在這裡動手安全多了，根本不必帶妳出宮。況且，如果真要傷害妳——不管在裡面或外面——我何必還帶上妳的斗篷？」他手上的斗篷不言而喻。

「我怎麼可能了解你的企圖？你帶上我的斗篷又想做何用？」我嘴裡這麼說，但心裡也覺得有道理。

「因為我希望妳跟我到宮外，我想和妳談個交易，但絕對不能冒險被任何人聽到。」他瞥了一眼走廊盡頭的門。這扇門就像荷里路德宮其他的門一樣，屬於「十字與聖經」風格，上方四格門板構成十字，下方兩片豎直的門板仿效打開的聖經。荷里路德宮以前是座修道院。

「妳可以進教堂嗎？我們在那裡說話，不怕被打擾。」他說得沒錯，毗鄰宮殿的教堂原本是修道院的一部分，荒廢後好幾年都沒有整修，因此是守衛安全的死角。我有點猶豫，不曉得該怎麼做。

「想清楚，女人！我為什麼要冒這個險入宮？」他輕輕搖晃我肩膀，然後放開我，站到一邊。燭光從他背後照來，使他的五官在我眼中一片黑暗模糊。

問得好。一旦他變裝離開城堡，就能在愛丁堡的街弄為所欲為了。他大可以潛伏在街道巷弄裡，等我出門做例行的探險，就能在路上挾持我。他沒有這樣做，唯一的理由如同他所說，他必須和我說話，但不能讓任何人發現。

他從我的表情讀出我心裡的結論，於是稍微放鬆了肩膀，抖開斗篷，等我披上。

「我向妳保證，談完之後妳會毫髮無傷地離開。」

我想從他的表情找出一些蛛絲馬跡，但他瘦削、輪廓清晰的臉上什麼表情都沒有。他目光堅定，不透露一絲訊息，我好像照鏡子一般，看著自己的眼睛。

我手伸向斗篷說道：「好吧！」

我們走向幽暗的岩石庭院，路上經過一個崗哨，我只向他點個頭。我有時會在晚上出去，到城裡為急病患者出診。守衛目光銳利地看著黑傑克。如果傑米無法陪我出門，通常是穆塔夫陪我，但從黑傑克的打扮，沒有人認得出他是英軍的隊長。黑傑克漠然回看守衛一眼，皇宮的大門在我們背後關上，我們便置身在漆黑寒冷的宮外。

之前下過雨，但風暴已經散去。狂風把厚厚的雲層吹得一絲一絲，從頭頂飛掠而過，又呼嘯著把我的斗篷吹得翻飛，裙子緊貼我的腿。

「往這邊。」黑傑克說。我緊抓著厚重的天鵝絨，低頭迎風跟在他瘦削身影後，走過岩石庭院的道路。我們來到地勢較低的一頭，停下來快速環顧四周，便迅速穿過草地來到教堂入口。門傾斜半掩，這座建築結構有問題，非常危險，所以已經廢棄了好幾年，也一直沒有人花時間來修復。我邊走邊踢著路上的枯葉和垃圾，好清出一條路，從皇宮後院閃爍的月光下，鑽進教堂的一片黑暗中。

其實教堂也不全然漆黑一片。眼睛適應黑暗後，我看到大殿兩側有整列高大的支柱向前延伸，遠方盡頭巨大的窗戶上有精細的石雕，玻璃大多不見了。

影子在黑暗中閃動，於是我知道黑傑克的去向。我拐個彎走近兩根支柱之間，發現他站在一處凹洞附近，那兒原本是洗禮池，現在只在牆邊留下了一座石檯。兩邊牆上是駁雜的白斑，那是埋在教堂裡的人的紀念碑。其他石碑平放，嵌在中央走道兩側的地板上，來往的腳步將碑上的姓名磨得模糊。

「好了，現在沒有人會聽到我們說話了。你要我做什麼？」

「運用妳的醫術，還有在此事上展現謹慎的決斷力，交換我知道的英軍行動和計畫情報。」

我太過驚愕，完全沒料想到他開口所說的這番話。他該不會是想……

我毫不掩飾聲音裡的恐懼與訝異開口道：「你想找醫生治病？你要我治？我知道你……呃……」我費了好大的力氣，才勉強讓自己清楚地把話說完：「你已經試過所有的療法了？你看起來身體狀況還不錯。」至少從外表看起來是這樣。我咬住下唇，克制自己不要變得歇斯底里。

「據了解，我能活下來算幸運了。」他冷酷答道。「但妳的觀點值得商確。」他把提燈放在牆壁凹陷處，那裡原本的洗禮盆已經乾涸。

他繼續說：「我想，妳問這個問題應該是出於醫學上的好奇，而不是關切我個人的福祉。」提燈在他的腰部，照亮他肋骨以下的部位，他的頭和肩膀則籠罩在黑暗裡。他一手放在褲子腰帶上，微微轉向我。

「妳想檢查傷處，判斷治療有沒有成效嗎？」陰影遮住他的臉，但從他冰冷的聲音聽得出一絲惡毒。我的語氣和他一樣冰冷。「改天吧！如果需要治療的不是你，那是誰？」

他遲疑了，但此刻想有所保留，為時已晚。

「我兄弟。」

我藏不住聲音裡震驚：「你兄弟？亞歷山大？」

他冷冷地說：「據我所知，我兄長威廉正在索塞克斯管理家族財產，不需要人幫忙，所以沒錯，是我弟弟亞歷山大。」

我張開雙手扶住冰冷石棺，穩住自己。

「把狀況告訴我吧！」

——

這故事聽起來很簡單，也很悲傷。如果說故事的人不是黑傑克，我可能會很同情他。

亞歷山大因為和瑪莉往來，被森丁罕公爵解除了職務，又因為身體太虛弱，無法勝任其他職位，最後只好向兄長求助。

黑傑克雙腳交叉靠牆站著。「威廉寄給他兩磅，還寫了一封信殷殷告誡。我想威廉也很誠懇，但他沒辦法讓亞歷回索塞克斯，因為威廉的妻子有點……怎麼說？極端？對宗教有點極端。」他的聲音中帶著幽默，我突然間對他產生好感。也許在不同的情況下，他就像法蘭克，那個長相神似他的第五代孫？

想到法蘭克，我的思緒散亂漏拍，沒聽到他下一句話。

「對不起，你剛剛說什麼？」我右手手指緊抓著左手的金戒指。法蘭克已經不再，我不能再想他了。

「我說，我在城堡附近找了一個房間讓亞歷山大住下來，這樣我可以照顧他，因為我的收入不夠為他請個適合的僕人。」

但高地軍占領了愛丁堡，他要照顧亞歷山大十分困難，所以過去一個月亞歷山大幾乎都是自力更生，只有一個臨時幫傭偶爾前去打掃。亞歷山大原本就健康不佳，再加上天寒地凍、飲食不良、環境惡劣，讓他病得更重，現在更是岌岌可危，黑傑克不得不找我幫忙。為了要我幫他，他只得背叛自己效忠的國王。聽完，我從石匾前轉過身來問他：「為什麼找我？」

我的問題讓他有點意外。

「因為妳的身分。如果我要出賣自己的靈魂，不就是要找上黑暗力量嗎？」他的雙唇微彎，掛著自我解嘲的笑容。

「你真的認為我擁有黑暗的力量？」顯然他是。他很會嘲弄人，但在他的提議背後，是認真的。

他靠著石頭窗臺，在黑暗挪動一下身體。「除了妳在巴黎發生的事，我讓妳離開溫特沃斯監獄時，妳也親口告訴過我。」

他靜靜地說：「我大錯特錯，不該讓妳活著離開那兒，妳太危險了。但我別無選擇，為了得到他，代價是讓妳活命。而且從我得到的來看，更高的代價我都願意付。」

我下意識發出輕噓，雖然立刻掩住，但他已經聽到了。他半坐在窗臺上，一邊臀部倚著石頭，一條長腿向下抵著，保持平衡。月光從翻飛的雲層間射出，透過破碎的窗口照在他背後。在黯淡微光下，他頭轉過一半，黑暗抹去他唇邊冷酷的線條，我可能又一次誤認他，像以前一樣，誤以為他是我愛過的人……以為他是法蘭克。

但是由於我的選擇，我辜負了法蘭克，他永遠不會出世了。「追討罪孽自父及子……你要消滅他，使他的根乾枯，枝子凋謝，他的名不再被以色列的支派認識。」我心底響起這段經文。

輕快的聲音從陰影中響起：「他告訴妳了？他有沒有告訴妳我們之間的一切？我和他，在溫特沃斯的那個小房間？」我又驚又怒，但注意到他嚴守傑米的禁令，沒有一次提到他的名字。他說的是「他」，完全沒有提道「傑米」。這個名字是屬於我的。

我咬牙切齒，勉強從齒縫間擠出這句話：「他說了所有的一切。」

他輕輕發出半像是嘆息的聲音。「我們之間有種聯繫，我和妳，不管妳喜不喜歡這個想法。我也不喜歡，但我承認的確有這回事。妳像我一樣，知道他肌膚的觸感——火熱，好像他身體裡有一團火，對不對？妳知道他汗水的氣味，他大腿上蓬亂的汗毛，妳知道他出神忘我，最後一刻喊出的聲音。我也知道。」

「別說了，住口！」我吼道。他不理我，靠著背，若有所思地彷彿自言自語。一股怒意衝上來，我才明白了他為什麼提這些。原來，他這麼說的原因並不是為了激怒我，他只是無法抗拒一股衝動，想談論心愛的人，想將回憶說出口，再次細細重溫往事。畢竟，除了我，他能和誰用這種方式談論傑米？

「我要走了！」我大叫，轉身要走。

我後方響起一個平靜的聲音：「妳要離開嗎？我可以把霍利將軍交到你手中，或者你要讓他打敗蘇格蘭軍隊，任你選。」

我當下很想衝動反駁：霍利將軍算什麼！但想到荷里路德宮裡駐紮的蘇格蘭族長——齊馬諾克、巴梅立諾和羅切爾，就在修道院牆壁的另一邊，只離我們幾公尺。我又想到傑米，想到幾千名蘇格蘭軍。奮不顧身只為贏得戰事，我這樣值得嗎？這是否又是一個轉捩點，又是一個關鍵的抉擇？如果我不想再聽下去，拒絕黑傑克的提議，接下來又會如何？

我終於緩緩轉身，對他說：「如果你一定要說，那就說吧！」他似乎對我的憤怒無動於衷，也不擔心我拒絕。在黑暗的教堂中，他的聲音平穩冷靜，一如講道的牧師。

「說起來，妳從他身上得到的，有我得到的多嗎？」他側頭，離開陰影，清楚露出他鮮明狡黠的五官輪廓。一束光線從側面打到他臉上，照亮那雙淺棕色的眼眸，彷彿倏忽一瞥，看到躲在樹叢後的野獸。

他帶著勝利的語氣，輕聲說道：「我占有他的方式，妳永遠沒辦法做到。妳是女人，儘管妳是女巫也不可能了解。我占有他男人的精髓，我們互相掠奪，我了解他，他也了解我。我和他透過鮮血，彼此羈絆。」

我將身體交託予你，讓你我合而為一……

我聲音顫抖：「你求助的方式還真奇怪！」我雙手緊揪著裙子，冰冷的布料在我手中揉成一團。

「是嗎？我覺得妳最好能明白，夫人，我不需要妳同情，也不要妳憐憫，像男人要女人可憐那樣。我希望妳來是為了亞歷山大。」一綹烏黑的頭髮垂下他的前額，他用手一拂。

「我希望這只是一個交易，妳提供服務，我付出代價。夫人，請妳明白，我對妳的感覺，就像妳對我的一樣。」

這話讓我十分驚愕，正努力想回應他時，他又說下去：「透過一個男人的身體，也就是他的身體，妳和我聯繫在一起。我不希望因為我弟弟的身體，再和妳有這種聯繫。我請妳治療我弟弟的身體，但可不希望他的靈魂也落入妳手裡。好了，告訴我，這個酬勞妳可以接受嗎？」

我轉身，走在回音陣陣的中殿中央，全身抖得厲害，腳步有點不穩，腳下的石頭震動，我也跟著搖晃。廢棄的祭壇上方聳立巨大的哥德窗戶，在慘白的流雲映襯下一片深沉，昏暗的月光照亮我的道路。

我走到中殿末端盡可能離他遠一點，然後停下來，手支著牆。這裡太暗了，我看不出手底下的大理石板上頭雕的字，但可以感覺到冰涼、清晰的雕刻線條。石板上雕了一個小骷髏頭，以及兩根交叉的大腿骨，這是基督教版本的海盜骷髏圖案。我低下頭，額頭抵著骷髏頭，那骷髏頭感覺就像真的骨頭一樣光滑。

我閉上眼睛，等那股噁心厭惡的感覺消失，等太陽穴激烈的跳動緩和下來。

我告訴自己這些不重要，不管他是誰，不管他說了什麼。

你和我透過一個男人的身體，聯繫在一起。沒錯，但不是透過傑米的身體。不是傑米！對他、對我，我都一定要堅持這點。的確，你這混帳占有過他，但我又把他帶回來，從你的陰影裡拯救出來。你再也別想糾纏他！儘管如此，汗水從我的肋骨流淌而下，我的信心淹沒在抽泣聲裡。

就因為失去法蘭克，所以我必須付出這個代價？一個人的不幸損失，能換回上千人的性命作為補償嗎？右邊祭壇一片黑壓壓的陰影，我誠心希望有某種存在，可以讓我尋求答案。但在荷里路德宮，我孤身一人。幽魂深藏不露，在石牆石地裡沉默不語。

我努力不去想黑傑克。如果請求我的不是他，是其他人，我會去嗎？除此之外，也必須考慮亞歷山大。黑傑克說：「我希望妳來是為了亞歷山大。」我當然是。不管我怎麼治療，難道只因為開口求我的人是黑傑克，我就不管了？

沉思許久，我終於挺起身，站直我疲憊的身子，汗濕的手沿著骷髏頭的弧線滑下。我覺得全身無力，脖子痠痛、頭腦昏沉，彷彿愛丁堡的瘟疫最後還是攫住我了。

他依然站在那兒，在陰暗濕冷的地方耐心等候。

「好。可以。」我猝然開口，並走近讓他聽清楚：「我明天上午過去。在哪裡？」

「拉迪沃克巷，你知道那兒嗎？」他說。

「知道。」愛丁堡不大，中心就一條高街，兩旁接著昏暗的小巷弄。拉迪沃克是其中一條破舊的小巷。

「我會在那兒等妳，屆時會告訴妳我所知道的內部訊息。」他說完便滑下窗臺站好，向前邁了一步後站住，等我先走。我發現他不想經過我身邊，走到門口。

我勉強一笑說道：「你怕我？怕我把你變成蟾蜍？」

他冷靜地打量我：「不，我不怕妳，畢竟妳不能兩者兼得。妳在溫特沃斯的時候恐嚇我，說我哪天會死。既然這樣，現在妳就不可能威脅到我。如果我會死在明年四月，現在妳就沒辦法害我，不是嗎？」

如果這時我手上有一把刀，可能一時衝動下，就會向他證明他錯得離譜。但預言沉重地壓在我心上，上千名蘇格蘭人的性命也落在我肩上。

我不能動他。

「我和妳保持距離，純粹是不想碰到妳。」

我笑了，這次是真的。「傑克隊長，這件事我倒十分同情你。」我轉身走出教堂，不理會他是否跟上。他會履行承諾，對此我毫不懷疑。在溫特沃斯他為了遵守諾言，已經放過我一次。他話一旦出口，必定信守，黑傑克可是個「紳士」。

傑米曾問我：「我把身體給了黑傑克，妳有什麼感覺？。」

我說：「憤怒，噁心，恐懼。」

我抵著客廳的門，這些感覺再次湧上。壁爐的火熄了，房間很冷。樟腦鵝油的味道聞起來很刺鼻。房裡很安靜，只聽到床上沉重粗礪的呼吸聲。風吹過六呎高的圍牆，隱隱呼嘯。

我跪在爐邊重新生火。火已經徹底熄滅，我推入燒了一半的木柴，刷開灰燼，接著在壁爐中央一小堆柴火間引燃火種。荷里路德宮燒木柴，不燒泥炭，真可惜，泥炭不會那麼容易熄滅。

我的手顫抖著，幾次弄掉打火石的盒子，才順利把火生起。我對自己說，都是因為太冷，房間太冷了我才會這樣。

「他有沒有告訴妳我們之間的一切？」黑傑克嘲諷的聲音在耳邊響起。

「我該知道的他都說了。」我自言自語，拿引火紙捲靠近火苗，將火焰散播到幾個地方，最後燃起六個小火點。接著，我一枝一枝放入細枝，推進火焰裡，直到細枝著火燃燒。等小火點燒旺，我拿來背後的粗枝，小心放入火焰中央。這粗枝是松木，色澤微綠，木材裂縫處流出一點樹汁，正燒得冒著泡，結成金黃色的小珠子。

這小珠子如果隨著時光結晶凝固，就會變成一粒琥珀，如寶石般堅硬恆久。現在突然受熱，它灼熱放光，然後啪地一聲炸成小小的火花，在瞬間消失了。

「我該知道的他都說了。」我低聲說。佛戈斯的地鋪是空的，他一定是冷得醒來，於是爬起來找一個溫暖的避風港。

他縮成一團躺在傑米床上，黑髮和紅髮並列在枕頭上，嘴巴微張，安詳地一起打鼾。看到這副景象，我忍不住微笑，但我也不想自己睡在地上。

「起來。」我低聲對佛戈斯說，把他推到床沿，讓他滾到我的懷裡。對一個十歲男孩來說，他的骨架輕盈纖細，但還是十分沉重。我輕鬆地把他抱到地鋪，塞進被窩裡，他從頭到尾都沒醒來。接著我回到傑米的床邊。

我慢慢脫下衣服，站在床邊低頭看他。傑米翻身側睡，因為寒冷蜷縮起來。他的睫毛長而捲翹，顏色是深紅銅色，末端接近黑色，但根部又是淡淡的金色，儘管他鼻子又長又直，嘴唇與下巴線條堅毅，這對睫毛卻讓他看起來純真無邪，感覺格外奇特。

我只穿著襯裙，爬進被窩躺在他身邊，依偎著他寬大溫暖的背，貼著他的羊毛睡衣。他動了一下又咳嗽，我把手放上他身側臀部的位置安撫他。他移動身子，身體往後縮到我懷裡，輕嘆一聲醒了過來。我摟著他的腰，手指觸到他胯下的柔軟處。儘管他睡得很熟，我知道我能讓他興奮，只要輕輕撫弄，他就會變得剛強堅挺。

不過，我不想打擾他休養，所以只是輕輕拍著他肚子。他伸出大手笨拙地拍拍我的大腿，作為回應。

「我愛妳。」他半夢半醒，喃喃自語。

「我知道。」我說。我抱著他，沉沉入睡。

第三十九章

親族羈絆

確實有大批人馬湧入我的麾下，
但我們也不能因此鬆懈。
天神眷顧，你的親戚麥肯錫已經決定助我一臂之力，
但你還有另一邊的家族，對吧？

這兒不算貧民窟，但也相去不遠了。我小心翼翼跨過一大攤汙水，這是樓上從窗戶直接把夜壺倒下來的汙物，恐怕要等下一場大雨才能沖刷乾淨。

黑傑克一把抓住我的胳膊，我才沒滑倒在泥濘的鵝卵石上。但他一碰我，我就全身僵硬，而他也立刻抽回了手。

黑傑克見我盯著搖搖欲墜的門柱，辯解道：「我租不起更好的房子，但屋裡其實沒那麼糟。」是沒那麼糟，屋內經過一番布置，至少還算舒服。房裡有大水盆，有水罐，一張厚實堅固的桌子，桌上擺了麵包、乳酪和一瓶酒，床上有羽絨睡墊，和幾張厚厚的棉被。

床上的人因為劇烈咳嗽而發熱，把棉被掀開了。他滿臉通紅，咳嗽的力道把堅固的床架震得搖搖晃晃。

我走到窗邊，不顧黑傑克阻止，一把推開窗戶。冷空氣灌進這令人窒息的房間，把沒梳洗的身體、骯髒的床單、滿溢的夜壺發出的臭味吹散不少。

亞歷山大咳嗽漸緩，漲紅的臉色逐漸回復蒼白。他的嘴唇帶點暗藍，胸膛劇烈起伏著，想努力把呼吸緩和下來。

我環顧房間，沒看到適合的工具，便打開醫藥箱，抽出一張僵硬的羊皮紙，紙的邊緣有點磨損，但還可以用。我坐在床邊，面帶微笑要他放心，一切交給我。

他努力壓抑，盡量不在說話時咳嗽：「真謝謝妳……願意……過來……」

我說：「你很快就會好起來，不要說話，也不要忍咳，我得聽聽你咳嗽的聲音。」

他的上衣已經解開，我掀了開來，看到他胸膛凹陷得十分嚴重，幾乎是皮包骨，從腹部到鎖骨的肋骨根根分明。他向來羸弱，但去年這場病讓他更形消瘦。

我把羊皮紙捲起來，一端靠在他的胸口，另一端湊上我的耳朵。這具聽診器固然粗陋，但效果絕佳。

我要他深呼吸，好讓我聽診各個部位。我甚至不必叫他咳出來，可憐的孩子。

「請你趴著。」我拉起他的上衣繼續聽診，輕拍他的背部，聽聽兩邊肺部的共鳴聲。他裸露的身體摸起來又濕又冷。

「好了，請翻身躺好。現在放輕鬆。放心，這一點都不痛。」我一邊安慰他，一邊檢查他的眼白，看到他脖子的淋巴腺腫脹，舌頭長滿厚厚舌苔，扁桃腺也發炎了。

我拍拍他肩膀說道：「你有點黏膜炎，我會泡點藥草幫你治咳嗽。同時……」我一臉厭惡，用腳尖指著床底下有蓋的瓷壺，看著門口那個背脊挺得筆直、像參加閱兵的人。

我朝黑傑克命令道：「把這拿去倒掉。」他怒目回視，但還是上前彎腰拿起夜壺。

一看黑傑克走向窗邊，我厲聲說道：「不要從窗戶倒！拿到樓下。」他看也不看我，就轉身離開。

門關上後，亞歷山大短促地吸了一口氣，微笑望著我。他臉色蒼白，淡棕色的眼睛發亮，皮膚近乎透明，簡直像繃在頭骨上。

「趁喬納森回來前快告訴我吧！我得了什麼病？」

他烏黑的頭髮因咳嗽而蓬亂，我勉強壓下心底湧上的情緒，輕輕為他梳攏頭髮。我不想告訴他，但他顯然已經知道了。「你得了黏膜炎，還有肺結核，也就是肺癆。」

「還有呢？」

我直直望著他的眼睛說：「還有心臟衰竭。」

他一隻手輕輕放在心口。「我有預感……自己是得了那一類的病。我的心臟有時會在胸口直跳……就像一隻小鳥。」

我不忍看他的胸口費力地起伏，輕輕幫他扣上衣釦，綁好領口繫帶。他蒼白而修長的手抓住我。

「我還有多少時間？」他的語氣很輕，聽起來幾乎是漫不經心，好像只是有點好奇。

「不知道，真的，我沒有辦法預估。」

「但沒多久了。」他補充道。

「對，沒多久了。也許幾個月，但大概可以肯定不到一年。」

「那妳能……讓我不再咳嗽嗎？」

我伸手拿醫藥箱。「可以，至少這點我做得到。還有心悸的問題，我會幫你開點毛地黃精。」我拿出那一小包乾燥毛地黃葉，泡開要一點時間。

我沒看他，嘴裡說：「你哥哥，要不要我跟他說……」

「不用。」他語氣很肯定，揚起一邊嘴角，看起來如此像法蘭克，令我鼻頭一酸。

「不用，我想他已經知道了。我們一直……很清楚對方的事。」

我直直盯著他看。「你很清楚嗎？」他沒有避開我的視線，但笑得很虛弱。

他輕聲說：「是的，我了解他。這不重要。」

我心想：「不重要嗎？或許對你來說並不重要。」我害怕表情洩露了自己的想法，急忙轉過身去，點燃我帶來的小酒精燈。

他在我背後輕聲說：「他是我哥哥。」我深吸一口氣，穩住雙手好測量藥材的分量。

我說：「是的，至少他是好哥哥。」

—

我們在普雷斯頓潘斯大敗科普將軍的消息傳開後，人力與財務支援源源不絕地從北方匯入。有時援助甚至突然出現，艾利伯爵的長子奧格維勳爵就帶來他父親手下的六百名佃農，亞平的史都華族也從亞伯丁和班夫郡帶來了四百人。皮茨萊戈勳爵隻身率領大部分高地騎兵，這群東北郡縣的騎士和侍從都騎著好馬，武器精良，相較之下，有些氏族雜牌軍帶的武器就比較簡陋，有的是祖先一九一五年起事留下的闊刀，有的是生鏽斧頭，和不久前才用來清牛舍的農用鐵叉。

他們雖是雜牌軍，依舊不容小覷。我一邊想著，一邊走過這群男人身邊。他們圍在磨刀師傅旁邊，滿不在乎地看他磨利短劍、剃刀、大鐮刀。英格蘭兵碰上他們，可能不會立刻被刺死，但會得破傷風，最後的下場大概也是死路一條。

戈登公爵的弟弟路易斯爵士已經來到荷里路德宮，向查理王子宣誓效忠，告訴查理王子整個戈登氏族極其有望歸入他麾下。但從親吻王子的手表示順服，到實際提供人手，這之間還有很長的路要走。

至於蘇格蘭低地，雖然也欣然恭賀查理王子打了勝仗，卻奇怪地不願派人支援。目前斯圖亞特的軍隊幾乎都由高地軍組成，以後應該也不會改變。不過，低地人也不是完全靠不住，穆瑞爵士告訴我，他們從南方自治市徵收到豐富的物資，有了這批糧食、貨品及金錢，軍隊糧餉充足，或許能士氣高昂一段時間。

爵士對傑米說：「我們光是在格拉斯哥就募到五千五百磅，雖然和法國及西班牙承諾的援助相比，這不過是微薄的零頭，但我不會小看這些錢，特別是法國至今除了講講表面話，還沒拿出允諾的資金。」

傑米心知肚明法國的承諾根本靠不住，此刻也只能點頭不語。

我走進房間，傑米問我：「褐髮美人，今天有沒有新發現？」他將羽毛筆插回墨水瓶，擱下面前寫到一半的文件。

我點頭拉下頭上的兜帽時，靜電發出劈啪聲。「據說霍利將軍在南部組織騎兵隊，下令組八個軍團。」傑米哼了一聲。高地兵都討厭騎兵，這實在不是好消息。他心不在焉地揉揉背，他背上那塊在普雷斯頓潘斯一役得到的馬蹄瘀傷還在，但顏色已經淡了。

「我會告訴卡梅隆上校。妳覺得這個謠言可信嗎，英國姑娘？」傑米說完，下意識地回頭張望，以確認四下無人。他現在只在私下喚我「英國姑娘」，在人前都會叫我「克萊兒」。

我答道：「和保險箱一樣可靠。呃，我的意思是，消息非常可信。」

這消息並不是謠言，而是黑傑克提供的最新情報。我照顧他弟弟，他堅持要還我人情債，這消息就是他剛支付的分期款。

傑米當然知道我去探望亞歷山大，也知道他病了。不過，他並不曉得我每週會與黑傑克見面至少一次，就為了聽聽南方又往愛丁堡城堡送入什麼消息。這件事我永遠不會讓傑米知道。

黑傑克有時也會到亞歷山大的房間跟我碰面。有時我在冬季暮色中返家，踏在皇家哩大道濕滑的鵝卵石上時也會特別留意腳步，免得巷口突然出現一個穿著褐色家常服的筆直身影出聲叫我，或在迷霧中聽到背後傳來冷靜的嗓音。那真是令人心神不寧，就像法蘭克的幽魂在身後如影隨形。

其實他大可在亞歷山大的屋裡留封信給我，這樣容易得多。但他不願意寫下隻字片語，而我也能了解他的顧慮。留下的信件一旦被發現，即使上面沒有簽名，也會連累到他，甚至牽連亞歷山大。愛丁堡有許多外地人、投入詹姆斯旗下的志工、湊熱鬧的各方人馬、法國和西班牙的外國使節，還有許多間諜密探。只有英國駐軍不會出現在街上，他們依然駐守在愛丁堡城堡裡。只要沒有人聽到黑傑克跟我說了什麼，就沒有人會認出他的身分，即使有人看到我們碰面，也不會覺得奇怪。他也很謹慎，幾乎沒什麼人發現我們。

對我來說這也是好事，否則我還要想辦法銷毀信件。雖然我不認為傑米認得出黑傑克的字跡，但要解釋為什麼我會固定收到情報，就勢必得說謊。最好讓他以為這些都是我每天出門辦事聽到的消息。

當然，我把黑傑克提供的敵情混入其他流言中，傑米可能會質疑或不採納這些情報。不過，即使我相信黑傑克是出於真誠所提供（如果他還有真誠可言），也不表示他的情報一定正確。還是不要全然相信的好。

我轉達霍利將軍正在徵兵的情報，心裡懷著一貫的隱約內疚。雖然我相信夫妻必須對彼此坦誠，但在某些事情上也無需誠實過頭，更沒有必要讓傑米為了這種事受折磨。

我又說了幾則消息：「坎伯蘭公爵還在等他的部隊從法蘭德斯回來，圍攻史特林堡仍沒進展。」

傑米咕噥一聲，潦草寫了些字。「這部分我知道，湯森兩天前送了一份文件給穆瑞勳爵。雖然勳爵掌握了城鎮，但殿下堅持要挖壕溝，既浪費人力也浪費時間。根本不需要壕溝，隔著一段距離用大砲轟就好，然後再快速拿下城堡。」

「那他們為什麼要挖壕溝？」

傑米心煩意亂地揮揮手，依舊埋頭寫信，耳根因為心有不滿而漲紅。「就因為義大利軍攻占維拉諾城堡時挖了壕溝，而殿下又只看過那場圍攻，所以攻城當然要挖壕溝，是吧？」

「欸，是啊！」我故意用蓋爾語腔回答。

我逗得他抬頭看我，斜挑的眼睛笑得瞇了起來。

「你這句蓋爾語模仿得不賴，英國姑娘。妳還會說什麼？」

「用蓋爾語說主禱文，這樣你滿意嗎？」我答道。

「不滿意。」傑米把吸墨沙撒在信上吸墨時說道，接著站起身親吻我，伸手拿外套。「不過，有晚餐吃就夠了。一起來吧，英國姑娘，我們去找家可口、舒服的小酒館，我可以教妳很多私房話。這些字正在我腦海裡打轉呢！」

史特林堡終於攻下。代價很高，占守的可能性不大，好處也不多。儘管如此，查理王子仍為攻下城堡而樂不可支，甚至樂昏了頭。

「我終於說服穆瑞了，他根本就是又蠢又呆！」查理王子皺眉打斷會議，然後想起自己打了一場勝仗，不可一世地說道：「但我還是勝利了。這個禮拜我們就進軍英格蘭，收復我父王所有的失土！」

聚集在晨間會客室的蘇格蘭氏族族長看了彼此一眼，房裡一片咳嗽聲，許多人紛紛變換姿勢。大家對這個提議似乎不是非常熱衷。

齊馬諾克小心翼翼地開口：「呃，殿下，或許可以想得更周延一點？」

每一個人都努力說服查理王子。他們說，蘇格蘭的一草一木都屬於查理王子了，北方支持者依舊前仆後繼地加入，但南方的支持似乎不是那麼踴躍。而且蘇格蘭領主也了解，高地人儘管驍勇善戰、忠心耿耿，但他們也得耕田。土地需要翻動，春天才能播種，牛羊需要照料，才能好好過冬。許多蘇格蘭士兵會抗拒在冬天深入南方。

查理王子很堅持：「這些人不都是我的臣民嗎？那他們不就該聽從我的旨意嗎？你們一派胡言。」討論原本到此結束，但查理王子出乎意料又開口了。

他先對皮茨萊戈勳爵尖刻地說了幾句話，突然轉身朝傑米揮手，倔強的長下巴看起來柔和了些。「等等，詹姆士！我可以私下和你說幾句話嗎？」

我不覺得查理王子有意邀我加入談話，但我也不想離開，所以等詹姆斯黨的貴族和氏族族長交頭接耳地一一走開，我就舒舒服服地坐到一張金色錦緞椅子上。

查理王子朝著關上的門輕蔑地打了個響指。「哈，這些人，個個都是老太婆！等著瞧吧！路易王、菲利浦王也一樣。我會需要他們幫助？你們全都等著瞧吧！」他蒼白、光潔的手指輕碰了一下胸口上方，絲綢外套下隱隱透出一個方型的東西。查理王子隨身帶著露易絲的小塑像，我之前也見過。

傑米喃喃地說：「願殿下旗開得勝，不過……」

「啊，謝謝你，詹姆士老弟！至少還有你相信我！」查理王子一手搭上傑米肩膀，親切地抓了抓他的肩頭說道：「到時候我們進軍英格蘭接受臣民歡呼，你卻不在我身邊陪伴，我會很孤單。」

「我不在你身邊？」傑米看來愣住了。

「親愛的朋友，你職責在身，犧牲很大。我知道你高貴的心多麼渴望光榮的戰鬥，但我需要你進行另一項任務。」

「我？」傑米說。

「什麼任務？」我脫口問道。

查理王子刻意朝我投來不快的眼神，然後才轉身面對傑米，又恢復溫和友善的表情。

「詹姆士，這任務至關重大，而且只有你辦得到。確實有大批人馬湧入我的麾下，但我們也不能因此鬆懈。天神眷顧，你的親戚麥肯錫已經決定助我一臂之力，但你還有另一邊的家族，對吧？」

「不。」恐懼已爬上傑米的臉。

查理王子最後在傑米肩膀用力一抓，轉身面對傑米，開心地說：「你會聽命，你會向北走，回到祖傳之地，召集弗雷瑟族的男丁，把他們帶來給我！」

第四十章

狐狸的老巢

真不知道妳身上有什麼魔力，英國姑娘，
我總是想在妳面前賣弄。
總有一天，我會為了取悅妳，
害死我自己。

「你和你爺爺熟嗎？」我邊說邊揮開一隻搞錯季節的馬蠅，這隻馬蠅似乎無法決定究竟要拿我還是拿馬兒當晚餐。

傑米搖了搖頭。「沒有。我聽說他像個可怕的老怪物，不過妳不必怕他，我會陪在妳身邊。」他微笑看著我用披肩尾端揮打馬蠅。

「我不怕脾氣暴躁的老先生，在我那個時代我見多了。他們大部分都心地善良，我想你爺爺大概也是這樣。」我對他說。

「他不是。他真的就是個可怕的老怪物，妳如果露出害怕的樣子，他還會變本加厲，就像嗅到鮮血的野獸，妳懂嗎？」傑米若有所思地回答。

我舉目向前望，遠方的山丘赫然聳現，波福堡便藏在後方。馬蠅趁我閃神，猛然掠過我左耳，我尖叫一聲，向旁閃避，身下的坐騎因為這突如其來的動作吃了一驚，嚇得倒退。

「嘿！停！」傑米放掉自己的韁繩，往側邊一撲，抓住我的韁繩。比起我的馬，傑米的坐騎受過更好的訓練，雖然在傑米這突然一動下打了個響鼻，倒也配合，只是搧耳朵的態度盛氣凌人。

傑米用膝蓋抵住坐騎，牽著我的馬，拉到一邊。

「好了。」聽到馬蠅嗡嗡作響，傑米又瞇起眼睛，盯著馬蠅曲折的飛行路徑。「讓牠停下來，英國姑娘，我來抓牠。」傑米揚起手等著，在陽光下微瞇著眼睛。

我有點緊張，像尊雕像坐著一動也不敢動，在來勢不善的嗡嗡聲下微微恍惚。馬蠅沉重的身體看起來飛得很緩慢，懶洋洋地在馬耳和我的耳朵間飛來飛去。馬耳朵猛烈抽動，對牠的憤怒我完全感同身受。

「傑米，那東西如果停在我耳朵上，我會……」

「噓！」他身體前傾等著，左手虛握像蓄勢待發的獵豹。「再等一下，我就快要抓到了。」

就在這時候，我看到一個黑色斑點停在傑米的肩膀上。是另一隻馬蠅，想找地方曬太陽。我再次開口。

「傑米……」

「噓！」傑米兩掌一合，成功抓到驚擾我們的馬蠅。就在下一秒，停在他衣領上那隻馬蠅把毒牙刺進他的脖子。

蘇格蘭氏族依循古老的傳統打鬥，對戰略、戰術和機智嗤之以鼻，攻擊的方法非常單純。只要看到敵人在攻擊範圍內，就會把蘇格蘭披肩一拋，抽出腰上的劍，用最高的音量放聲嘶吼，衝向敵人。蓋爾族的這種嘶吼往往戰無不克，大部分的敵人看到渾身毛茸茸的大個子光著手腳，像報喪女妖尖叫著向自己衝來，往往嚇破了膽，拔腿就逃。

傑米的馬儘管受過良好馴練，但猝不及防聽到最正統、最出色的蓋爾族嘶吼從耳後六十公分的地方以超高分貝襲來，還是嚇破了膽，耳朵往後貼，撒腿暴衝，像是後頭有鬼追著。

我和我的坐騎嚇呆了，只能站在路邊觀賞這精彩的蘇格蘭馬術表演。傑米踩不到馬鐙，也抓不到韁繩，被馬突然這麼一衝，差點就飛出了馬鞍，只能緊抓住馬鬃。傑米所到之處都颳起一場旋風，他的蘇格蘭披肩隨之狂舞，馬這時已完全陷入驚慌，這面颯颯飄揚的彩色格紋披肩嚇得牠又加速衝刺。

傑米一手緊纏著馬鬃，努力坐直，兩隻長腿夾住馬身，鐵馬蹬在馬肚下擺蕩。他背後揚起一陣風，風中飄著斷斷續續的蓋爾語，即使我對蓋爾語所知甚少，也明白那有多不堪入耳。

後方響起一陣緩緩的馬蹄聲，我轉過頭，看到穆塔夫領著馱馬，越過我們剛走下來的小山丘。他照常小心騎到我身邊，從容不迫地停下馬，抬手遮陽向前望，看到傑米和他發狂的坐騎剛消失在下一座山頭。

「有馬蠅。」我向穆塔夫解釋。

穆塔夫像往常一樣冷冰冰地說：「傑米是不至於這麼急著把妳丟在這裡，自個兒衝去見他爺爺。雖說他就算帶著妻子，受到的對待也不會有什麼不同。」

穆塔夫牽起韁繩，腳一踢，他的小馬心不甘情不願地動身，馱馬溫順地跟在後面。我的坐騎看到同伴來了，又暫時不必擔心馬蠅，也快活地邁開步伐。

我好奇地問：「就算妻子是英格蘭人也一樣嗎？」雖然我所知不多，但也知道羅瓦特勳爵和英格蘭人向來稱不上和睦。

「管妳是英格蘭、法國還是荷蘭都一樣。老狐狸不關心妳，他只想拿那小子的肝臟當早餐。」

「這話是什麼意思？」我盯著這脾氣執拗的弗雷瑟族人，他的蘇格蘭披肩和上衣鬆垮垮地搭在身上，看起來就像身上的包袱。很奇怪，無論衣服多新、縫製得多精細，只要讓穆塔夫穿上，看起來就像剛從垃圾堆撿回來一樣。

「傑米和羅瓦特勳爵關係如何？」

穆塔夫精明的小黑眼朝我瞟了一眼，轉頭往波福堡看去，聳了聳肩，像是聽天由命，又像心裡有預感。

「毫無往來，直到現在。那小子這輩子從沒和他爺爺說過話。」

「可是，如果你從來沒有見過他，怎麼知道這麼多他的事？」

至少，我知道之前傑米為什麼不太想向爺爺求助了。傑米騎著馬回來，馬看起來變乖了，傑米則是有點煩躁的樣子。穆塔夫若有所思地看了一下傑米，提議自己先帶馱馬到波福堡，讓我和傑米在路邊吃午餐。

傑米吃了燕麥餅、喝了麥酒，恢復了精神，終於和我說起他爺爺。原來羅瓦特勳爵不同意他兒子布萊恩跟艾倫結婚，不肯祝福新人，而且從兒子結婚後就和兒孫斷絕往來，至今已有三十多年。

傑米邊嚼著嘴裡的乳酪邊說：「不過我聽過很多他的事。他這人會給人留下深刻印象。」

「我聽到的也是這樣。」巴黎來的詹姆斯黨人督里巴爾汀老先生就曾經口無遮攔地向我透露了許多這位弗雷瑟族族長的事。我想，就算勳爵對傑米的父親布萊恩不聞不問，布萊恩大概也不會為此難過。我這樣告訴傑米，他也點點頭。

「是呀！我記得我父親對那老頭雖稱不上不敬，但也沒什麼好話。他能不提就不提。」傑米搔搔脖子，馬蠅叮咬過的傷口開始紅腫。天氣奇熱，傑米取下蘇格蘭披肩，鋪著讓我坐下。他們花了點錢，讓我們這群代表團在拜訪弗雷瑟族領主時看來更高貴體面。傑米穿了新的蘇格蘭裙，是繫扣帶的軍服款式，與蘇格蘭披肩分開。扣帶蘇格蘭裙雖然不像舊裙子那樣可以層層裹著抵擋壞天氣，但趕時間的時候穿起來快多了。

傑米若有所思地說：「有時我想，是不是因為老西蒙對我父親的態度，我父親才成為那樣的父親。當然，我那時沒有感覺，但男人通常很少對兒子表達感情。」

「你一定想了很多吧！」我遞另一瓶麥酒給他，他接過去，衝著我笑，笑得比微弱的秋陽還溫暖，讓我捨不得移開目光。

「我曾想過，若有了自己的孩子，我會成為什麼樣的父親。回頭想想，我父親就是最好的榜樣。不過從他所說還有穆塔夫告訴我的來看，我父親和我爺爺一點也不像。所以，我想我父親一定打定主意，有機會的話，他絕對要和自己父親完全不一樣。」

我微微嘆氣，放下手中的乳酪。「傑米，你真的覺得我們可以……」

「一定可以。我知道一定可以，英國姑娘，妳也知道。妳生來就是要當母親，我當然也不打算讓其他人當妳孩子的父親。」

「嗯，我也不想。」

他笑了，抬起我的下巴吻我，我熱切地回吻，一邊伸手拂去他唇邊鬍碴裡的麵包屑。

「你是不是應該刮個鬍子？第一次見爺爺，表示一點敬意。」

傑米不經意地說：「我以前就看過他一次，他也看過我。至於他對我現在的長相有什麼看法，我才不管，他最好接受。」

「但穆塔夫說你從來沒和他碰過面？」

他拍拍前襟的麵包屑，微微皺眉，似乎在考慮要和我說多少。最後他聳聳肩，雙手交握枕在腦後，躺在金雀花灌木的樹蔭下，盯著天空。

「像妳說的，我們從沒碰過面，應該說不算真的碰面，那時是這樣的……」

傑米十七歲時，準備啟航前往法國，到巴黎大學完成學業，並進一步開拓眼界，學點書上沒教的事。

他朝前面山丘一揚頭，遠方水平線上有一抹灰，那就是摩瑞灣。「我從比尤利港出發。我也可以從其他港口出發，最有可能就是茵凡涅斯鎮。但票是我父親訂的，他訂了比尤利港。那時他騎馬陪我去，可以說是為我送行，看我走向世界。」

傑米的父親婚後很少離開拉利堡，那天他倆騎在路上，他父親開心地指著許多地方，說他小時候、青年時期在何處打過獵，又到什麼遊歷過。

「但越靠近波福堡，他就越沉默。一路上他沒提過我爺爺，我也知道最好不要問。但我知道他要我從比尤利港出發是有原因的。」

一群小麻雀一步步謹慎地靠過來，在矮灌木間神出鬼沒，一嗅出危險就衝回安全的地方。傑米拿出剩下的麵包，精準地扔到麻雀中間。麻雀猝不及防，像霰彈炸開般一哄而散。

「牠們會回來的。」傑米抬起下巴，朝那群四散的小鳥點了點，抬起一隻手臂橫過臉前，好像要擋擋陽光。他繼續說：「後來，城堡那裡傳來馬蹄聲，我們轉過身，看到一群人從山上下來，六個人騎馬拉著一輛馬車，其中一人舉著羅瓦特的旗幟，所以我知道爺爺在那群人裡。我很快轉向我父親，看他有什麼舉動，但他只是笑了笑，捏捏我的肩膀說：『小夥子，我們上船吧！』

「我沿著海岸走去，感覺到爺爺的眼光停在我身上。我的頭髮和身高明白表示我身上流著麥肯錫的血液。我很慶幸自己穿了最好的衣服，看起來不至於像乞丐。我沒有左右張望，只是盡量抬頭挺胸，很高興自己比旁邊最高的人還高出半個頭。我父親走在旁邊，像剛才那樣一言不發，也不四處打量，但我感覺得到，他很高興有我這個兒子。」

他揚起一邊嘴角，對我笑了笑。「我知道自己在他身邊表現得很好。之後我不敢說，英國姑娘，但我很高興那天沒有讓他丟臉。」

他雙手環抱膝蓋，定定地注視前方，彷彿在重溫碼頭邊的情景。

「我們上船，和船主碰了面，然後站在欄杆旁邊，隨口閒聊。兩個人都很小心不去看波福堡的人，他們正在卸貨，騎師則站在岸邊。然後，船長下令啟航，我和父親吻別，他越過欄杆，跳下船到碼頭上，走到馬旁。他上了馬才回頭，那時船已經開到港口了。

「我揮手，父親也揮手，然後他轉身，領著我的馬回拉利堡。那時波福堡的人也掉頭要回去了。我看到爺爺領著一群人直挺挺坐在馬鞍上。他們就這樣騎著，雙方相距約二十碼，騎上了山丘，越過山頂，消失在我眼前。兩邊都沒人朝另一方騎去，一付對方並不存在的樣子。」

他轉頭看著路的盡路，好像要從波福堡的方向尋找生命的跡象。

他輕聲說：「我對上他的眼睛，就那一次。我等到父親上馬，才壯起膽子轉頭去看羅瓦特勳爵。我想讓他知道，我們不會求他什麼，我不怕他。」他唇角牽起一抹笑意。「不過，我那時的確害怕了。」

我把手放上他手背，撫著他指關節的凹陷處。「他有沒有看見你？」

他輕哼一聲。

「有啊！我想，從我騎下山丘，一直到船駛離港口，他的目光都沒離開過我，就像鑽孔機一樣鑽進我的背裡。我看他的時候，他一雙濃眉下的黑眼還是直直盯著我。」

傑米陷入沉默，仍然看著城堡，直到我輕輕戳他一下。「那時他看你的目光如何？」

傑米的目光從遠處地平線上的烏雲移到我臉上，向來的溫和表情已經從唇畔與眸底消失無蹤。

「像石頭一樣冷酷，英國姑娘。像石頭一樣冷酷。」

—

我們很幸運，從愛丁堡一路來到這裡，天氣都很溫暖。

「好天氣不會持續太久。看到那裡的雲層嗎？今晚雲層就會襲上陸地。」傑米瞇眼看著前方的大海，嗅嗅空氣，然後把蘇格蘭披肩搭上肩膀。「聞到了嗎？風雨就要來了。」

雖然我用鼻子預測氣象的本事還很差，但我似乎真的聞到了一場風雨：空氣變得潮濕，乾燥石南與松脂的氣味益發鮮明，夾雜了遠方岸邊海草淡淡的潮濕氣味。

「不曉得我們的人回到拉利堡沒有。」我說道。

傑米搖搖頭。「我想還沒有。他們距離比較近，但都得用走的，而且把他們安頓好上路也很花時間。」

傑米踩著馬鐙站起來，舉手遮陽，望著遠方的雲團。「希望只是一場雨，否則他們就麻煩了。不管怎樣，這場風雨不會太大，也許不會影響到南邊那麼遠的地方。」

起風了，我抓緊肩頭溫暖的蘇格蘭連裙披肩。這幾天天氣都很溫暖，我原本以為是好兆頭，希望這不是假象。

在荷里路德宮，傑米收到查理王子的命令後，整晚都坐在窗邊。到了早上，他先去晉見查理王子，告訴查理王子他會和我、穆塔夫一起前往比尤利，代殿下向羅瓦特勳爵致意，並請勳爵兌現承諾，派遣人手並提供資助。

接著，他又找鐵匠羅斯到我們房裡，向羅斯下達命令。他聲音很低，我坐在火爐邊都聽不清楚，只看到鐵匠魁梧的肩膀聳了起來，後來又振作起來，像是意會到傑米的話很重要。

高地軍行進時紀律散漫，就像一群烏合之眾，幾乎稱不上「縱隊」。在某一天行進途中，拉利堡的人將一個個脫隊，走進路旁的灌木叢，像是要休息或方便一下。但他們不會回到大軍裡，而是悄悄離開，各自想方法到集合地點，和拉利堡的其他人會合。等人都到齊了，再跟著鐵匠羅斯回到家鄉。

傑米事先跟我討論過這個計畫。「我想，要過一段時間，才會有人注意到他們不見了。說不定根本不會有人注意。現在部隊裡有許多人逃走，伊旺告訴我，光是上禮拜他的軍團就丟了二十人。現在是冬天，男人必須處理家事，還要準備春天的播種。無論如何，即使他們發現有人離開，也不會騰出人手去追。」

「那你放棄了嗎，傑米？」當時我把手放在他的手臂上問他。他疲倦地用手搓揉臉蛋，然後才回答。

「我不知道，英國姑娘。或許已經太遲，或許還來得及，我看不出來。冬天都要到了卻還要南下，真是太愚蠢了。浪費時間攻擊史特林堡更是愚蠢。但查理王子還沒打過敗仗，也還有一些族長響應他的號召，像目前的麥肯錫族，還有跟著麥肯錫一起加入的其他氏族。他現在的人手是在普雷斯頓的兩倍。這代表什麼？」他沮喪地猛一揮手。

「我不知道。他們所向無敵，英國人也很驚慌。妳知道，妳看過那些傳單。」他苦笑。「我們把小孩烤來吃，強奪民女。」他厭惡地哼了哼。雖然高地軍不乏偷竊與反抗等罪行，但強暴是聞所未聞。

傑米嘆口氣，短促又憤懣。「卡梅隆聽到消息，說喬治國王怕王子的軍隊會閃電攻下倫敦，已經準備好隨時逃跑。」他說的沒錯，卡梅隆的消息是我從黑傑克那兒聽來的。「還有齊馬諾克、卡梅隆、羅切爾、巴梅立諾、杜戈爾帶領的麥肯錫族，王子的軍隊都齊了。如果羅瓦特信守承諾，派遣人手——老天爺，說不定人數真的夠。天啊，如果我們真的進軍倫敦……」他垂頭喪氣，又突然挺起胸膛，好像要努力掙脫勒住他的上衣。

他斬釘截鐵地說：「但我不能冒這個險。我不能跑到比尤利，卻把我的手下留在那兒，任人擺布。如果我留在那裡率領他們，那是另一回事，但要我待在幾百公里外的比尤利，任查理王子或杜戈爾把他們推上戰場打英國兵，門都沒有！」

所以有了這番安排。屆時拉利堡的男人會開小差（包括佛戈斯在內，他激烈抗議，但遭到駁回），神不知鬼不覺地離開，然後回家。等我們在比尤利辦完事，回去向查理王子覆命，也過了好一段時間，夠我們看清事態了。

那時傑米解釋：「所以我才要穆塔夫一起來，如果情勢還不錯，我會派他回拉利堡召大家回來。」傑米陰霾的表情閃過一絲笑意。「別看穆塔夫在馬上貌不驚人的樣子，其實他的騎術非常了得，快得像閃電。」

我想，現在穆塔夫離閃電還遠得很，不過話說回來，目前也沒什麼急事。他現在的速度甚至比平常還慢，我們登上山丘時，我看到他在山丘腳勒馬等我們趕上他，而此刻他已經下馬，盯著馱馬的馬鞍看。

「有什麼問題嗎？」傑米作勢要下馬，但穆塔夫忿忿地揮手，要他留在馬上。

「沒事沒事，甭麻煩，不過斷了條綁帶，走你們的。」

傑米只是點點頭，就策馬走開，我也跟了上去。

我手朝穆塔夫的方向一比，對傑米說：「他今天心情好像不太好？」我們越接近比尤利，穆塔夫就越暴躁易怒。「要去見羅瓦特動爵，他好像不是很開心？」

傑米笑了，向後一瞥，那個小小的深色人影正彎腰專心編接繩子。「對啊，穆塔夫和老西蒙不對盤，他和我父親交情深厚，和我母親也是。」傑米嘴角浮起一抹笑意。「他不喜歡羅瓦特動爵那樣對待我父母，也看不慣他那幾件婚姻。穆塔夫的祖母是愛爾蘭人，但母親是普琳蘿絲·坎貝爾的親戚。」傑米說道，好像這樣解釋就一清二楚了。

我一臉茫然地問：「誰是普琳蘿絲？」

「噢。」傑米抓抓鼻子，想著怎麼開口。漸強的海風吹動他的頭髮，少許髮絲從髮帶中鬆脫，幾縷寶石紅的頭髮在臉上翻飛撲動。「她是羅瓦特的第三任妻子。現在應該還是，雖然她之前離家出走，在娘家住了幾年。」

我低聲說：「羅瓦特很受女性歡迎，是嗎？」

傑米哼了一聲。「或許吧！他第一任妻子是有錢的遺孀，他半夜從床上把她劫走，當場就和她結婚，然後直接和她上床。不過，她後來也愛上他，所以也許他不是那麼糟。」傑米最後補充了一句。

我輕佻地說：「他肯定在床上有過人之處，我猜這是家族遺傳。」

他有點錯愕地看著我，最後又化成一抹羞怯的笑容。「有沒有都一樣，她的女僕告發他，他成為罪犯，不得不逃到法國。」

強迫結婚和放逐？我努力克制自己，免得脫口說出他們一家人確實很像，雖然私底下我相信傑米不會追隨爺爺的腳步再娶其他妻子。一個妻子對老西蒙來說顯然不夠。

傑米繼續說道：「他到羅馬去晉見詹姆斯國王，宣誓效忠斯圖亞特王朝，然後一個轉身，直奔正在法國訪問的英格蘭國王——奧蘭治的威廉。他先得到詹姆斯的承諾，答應一復辟就賜予他頭銜與莊園，然後又讓威廉國王赦免他，讓他回到蘇格蘭。天曉得他怎麼辦到的。」

現在輪到我揚起眉毛，顯然他的魅力不止對異性有用。

老西蒙繼續遊歷，後來又回法國偵查詹姆斯黨的動靜，結果事跡敗露，被扔進監獄，但他逃了出來，回到蘇格蘭。一七一五年，他假狩獵聚會之名在馬爾高地聚集氏族，然後讓英王相信他憑一己之力壓制了之後的詹姆斯黨起事。

我聽得入迷。「這老頭真的很不老實！不過我想他那時應該還不老，大概四十幾歲吧？」之前我聽說羅瓦特勳爵現年七十幾，本來還以為他已年老體衰、老態龍鍾，不過聽了這些故事，我的想法立刻改變。

傑米平心靜氣地說：「從各種消息來看，我爺爺連螺旋樓梯都有辦法躲在後面。」他揮揮手，不再談他爺爺的個性，重拾之前的話題說：「總之，後來他又娶了瑪格麗特，格蘭特家族的女兒。瑪格麗特去世後，我爺爺又娶了普琳蘿絲，那時她大概十八歲。」

我同情地問：「老西蒙給的好處，夠讓坎貝爾家的人強迫女兒嫁給他嗎？」

「當然不夠，英國姑娘。」他停頓一下，把頭髮從臉上撥到耳後。「他知道她不可能下嫁，就算他富可敵國也一樣，更何況他並不富裕。於是他寄了封信給她，說她母親在愛丁堡病了，住在某間宅邸。」年輕貌美的坎貝爾小姐趕到愛丁堡，沒看到母親，出現的卻是狡詐的老西蒙。他告訴她，這宅邸是聲名狼藉的淫窩，她若想保住名聲，唯一的辦法就是立刻嫁給他。

我冷笑道：「她一定很傻，才會相信這種威脅。」

傑米辯稱：「她當時年紀還很輕，老西蒙的威脅也不是空穴來風，要是她拒絕，他會馬上毀了她的名聲。總而言之，她嫁給他，但悔恨不已。」

我忙著在腦海裡盤算。傑米剛剛說，普琳蘿絲幾年前才嫁給他爺爺，那麼……「誰是你祖母？羅瓦特夫人還是瑪格麗特？」我好奇地問。

那對高高的顴骨因風吹日曬而乾裂，現在卻突然痛苦地漲紅。

「都不是。」他眼睛別開，緊盯著前方的波福堡，緊抿雙唇。

最後他終於開口：「我父親是私生子，雖然獲得承認，還是私生子。我祖母是城堡的女傭。」他像一把劍筆直地坐在鞍上，兩手緊抓韁繩，指節泛白。

我好像也無法多說什麼。他用力嚥了嚥喉，喉嚨中明顯有東西在滾動。

「我之前應該先告訴妳，對不起。」他生硬地說。

我伸手摸他手臂，那硬得像鐵。「不要緊，傑米，我根本不在乎。」但我知道不管說什麼都於事無補。

他終於開口，眼睛依然盯著前方。

「……可是我在乎。」

摩瑞灣吹來的新鮮空氣不斷拂過山丘上的蒼鬱松林，發出沙沙聲。這裡地形很奇特，結合了山坡與海岸。我們走過一條狹長的道路，兩邊盡是赤楊木、落葉松及白樺樹，但越接近峨然聳立的波福堡，越覺得每件事物都飄散著泥巴與海草的腥臭。

波福堡的人知道我們會來，門口穿著蘇格蘭裙、手持斧頭的哨兵沒有盤查就讓我們通過，眼神帶著好奇，但沒有敵意。傑米像君王一樣挺直背坐在馬鞍上，經過某個哨兵時，他一點頭，那哨兵也對他點頭。我有種奇異的感覺，彷彿我們是揮著停戰的白旗進城，但休戰會持續多久就不知道了。我們進入波福堡的庭院，一樣沒人盤查。波福堡的主建體是用當地石頭砌成，以城堡來說不大，但氣勢宏偉。比起我在南方看到的一些城堡，這裡的防護並不森嚴，但看起來依然能抵禦一定的攻擊。外牆基底每隔一段距離就是寬闊的槍垛，堡內的高樓有道穩固的開口朝向庭院。

院裡養了幾隻小高地馬，馬兒把頭探出木柵門嘶鳴，歡迎我們的坐騎。牆邊堆了幾綑剛剛才從馬廄的小馬身上卸下來的包裹。

傑米冷冷地看著四周，發現牆角的包裹。「羅瓦特勳爵請了幾個人來和我們見面。我想應該是親戚，至少他們一開始會很友善。」他聳聳肩。

「你怎麼知道？」

他滑下馬，伸手扶我下來。「他們把劍和行李留在一起。」

有個馬伕從馬廄走出來招呼，雙手在馬褲上擦了擦，接過傑米的韁繩。

「呃，現在要做什麼？」我悄聲對傑米說。沒看到女主人或管家出來，不像兩年前到里歐赫堡，有爽朗可靠的費茲吉彭斯夫人出面歡迎我們。

幾個馬伕和在馬廄工作的小夥子不時偷看我們幾眼，但手上的事也沒停下來。還有幾名僕人也是邊瞄著我們，邊扛著幾籃待洗衣物、幾包泥炭，還有城堡生活必備的各種笨重什物穿過院子。一名結實健壯的僕人提著兩只五加侖的銅水壺，累得滿頭大汗。我看了很高興，波福堡的待客之道或許有待加強，不過肯定有浴缸可以洗澡。

傑米站在庭院中央，雙臂交叉，像個房地產買家在懷疑排水系統有問題。

「現在我們就是等了，英國姑娘。哨兵應該已經去通報，要嘛有人來迎接……要嘛沒人會來。」

「希望他們趕快決定，我餓了，也想梳洗。」

傑米俯視我，淺淺一笑。「妳是該梳洗了。妳鼻子上有一塊黑垢，頭髮裡都是起絨草的刺。」他看我神情沮喪地把手伸向頭髮，又說：「沒關係，不用拔，看起來很漂亮，像故意插上去的。」

我當然不是故意的，不過我還是放下手，悄悄走向附近的水槽檢查儀容，然後掬起冷水，看看可不可以多少清理一下。

對老西蒙來說，現在局勢很微妙。我一邊想，一邊俯身靠近水面，檢查臉部倒影上的斑點，看哪個真的是黑垢，哪個只是漂浮在水面的稻草。

一方面，傑米是斯圖亞特派遣的正式使者，而羅瓦特曾承諾支持斯圖亞特家族的大業，無論這承諾是真心誠意或是不實的口惠，他都有義務歡迎王子的代表，即便只是表面上客套。另一方面，這位代表卻是非婚生子的後代，即使他並未聲明要脫離家族，也不能算是羅瓦特的重要成員。我現在對高地家族世仇還算了解，知道這種不愉快的感覺不太可能隨時間煙消雲散。

我用沾濕的手輕撫閉起的雙眼，又滑過額角，撫平零散的髮絲。大體上，我認為羅瓦特勳爵不會讓我們一直站在庭院中，但他可能會讓我們站上一段時間，好讓我們明白他還沒決定要怎麼招待我們。

之後的事就不得而知了。最有可能接待我們的是弗蘭西斯夫人，傑米的姑母，據督里巴爾汀說，她自從丈夫過世就回到娘家打理家務。或者，他也可能把我們當成外交使節，而非家族成員，那麼，我想勳爵可能會親自出面接待，旁邊跟著整列穿著制服的祕書、護衛及僕人。

看起來最後一個選擇最有可能，畢竟他身邊不會隨時都有穿著正式的隨行人員，召集必要人員需要一點時間。想到伯爵會突然隆重現身，我想，還是別把雜草留在頭上吧，於是我又向水槽彎下腰。

就在這時候，馬槽後的走道響起了腳步聲，一個敞開上衣、褲子也沒扣好的矮胖老人用手肘擠開一匹嘟嘟的栗色母馬，不耐煩地「嘖」了一聲，跨進了庭院。儘管他上了年紀，但背部依然筆挺，肩膀幾乎和傑米一樣寬。他站在馬槽邊，掃視庭院，彷彿在找人。他的目光掠過我，然後又突然轉回來盯著，顯然嚇了一跳。他走上前，暴躁地揚起臉，灰白的短鬍子像豪豬的剛毛一樣豎起來。

他問我：「妳這女人是誰？」

「克萊兒．弗雷瑟。呃，我是說，我是圖瓦拉赫堡夫人。」我先報上名字，後來才想到要端出身分。我恢復冷靜，抹掉臉頰上的水珠，反問：「你這傢伙又是誰？」

一隻大手從後面牢牢抓住我，無奈的聲音從我頭上響起：「英國姑娘，這位是我的爺爺。爵爺，這位是我妻子。」

羅瓦特勳爵冷酷的藍眼睛瞪著我。「啊？我是聽說你娶了個英國女人。」他的語調明顯透露了從傑米選中的妻子來看，就可以證實這名素未謀面的孫子有多糟糕。

他朝我揚起一道厚厚的灰眉，又把銳利的目光轉向傑米。「看來你和你父親一樣沒腦袋。」

我看到傑米的手微微動了一下，他正在克制自己不要握緊拳頭，並用平靜的口吻說：「至少我娶老婆不用靠強暴或耍詭計。」

他爺爺哼了一聲，對傑米的侮辱充耳不聞。我似乎看到他布滿皺紋的嘴角動了一下，但不太確定。

「你買來的貨看起來不怎麼樣！不過，比起欺騙布萊恩的那個麥肯錫淫婦，這個看起來沒那麼貴。如果這個外地女人沒給你帶來什麼好處，至少看起來不會花你太多錢。」羅瓦特勳爵那雙神似傑米的斜挑藍眼正打量著我，風塵僕僕的連身長裙、沒縫好的下襬、綻開的縫線、濺了汙泥的裙子，他都一一看在眼裡。

我感覺到傑米微微顫抖，但不確定他是生氣還是要忍住笑意。

我對勳爵親切笑道：「謝謝，我食量也不大，不過我可能要用點水，只要水不用肥皂，肥皂太貴了。」

這一次我肯定傑米顫抖的原因了。

勳爵說：「我知道了。我會派一個女僕帶你們到房間，也會給妳肥皂。晚飯前我們和你在圖書室碰面，孫子。」他對傑米補上最後一句，轉身消失在拱廊下。

我問：「我們是指誰？」

傑米回答：「我想是勳爵的繼承人小西蒙，可能還有一、兩位偶然來訪的表親。從庭院的馬看來，我猜可能還有幾位次級地主。如果羅瓦特要派人加入斯圖亞特的部隊，可能要問問次級地主和佃農的意見吧！」

—

一小時後我們跟著僕人走過走廊，傑米低聲和我說：「妳有沒有看過雞舍的小蟲，旁邊圍著一群雞？那小蟲就是我，或者該說是我們。現在妳得跟緊一點。」

弗雷瑟家族的人的確都聚集在一起，我們進入圖書室時，有二十多人四散坐在房裡。

傑米被正式引介給大家，同時他也代表斯圖亞特王朝發表正式聲明，首先代表查理王子與詹姆斯國王向羅瓦特勳爵致意，並籲請勳爵不吝協助。對此勳爵也作了簡短答覆，口才流暢動人但意思模稜兩可。禮儀結束後，也有人帶著我認識大家，氣氛頓時輕鬆起來。

傑米和一位葛拉罕先生談天，他是羅瓦特勳爵的表親，而我身邊則有幾位高地紳士輪流致上歡迎之意。次級地主看我的眼神有所保留，但都很有禮貌，只有一位除外。

小西蒙的身形就像他父親一樣矮胖，只不過年輕了將近五十歲。他先上前執起我的手欠身，挺起身後就打量著我，眼神有點粗魯無禮。

他問：「妳就是傑米的妻子？那我可以叫妳姪媳嘍？」他的眼睛就跟羅瓦特勳爵及傑米一樣，斜斜往上挑，但瞳孔是褐色，像混濁的泥水。年紀和傑米差不多，顯然比我小幾歲。

「呵呵。」他陶醉在自己的機智裡咯咯笑，我也禮貌地笑了笑，想收回手，但他不放，反而快活地笑了，又打量我一次。

他說：「久仰大名，您在高地這裡頗有名氣呢，夫人。」

「您客氣了。」我不動聲色地想把手抽回，他的手反而握得更緊，幾乎抓痛了我。

「哪兒的話，我聽說您頗受丈夫的手下歡迎啊！」他笑意更深，眼睛瞇成一條暗褐色的狹縫。

「聽說他們稱妳 neo-geimnidh meala，意思是『蜜唇夫人』。」他看我不懂這句蓋爾語，一臉困惑，於是幫我翻譯。

「謝謝……」我才吐出幾個字，傑米的拳頭已經狠狠衝上小西蒙的下巴。小西蒙撞上點心桌，桌上甜食四散，湯匙在拋光地板上甩得老遠，發出響亮的鏗鏘聲。

傑米打扮像紳士，卻是個不折不扣的打架能手。小西蒙跪坐起來，雙拳緊握，愣在那裡。傑米站在旁邊俯視著他，雙拳虛握，雖然靜立不動，卻比挑明的挑釁更可怕。

傑米平靜地說：「沒錯，她蓋爾語懂得不多。現在你已經向大家證明這點了，請向我妻子道歉，否則我會把你的牙齒打斷，讓你一顆一顆吞下去。」小西蒙對傑米怒目而視，然後斜瞥了他父親一眼。他父親微微頷首，看來對這件插曲有點不耐煩。小西蒙的黑髮散了開來，像樹苔一樣垂掛在臉上。他防備地看著傑米，但又摻雜了戲謔與尊敬，令人玩味。他用手背抹了抹嘴，恭敬地向我一鞠躬，仍然跪著。

「請原諒我，弗雷瑟夫人，抱歉冒犯了妳。」

我才客氣點頭回應，傑米就拉我走向走廊。快到門口時，我確認四下無人，便扯了扯他的袖子要他走慢點，問他：「Neo-geimnidh meala 到底是什麼意思？」他看著我，彷彿剛剛一直魂不守舍，這才留意到我。

「啊？意思是蜜唇。差不多是這個意思。」

「但是……」

「但不是指妳嘴巴的唇，英國姑娘。」傑米勉強說出口。

「什麼！他……」我氣得打算轉身回到圖書室，但傑米抓緊我的手臂。

他附在我耳邊低聲說：「唉唉，別擔心，英國姑娘，他們只是在試探我，沒事。」

傑米挺起肩膀回到圖書室，彷彿要回去戰鬥，我則被交給西蒙的妹妹弗蘭西斯夫人。我希望傑米不要再對他的親戚動手，儘管弗雷瑟家人不像麥肯錫人那麼高大，但戒心很強，任誰想在太歲頭上動土，下場都不會太好。

弗蘭西斯夫人年紀很輕，大概二十二歲，她似乎對我又害怕又好奇，好像如果不一直端上來茶和甜點來安撫我，我馬上會暴跳如雷。我盡量表現得乖巧可人，一段時間後她終於比較放鬆，坦白告訴我她從未遇過英國女人，於是我推測，「英國女人」是充滿異國風情的危險物種。

我很小心不要做出嚇人的舉動，過了一會兒，她輕鬆了些，羞怯地把我介紹給她兒子，一個三歲左右、健壯的小傢伙，被滿臉嚴肅的女傭照顧得很乾淨，乾淨到不自然。

我向弗蘭西斯及她妹妹艾琳談到傑妮與她的家人，她們從沒見過面。說到一半，突然聽到外面走廊砰的一聲，還有人大喊。我跳了起來，跑到客廳門口，剛好看到石廊上有個人影糾結在一堆衣服裡，正掙扎著要站起來。圖書室厚重的大門打開，矮胖的老西蒙站在口，像隻醜惡的癩蛤蟆。

老西蒙說：「下次再這樣，我就更不客氣了，姑娘。」他的語氣平靜，並不特別凶惡。纏在一團布裡的人影抬起頭，我看到一張有稜有角、奇異而美麗的臉龐，深沉的眼睛睜得大大的，顴骨上的紅斑逐漸加深。她看到我，但視而不見，只是站起來，一言不發快步離開。她個子很高，非常瘦削，走路時拄著拐杖，姿勢微跛但很優雅。她的影子隨著她消失在石階下。

老西蒙背著光，圖書室的爐火在他後方。我站在那裡盯著他，他感覺到我的視線，轉過頭來看我。奇特的藍眼睛定定注視著我，像藍寶石一樣冰冷。

「晚安。」他說完，關上門。

我站在原地，茫然看著那扇深色的木門。

我問背後的弗蘭西斯：「剛剛是怎麼回事？」

她緊張地舔舔嘴唇說：「沒事，我們走吧！」

我讓她把我拉開，但決心找傑米問清楚圖書室裡發生了什麼事。

我們站在今晚的睡房裡，傑米拍拍帶路小傭人的頭，親切地讓他離開。

我一屁股坐在床上，無助地看著四周。

我問：「現在我們該怎麼辦？」晚餐平淡地結束，但我不時感覺到羅瓦特勳爵的目光停在我身上。

傑米聳聳肩，脫下上衣。「英國姑娘，我知道才有鬼。他們問我高地軍的情況、部隊的狀況、對殿下的計畫有何了解，我一一說了，他們又再問我一次。我爺爺不相信有人會老實地告訴他答案，他以為每個人都和他一樣，喜歡耍心機，做事考量這，考量那。」

他搖了搖頭，把上衣扔到我旁邊的床上。

「對高地軍的狀況，他無法分辨我是不是說謊。因為，如果我想讓他派軍加入斯圖亞特旗下，我會美化實際狀況。但如果我不在意他派不派兵，那麼我應該會說出實情。除非他看清我的立場，否則他無論如何都不會派兵。」

我疑惑地問：「那他要怎麼知道你是不是說了實話？」

「他有一位先知。」他隨口答道，彷彿先知是普通的家具，高地城堡都有一件。就我所知，高地城堡的確都有一位先知。

我好奇地在床上坐起來。「真的嗎？就是被他推到走廊上，長相很奇特的女人嗎？」

傑米說：「她叫迷施莉，一出生就有靈視，但並不是無所不知——又或許只是不願意說。當時她很明顯看到某件事，但她只是搖頭說自己沒看到，我爺爺就失去了耐性，出手打她。」

「該死的老傢伙！」我很憤慨。

「他的確不是護花使者的料。」傑米回答。

他倒了一盆水，用手捧水洗臉。我倒抽一口氣，他嚇了一跳，抬起頭來，水流下他的臉龐。

「怎麼了？」

我指著他說：「你的肚子……」他胸骨與蘇格蘭裙之間有一大塊新瘀傷，像一朵醜陋的巨花綻放在他平滑的皮膚上。

他低頭看了看，說：「噢，這個啊！」語氣毫不在意，繼續梳洗。

「沒錯，這個。怎麼回事？」我走過去仔細看。

「沒什麼，我下午講話急躁了點，我爺爺就讓小西蒙給我一點教訓，讓我學會尊重。」他的聲音透過毛巾傳出來，有點模糊。

「所以他叫兩個弗雷瑟家的小弟抓住你，然後一拳打在你肚子上？」我感覺有點不舒服。

他把毛巾一丟，拿起睡衣。「妳覺得要兩個人來抓我？真是過獎了。」他笑嘻嘻地把頭探出睡衣。「其實那時候有三個人，一個在後面，掐住我脖子。」

「傑米！」

他笑了，上床拉好被子，又後悔地搖搖頭。「真不知道妳身上有什麼魔力，英國姑娘，我總是想在妳面前賣弄。總有一天，我會為了取悅妳，害死我自己。」他嘆了口氣，隔著羊毛上衣小心翼翼摸了摸肚子。

「這只是演戲，英國姑娘，不用擔心。」

「演戲！老天爺，傑米！」

「妳有沒有看過外來的狗想加入狗群？狗群裡的狗會嗅牠、咬牠的腿、低吼，看這隻狗會退縮或吼回來。有時候牠們會互咬，有時候不會，但最後狗群裡每隻狗都看出新狗的地位，還有誰是老大。老西蒙只是要我知道誰是這群狗的老大，就這樣。」

「那你知道了嗎？」我躺下，等他上床。他拿起蠟燭往下望著我，對我一笑。燭光映著他的眼瞳，閃爍藍色的光芒。

「汪！」他說，然後吹熄蠟燭。

接下來兩週，除了晚上，我很少見到傑米。白天他總是陪著羅瓦特勳爵狩獵或騎馬。羅瓦特雖然上了年紀，精力依舊旺盛。傑米也會陪羅瓦特在圖書室喝酒，因為這隻老狐狸正慢慢得出結論，準備制定計畫。

我大部分的時間都和弗蘭西斯夫人及其他女眷在一起。如果令人敬畏的父親不在旁邊，她就比較敢表達自己的想法，而且她確實聰明又有趣。她負責管理城堡事務與成員，但是父親一出現，她就會縮到一邊，很少抬起眼睛，說話也很小聲。我想這不能怪她。

我們待了兩個禮拜之後，有一天我和弗蘭西斯及艾琳坐在客廳，傑米來找我，說羅瓦特勳爵想見我。老西蒙朝牆角桌上的玻璃酒瓶漫不經心地揮揮手，便在椅子上坐下。這張椅子由胡桃木雕成，椅面寬大，還有織工精細的藍色天鵝絨坐墊。這張椅子很適合他矮胖的身材，彷彿為他量身打造。我心想，不知道這張椅子是特別訂作，還是他坐久了，逐漸變成椅子的形狀。

我倒了一杯波特酒，在角落靜靜坐下，聽老西蒙再一次要傑米說明查理王子現在的狀況和未來形勢。於是在這個星期裡，第二十次，傑米耐心地說明軍隊的數目、指揮統率的架構——如果還有架構可言，還有他們手中的武器數量與狀態——大部分很糟，以及路易斯．戈登或法可森加入查理王子的可能性、普雷斯頓潘斯一役後格倫加立族的意見、卡梅隆族掌握的英軍動向及推測、何以查理王子決定向南進軍，如此這般。我發現自己手上拿著杯子就要打起瞌睡，便趕緊動一動，打起精神，幸好沒把深紅的酒液灑在裙子上。

「……而且穆瑞勳爵跟齊馬諾克勳爵都認為，殿下最好拔軍回高地過冬。」傑米打了個大大的呵欠，下了結論。老西蒙讓傑米坐的那張椅子椅背很窄，坐起來拘束又不舒服，於是他站起來伸懶腰，身影在覆蓋石牆的淡色帷幕上閃動。

「那你自己又是怎麼想的？」老西蒙往後靠上椅背，眼睛半閉，但眼底閃爍著精光。壁爐柴火熊熊，燒得明亮。大廳的火原本被弗蘭西斯給熄了，還蓋著泥炭，但羅瓦特勳爵又叫人重新點燃，而且用的是木柴，不是泥炭。燃燒的木頭散發強烈的松脂味，夾雜著更濃厚的煙味。

傑米的影子在牆上打得高大，他煩躁地轉身，不想再坐下。小小的圖書室侷促而黑暗，窗簾都已經拉上。柯倫曾在開闊、晴朗的教堂墓園問傑米同一個問題，現在的景色與當時大異其趣，情勢也已不同。查理王子不像過去廣受氏族族長愛戴，反而自認君權神授，要眾族長聽命於他。但問題的本質並未改變，依舊黑暗而難以捉摸，像懸在頭上的陰影。

「我已經說過十幾遍了。」傑米突然開口，不耐煩地動動肩膀，彷彿外套的肩膀太緊。

「沒錯，你說過，但這一次我想聽實話。」老人在坐墊上挪了挪，坐得更舒服些，雙手交叉放在腹部。

「是嗎？」傑米迸出笑聲，轉身靠在桌子上，雙手撐在背後，面對他爺爺。雖然兩人的姿勢與身形不同，但彼此間有股張力帶出兩人間難以捉摸的肖似。一個高大，一個矮胖，但兩人都強壯、固執，決心在這場對峙中占上風。

「我不是你的親族、你的族長嗎？我可以要你宣示忠誠，對吧？」這就是重點了。柯倫熟知自己身體上的弱勢，所以很清楚怎麼抓住對方的弱點，讓人就範。老西蒙即使年長卻強悍如昔，習慣用更直接的方法達到目的。我從傑米臉上的苦笑可以看出他也在比較柯倫與他爺爺，一個是呼喚，一個是下令。

「是嗎？我不記得曾對你宣誓過。」

西蒙像老年人一樣，有幾根特別長的粗硬眉毛，現在這幾根眉毛正在火光下顫動，不曉得是因為憤怒還是覺得有意思。「宣誓？難道你血管流的不是弗雷瑟的血？」

傑米嘴角斜了斜，挖苦道：「人家說，聰明的孩子才能看清自己的爹，不是嗎？我只知道我母親是麥肯錫族人。」

老西蒙血氣上衝，臉色暗紅，眉毛皺成一團，然後張嘴大笑。他笑到不得不站起來彎下腰，唾沫四濺且咳個不停。他樂到一隻手不停拍著椅子，另一隻手伸進嘴裡，掏出假牙。

「噗！」他口沫橫飛，咻咻喘氣，臉上沾滿眼淚和唾沫，手在椅子旁的小桌子亂摸，最後把假牙放到蛋糕盤上，接著用粗糙的手指捏起亞麻餐巾擦臉，一邊擦還一邊發出悶笑。

他終於口齒不清地開口：「天啊，小伙痣，把威士忌給我。」

傑米眉一挑，拿起他後方桌上的酒瓶，遞給他爺爺。老西蒙接過來，拔起酒塞咕嘟灌下一大口，省掉用玻璃杯的麻煩。

「你覺得你不是弗雷瑟族的？哈！」老西蒙放下酒瓶，大吐一口氣，再次往後靠，肚子快速起伏，努力喘過氣來，又伸出一隻瘦骨嶙峋的手指，指著傑米。

老西蒙平靜下來，咳了好幾次，再次擦了擦臉：「你父親永遠離開波福堡的前一天，就站債你站的位置，說出一模一樣的話。你知道，我曾經想宣稱艾倫的孩子不是布萊恩的，好阻止他們結婚？」

「我知道。」傑米又靠回桌子上，瞇起眼打量他爺爺。

羅瓦特勳爵哼了一聲。「我和茲已的孩子不是處得很好，不過我了解茲已的俄子。也了解我的孫子。」他尖厲地補上最後那一句。「說起來要當姦夫淫婦，應該沒人比我行。」

傑米紋風不動，而我的眼睛忍不住一直想從老人的身上別開。我盯著他放在一邊的假牙，那是染色的山毛櫸做的，濕濕地發亮，還沾滿蛋糕屑。幸好羅瓦特勳爵沒有注意到我的眼神。

羅瓦特勳爵換上嚴肅的口吻。「好了，言歸正傳。里歐赫堡的杜戈爾已經宣示效忠查理王子，你是不是要跟我說，杜戈爾宅是你的竹長？你已經對杜戈爾宣誓了？」

「不是。我沒有對任何人宣過誓。」

「連查理都沒有？」這老人家反應很快，猛地拋出這個問題，像貓撲老鼠一樣，我幾乎可以看到他甩動尾巴。他看著傑米，眼皮滿是皺紋，眼眶深陷，斜挑的眼睛閃閃發光。

傑米的眼睛盯著跳動的火苗，影子在背後的牆上一動也不動。

「他沒要求我。」這倒是真的。查理王子不必要求傑米宣誓，他已經把傑米的名字寫在結盟書上了。不過我知道，沒有承諾查理王子這件事，對傑米來說很重要。如果有一天傑米不得不背叛查理王子，至少他不是背叛宣誓效忠的對象。即使全世界都認為傑米已經對查理王子宣誓，那倒是無所謂。

西蒙又哼了一聲。沒了假牙，他的鼻子和下巴幾乎連在一起，臉的下半部短了一截，看起來很奇怪。

西蒙平靜地說：「那就沒什麼可以煮礙你向我宣誓了，因為我係你宗族的族長。」西蒙甩動的尾巴比較不明顯了，但還是在那兒。我幾乎能聽到他腦中的念頭正踩著肉墊腳優雅踱步。如果傑米沒有對查理王子宣誓，而是效忠羅瓦特，那羅瓦特的權力就會增加，而且還可以分到拉利堡的收入，聲稱這是族長應得的一份，所以財富也會增加。公爵的職銜似乎離羅瓦特更近了，那職銜正穿透迷霧，散發光芒。

傑米輕快說道：「但我並不想對你宣誓。不過這只是個小問題，對吧？」他眼睛瞇得更細，眼角現出了皺紋。

羅瓦特的眼睛幾乎閉起來，緩緩地左右搖頭。「呣。小伙子，你係你父親生的，你們都像奇頭一樣頑固，也一樣蠢。我找就該知道了，布萊恩和那個淫婦生下來的都係蠢豬。」

傑米走向前，拿起盤子上的山毛櫸假牙，不客氣地說：「你最好把這個裝回去，老傢伙，你說什麼我一個字也聽不懂。」

羅瓦特張大嘴虛情假意地笑了笑，下頷僅存的幾枚斷齒露出黃黃的牙根。

他說：「聽不懂？那交易你聽得懂嗎？」他很快看我一眼，把我當成另一枚可以下注的籌碼。「你宣係，交換你妻紙的名譽，怎麼樣？」

傑米大笑，一手還拿著假牙。他不屑地往後一靠，手放在桌上。「來這套？你想在我面前強逼她嗎，爺爺？來啊，等你們結束，我會叫弗蘭西斯姑姑來收拾殘局。」

羅瓦特從容不迫，仔細打量傑米。「小伙子，不是我來。」他轉頭看我，沒有牙齒的嘴角一撇，露出微笑。「揮然我和更糟的來過。」他深沉的眼中有股冷酷的惡意，讓我想拉起斗篷，遮住胸口保護自己。可惜我沒穿斗篷。

「傑米，波福堡有多少人？裡面又有多少人想好好照顧你的英國小姑娘？你不可能全天保護她。」

傑米慢慢站直身子，牆上高大的影子也做出相同的動作。他低頭看著爺爺，面無表情。

傑米輕聲說：「我想我不必擔心，爺爺。我妻子是很罕見的女人，你知道，她是女巫，是白夫人，就像阿莉莎夫人。」

我從未聽過阿莉莎夫人，但羅瓦特顯然聽過。他猛一轉頭盯著我，雙眼圓睜，既震驚又防備，張大了嘴，但還沒來得及說話，傑米又接下去，流暢的口吻中潛藏著明顯的惡意。

他津津有味地說：「若男子與她有不神聖的結合，私處會像凍傷的蘋果一樣迸裂凋萎，而靈魂將永遠在地獄中燃燒。」他對爺爺咧嘴，手一丟。「就像這樣。」山毛櫸假牙啪地一聲落入火中，立刻滋滋作響。

第四十一章

先知的詛咒

傑米，
沒有人回來。
他們和你一起離開之後，
就再也沒出現過了。

低地蘇格蘭人大多在兩百年前改信了長老教會，有些高地氏族也跟隨他們的腳步，但弗雷瑟與麥肯錫等氏族則依然保有天主教信仰。弗雷瑟家族和法國天主教淵源深厚，信仰尤其堅定。

波福堡有一座小禮拜堂，羅瓦特伯爵和家人在此祈禱禮拜，但這個家族的人依然葬在破舊的比尤利修道院，戶外的聖壇石板地上平放著許多厚厚的墓碑，羅瓦特族人就長眠在墓碑下。

這裡安詳寂靜，儘管天氣寒冷，風勢疾勁，我偶爾還是會來走走。我後來知道，阿莉莎夫人是傳說中的「白衣女子」、療癒者，蘇格蘭版的白夫人。我不曉得老西蒙的威脅是不是認真的，或傑米把我比作阿莉莎夫人，是不是就能阻止惡人施暴，但我想在弗雷瑟家族的墓園，應該沒有人會來打擾我。

圖書室那一幕過後幾天，有個下午我走過修道院傾頽外牆的裂口，第一次發現這兒除了我，還有其他人。之前我在羅瓦特圖書室外看過的高個子女人也在這裡，她靠著一座紅色砂岩墳墓，雙臂環抱身體取暖，修長的腿伸直如鸛鳥。

我做勢要轉身離開，但她一看到我，就示意我上前。

「您是圖瓦拉赫堡夫人吧？」她有副輕柔的高地口音，雖是在發問，語氣沒有一絲不確定。

「我是。妳是……迷施莉？」

她微微一笑，顯得容光煥發。她的五官很有魅力，有點不對稱，就像莫迪里安尼❶的畫，長長的黑髮鬆垂在肩上，年紀輕輕就已夾雜了幾縷白絲。先知？看起來不太像。

她嘴角一彎，笑容更深：「是，我有靈視。」

我問：「妳也會讀心術，對嗎？」

她笑了，聲音消失在吹過斷垣殘壁的呼嘯狂風中。

「不會，但我能從表情判斷，而且……」

「而且我想什麼都寫在臉上。我知道。」我嘆了口氣說。

我們並肩站了一會兒，看著夾雪的細雨撲在砂岩和墓園蔓生的焦褐野草上。

迷施莉突然說：「不過我聽他們說，妳是白衣女子。」我感覺到她目不轉睛地看著我，但不像一般人聽到我是白衣女子後那麼緊張。

「他們確實這麼說。」

她不再說話，只是低頭看著腳。她穿著羊毛襪子與皮革涼鞋，雙腳看來修長優雅。我的腳包得更嚴實，但腳趾已經越來越麻，她的腳趾一定凍僵了。

我問她：「妳在這兒做什麼？」天氣好的時候，這個修道院優美而寧靜，但在寒冬凜風夾雜著雨雪時，就不是適合休憩的地方了。

「我來這裡想事情。」她淺淺一笑，但顯然心事重重。不管她在想什麼，一定不是愉快的事。

我兩手一推，身體往上撐，坐在她旁邊的墓上，開口問她：「想什麼事情？」墓蓋上雕了一位騎士，胸口緊抱著一柄蘇格蘭大刀，劍柄和心臟交叉成十字型，整體已經嚴重磨損。

「我想知道為什麼！」她突然大喊，瘦削的臉上驀然浮現怒意。

「什麼為什麼？」

「為什麼！為什麼我可以預見未來，卻什麼都做不到，什麼也改變不了、阻止不了？這種天賦有什麼

---

❶莫迪里安尼（Amedeo Modigliani，一八八四～一九二〇年），義大利藝術家，表現主義畫派代表之一，大膽創作裸女畫，風格特色之一是以長臉、長脖子描繪女性。

用？這根本不是天賦，是詛咒！可是我什麼都沒做，為什麼受到這種詛咒！」

她回頭惡狠狠地瞪著墓蓋上雕的湯馬斯．弗雷瑟，他安詳地穿著盔甲，交叉的雙手緊緊握著劍柄。

「你這該死的老頭！說不定這是你的詛咒，你和你的該死家族！妳想過嗎？」她突然轉身問我，眉毛高高挑起，憤怒的棕色眼睛裡閃動激烈的光芒。

「妳有沒有想過，也許妳並不是因為自己的宿命而成為這種人？也許根本不關妳的事，是因為其他人的宿命，妳才有靈視，還因此受盡折磨。妳想過嗎？」

我緩緩地說：「我不知道。不過經妳一說，或許吧！妳一定會不停想，為什麼是自己？但我從來沒有滿意的答案。妳覺得妳有靈視，是對弗雷瑟家的詛咒？讓他們預知死期？這想法真可怕。」

「的確很可怕。」她無奈地同意，靠在紅色砂岩石棺上，望著雨雪飄過殘壁的頂端。

她突然問：「妳覺得呢？我該告訴他嗎？」

我嚇了一跳。「誰？羅瓦特勳爵嗎？」

「是呀，告訴勳爵大人。他問我看到什麼，我跟他說沒有，他就打我。其實他看我的表情，就知道我看到了。但我不肯說。不說出我看到的，是我僅有的權力。」她潔白纖長的手指從斗篷下露出來，焦躁地捻著潮濕的斗篷。

「總是有可能，對不對？我的預言有可能改變事情，以前就偶爾發生過。我告訴拉克蘭，我看到他女婿全身包著海草，鰻魚從他的上衣游過。拉克蘭聽進去了，他直接走出去，在他女婿船上打個洞。」她想起往事，笑了起來。「老天，當時可起了好大一場騷動！不過隔一個禮拜，暴風雨來了，淹死三個人，拉克蘭則好好在家中補船。我後來再看到他，他身上的衣服就是乾的，纏住頭髮的海草也不見了。」

我輕聲說：「所以有時候，確實可以改變。」

「有時候可以。」她點點頭說，眼睛還是盯著地面。她腳邊長眠的是莎拉．弗雷瑟夫人，墓碑頂有一顆骷髏頭和兩根交叉的腿骨，碑上刻著拉丁銘文：Hodie mihi cras tibi，Sic transit gloria mundi。今天是我，明日換你。世間一切美好，都將歸於塵土。

「有時候不行。如果我看到一個人包著裹屍布，表示他就要生病了，而我也愛莫能助。」

「也許吧！」我看著自己攤放在身側石頭上的手。如果沒有藥物、沒有儀器、沒有醫學知識，那麼沒錯，得了病他就難逃一死。但如果附近有懂治療的人，有治療的草藥器材……或許迷施莉看到的疾病陰影，其實是實際的症狀，像高燒或疹子，而這些症狀平常看不到？然後只是因為缺乏醫療器材，所以看見症狀就代表死亡？我永遠也不會知道。

我轉向她說：「我們永遠也不會明白，我們也說不準。我們知道其他人不知道的事，但沒辦法解釋原因或方法。但我們就是有這種能力──妳說對了，這是種詛咒。但如果妳事先知道，或許就可以阻止傷害……妳覺得預知會傷害別人嗎？」

她搖搖頭說道：「我不知道。如果妳知道自己快死了，會不會採取行動？還有，妳只會採取善良的行動嗎？還是妳會孤注一擲，傷害妳的敵人？如果妳沒有預知能力，這種傷害本來不會發生，對吧？」

「天曉得。」我們沉默不語，看著雨雪轉為雪片，狂風捲起一陣雪花，吹過修道院毀壞的雕花窗格。

迷施莉又忽然開口：「有時我能感覺到東西，不過我可以隔絕它，不去看它。那天羅瓦特勳爵的事就是這樣，我知道有東西，但我努力不看。可是勳爵命令我看，還要我念占卜咒，讓幻影更清晰。我照他說的做了。」她抬頭望著聳立在前方的修道院石牆，牆壁交雜著赭色、白色與紅色，石磚間的泥漿已經破碎崩落。她的斗篷兜帽在她抬頭時滑落，帶有白絲的黑髮從她背後傾瀉而下，在風中飄盪。

「他站在爐火前，那是白天，看得很清楚。有個人站在他後面，像棵樹一樣動也不動，黑影罩著那人的臉。然後一把斧頭的陰影落在勳爵的臉上。」

迷施莉語調平靜，但我的背脊依然竄起一股寒氣。後來她嘆口氣，向我轉過身。

「好吧，我會告訴勳爵，讓他自己採取行動。這對他而言是好是壞，我也無法控制。勳爵必須自己選擇——願主耶穌保佑他。」

迷施莉轉身要走，我滑下墓石，踩在莎拉夫人的墳墓石板上。

「迷施莉！」我喊她，她轉過頭來看我，雙瞳幽黑一如遮蔽墳墓的陰影。

「嗯？」

「迷施莉，妳看我，看到什麼？」我兩手垂放身側，望著她，等她回答。

她注視著我，視線由上到下，從我身體後方游移到身旁兩側，最後淡淡一笑，點點頭。

「什麼都沒有，只有妳，夫人。」她輕聲說，轉身走下樹林間的小徑，留我一個人在風雪中。

是好是壞，我控制不了。因為除了預知，我沒有其他能力，既無法讓人聽從我的意志，也無法阻止別人照自己的意志行事。我只有孤身一人。

我抖落斗篷上的積雪，轉身跟著迷施莉走下小徑。我和她有同樣苦澀的認知，知道我們都只有孤身一人。一個人的力量改變不了什麼。

——

在接下來兩三個禮拜，老西蒙的態度一如往昔，但我想迷施莉已經告訴老西蒙她看到的幻象了。老西蒙之前正準備召集手下的次級地主與佃農，但突然打退堂鼓，說這件事其實也沒那麼急。這種優柔寡斷的態度讓小西蒙很不高興，他正急著上戰場取得輝煌功績。

「這件事不急。」這句話老西蒙已經說了十幾次。他拿起一塊燕麥餅，聞一聞，又放下來。「畢竟還是等春天播完種比較好。」

「春天還沒到，他們可能就打到倫敦了！如果你不去，就讓我帶人加入殿下！」小西蒙憤怒地看著坐在桌子對面的父親，伸手去拿奶油。

羅瓦特勳爵哼了一聲，說：「你有魔鬼的急性，怎麼就沒魔鬼的一半判斷力？不能學著等等嗎？」

小西蒙喊道：「我們已經等太久了！卡梅隆、麥唐納、麥吉利瑞——他們第一時間就加入了！難道我們要到最後一刻才出兵，然後在克林蘭諾和格倫加立面前屈居下風？到時想當公爵，門都沒有了！」

羅瓦特的大嘴表情豐富，即使年紀大了，還保有一些幽默與性感的痕跡。不過現在他的嘴看起來既不幽默，也不性感，他只是緊緊抿著嘴，冷淡地打量他的兒子。

他開口：「倉促成婚，後悔終身。選錯妻子還可以休了，選錯領主就糟了。」

小西蒙哼了一聲，看著傑米，要傑米幫忙講幾句話。他原本對傑米懷有猜忌與敵意，但在過去兩個月，由於傑米顯然精通兵法，因此他也勉強對傑米多了幾分尊重。

小西蒙正要開口，老西蒙就打斷他：「傑米說什麼我很清楚，我整天都在聽他說。什麼時候拿主意，由我決定。總之記清楚了，小子，如果宣布參戰的時機到了，等一等不會有損失。」

「等一等看誰贏了。」傑米低聲說，一邊用一小塊麵包認真地抹著盤子。老西蒙表情嚴厲，但顯然決定不搭理他。

小西蒙沒注意到他父親的不悅，固執地繼續說：「你已經答應斯圖亞特了，該不會不守信吧？這樣別人對你的信用會怎麼說？」

老西蒙平靜地回答：「就和他們一七一五年起事時說的一樣。這些說三道四的人不是死了、破產了，就是流落法國變成乞丐，而我還好端端地在這兒。」

「可是……」小西蒙面紅耳赤，他和父親談論這類話題都是這種結果。

伯爵厲聲說：「夠了！」他緊抿著唇，不以為然地瞪著兒子，一邊搖頭。「老天爺，有時我真希望布萊恩還沒死，他笨歸笨，至少知道什麼時候該住嘴。」

小西蒙和傑米氣得滿臉通紅，但兩人謹慎地看了對方一眼，就低頭專心用餐了。

羅瓦特動爵的視線從兒子身上移開，看到我望著他，大吼道：「妳又在看什麼？」

我坦率說：「看你。你看起來不太好。」即使以七十幾歲老人的標準，他看起來都不太健康。雖然他只有身高中等，又因為上了年紀有點駝背、變胖，但原本體格結實，衣服下鼓起的胸膛和圓潤的水桶腰感覺健康壯碩。但近來他變得肌肉鬆垂，皮膚下的肉體似乎縮水了，眼眶下布滿皺褶的眼袋也變得暗沉，皮膚看來蒼白虛弱。

他哼了一聲。「當然啦，睡不好，醒來也不得安寧，難怪我看起來不像新郎倌那樣滿臉春光。」

小西蒙趁機反擊，惡劣地開玩笑：「您看起來很像新郎啊，像剛度完蜜月被榨乾的新郎。」

「西蒙！」弗蘭西斯夫人叱了一聲。但桌旁的人一個個都在竊笑，連羅瓦特動爵自己的嘴角也微微牽動了一下。

動爵接話：「是嗎？小子，告訴你，我還寧可是這個原因！」他在座位上不自在地動了動，把侍者端上來的煮蘿蔔推開，伸手拿酒杯，舉到鼻子前嗅嗅，又鬱悶地放下。

動爵冷冷地對我說：「盯著人看很失禮，還是說英國人對禮貌有不同標準？」

我有點臉紅，但沒有移開視線。「我只是在想，你除了沒胃口，不想喝東西，還有其他症狀嗎？」

「想證明自己還有些價值嗎？」羅瓦特向後一靠，雙手交疊放在大肚子上，像隻老青蛙。「我孫子說妳是治療師，白夫人？」他朝傑米瞥去不懷好意的一眼，但傑米視若無睹，繼續用餐。羅瓦特嘀咕一聲，斜眼望著我，表情有點嘲諷。

「我不喝酒，是因為我無法小便，我也不希望自己像豬一樣膀胱爆炸。我睡不好，是因為我一個晚上起來十幾次拿夜壺，卻常白拿。所以妳覺得這是怎麼回事，阿莉莎夫人？」

弗蘭西斯夫人低聲說：「父親大人，說真的，我覺得您不該……」

「可能是膀胱感染，但我覺得聽起來像前列腺炎。」我回答，並舉起酒杯喝了一大口，先細細品味，再讓酒滑下喉嚨。我放下酒杯，端莊賢淑地對勳爵笑了笑。

「是嗎？請問那又是什麼病？」勳爵挑眉說道。

我像魔術師變戲法一樣，捲起袖子，舉起手，動動手指。我先舉起左手食指，對他說明：「男性的前列腺環繞著尿道，而尿道是膀胱排尿的管道。」我屈起右手，兩指成圈，繞著左手食指，當作解說圖。「如果前列腺發炎或肥大，也就是所謂的前列腺炎，就會把尿道夾住，截斷尿流。」我收緊右手的圈圈，夾住左手食指。「年紀大的男人常有這毛病，懂了嗎？」

弗蘭西斯夫人本來想讓勳爵談些適合晚餐的話題，卻沒成功，現在正和妹妹激動地竊竊私語，兩人看我的眼神比平常更加懷疑。

羅瓦特勳爵興致盎然地看著我的小小表演。「我懂了。」他瞇起斜挑的貓眼，若有所思地看著我的手指。「如果妳對這個毛病這麼了解，那妳知道怎麼解決嗎？」

我皺著眉頭回想。年輕的士兵很少得前列腺炎，我從未真正見過這種病例，更不要說治療了。不過，我在醫學課本上讀過，也記得治療方法，因為課本上前列腺炎的章節圖文並茂，護士生看了都嘻嘻哈哈，覺得可怕又有趣，讀起來格外用心。

我說：「除了手術以外，只有兩條路可以走。一是在陰莖裡插入金屬管，通到膀胱，撐開尿道……」我一邊說，一邊將食指捅過縮起來的圈圈。「或者可以按摩前列腺，消除腫脹。而且要經由肛門按摩。」我最後補充一句說明。

我聽到身旁傳來一陣輕輕的嗆咳，抬眼看看傑米。他眼睛仍盯著盤子，不過一陣潮紅從領口逐漸蔓延到臉上，耳尖更是火燒般通紅，身體還微微顫抖。我環視桌子一圈，發現許多人盯著我，看起來嚇呆了。弗蘭西斯夫人、艾琳和其他女士除了瞪著我，臉上還表情各異，有好奇，也有嫌惡，而在場所有男士都一臉反感與害怕。

唯一例外的是羅瓦特勳爵，他微闔著雙眼，若有所思地揉搓下巴。

他說：「這兩個選擇都很糟，不是老二插根管子，就是後面捅根手指，是嗎？」

我高雅地向他微微一笑：「應該是兩、三根，而且要反覆進行。」

「這樣啊！」羅瓦特勳爵唇邊露出跟我一樣的微笑，緩緩抬起蔚藍的眼睛，緊盯我的雙眼，目光中除了嘲諷，還有一絲挑戰。他婉轉地說：「聽起來……很有趣啊！」斜挑的眼睛將目光落到我的手上，打量著。

他開口：「妳的手很美，保養得很好，潔白又修長，是吧？」

傑米刷地一聲把自己的雙手收到桌下，站起身來，俯下身，面孔離勳爵只有三公分。

「如果您需要這種服務，就讓我來照顧您吧！」傑米把寬厚的大掌攤到桌上，每根長長的指頭大概有槍管那麼粗。「雖然要我把手指伸到您的老屁眼裡不是什麼舒服的事，不過為了表現孝心，我還是勉為其難，免得一泡尿脹破您的膀胱，您說是吧？」

弗蘭西斯夫人悶笑出聲。

羅瓦特勳爵極其不悅地打量孫子，慢慢從座位上站起來。

「不用麻煩了，我會請個女僕來做。」他簡要地說，然後向大家一揮手，示意我們繼續用餐，離開大廳前還停下來，端詳一名端著野雞肉進來的年輕女僕。那女孩瞪大雙眼，側身從勳爵旁邊走過。

勳爵離開後，餐桌陷入死寂。小西蒙嘴巴目瞪口呆地看著我，然後看看傑米，閉上嘴，接著清了清嗓子。

「請把鹽遞過來，謝謝。」他說。

——

「……老朽年老體衰，無法親往服侍殿下，甚憾。謹遣犬子，以示赤誠……等等，改成『崇敬』……謹遣犬子，以示崇敬。」羅瓦特勳爵頓了頓，皺眉看著天花板。

羅瓦特勳爵開口問祕書：「基頓，我們該送什麼？要看起來昂貴，但其實算不上什麼，讓我可以說區區薄禮，微不足道。」

基頓嘆了口氣，用手帕擦擦臉。他是個頭粗壯的中年男子，頭髮稀疏，臉頰圓潤通紅，顯然吃不消臥室裡的熊熊爐火。

「您從馬爾伯爵那兒得來的戒指？」基頓隨口建議。一滴汗從他雙下巴滴到信上，他用袖子偷偷吸乾。

勳爵說：「看起來不夠貴，而且有太多政治暗示。」勳爵一邊想，髒兮兮的手指在床單上輕敲。

我想，老西蒙做得十分徹底。他穿著最好的睡衣，在床上撐著坐起身，藥品擺了一桌，私人醫生孟席斯在一旁照料，這位矮小的醫生一直用懷疑的眼光瞄著我。我想，勳爵完全信不過小西蒙的想像力，才精心策畫了這幅場景，讓小西蒙見到查理王子的時候，可以照現場的樣子傳達羅瓦特勳爵是如何年老體衰。

「哈，有了。我們送黃金和純銀製的野餐組，看起來昂貴又無關痛癢，不會讓人覺得是種政治上的支持。」勳爵滿意地說，又補充道：「反正那湯匙也有凹痕了。」他對祕書說：「好了，我們繼續，『誠如殿下所知……』」

我和傑米互看一眼，他偷偷微笑回應。

一個禮拜前，那場重要晚餐結束後我和傑米回房換衣服，他告訴我：「我覺得妳讓勳爵如願以償了，英國姑娘。」

我問：「他有什麼願望？調戲女僕嗎？」

傑米面不改色地說：「他一直想託病閃避，妳正好給了他理由像往常一樣當牆頭草。如果他的病名聽起來很嚴重，他就可以名正言順臥病在床，不會有人怪他沒和手下一起出現在戰場。另一方面，他派繼承人去打仗，斯圖亞特會讚揚他信守承諾。但如果出了差錯，老狐狸也可以對英軍說，派兵是小西蒙的主意，與他無關。」

羅瓦特勳爵呼喚著我，把我從回憶中拉回。「姑娘，可以請妳告訴基頓『前列腺炎』怎麼寫嗎？」他又告訴基頓：「笨蛋，寫清楚點，別讓殿下看錯了。」

於是我慢慢唸給基頓聽。接著，我站到勳爵床邊，問道：「今天早上還好吧？」

勳爵望著我，露出一口假牙笑嘻嘻地說道：「非常感謝妳，我的病情大大好轉了。想看我小便嗎？」

我十分禮貌地答道：「先不用，謝謝。」

這天是十二月中，天氣清朗冷冽，我們離開比尤利，準備回去和查理王子及高地軍會合。查理王子獨排眾議，無視天氣、常識與手下指揮官的勸阻，執意往南推進到英格蘭。不過到了德比，他手下指揮官的意見

占了上風，高地首領不願繼續前進，於是高地軍往北撤退。查理王子來了一封急件，催我們立刻往南和他會合，「切勿耽擱」。小西蒙穿著深紅色的格子花呢，一副氏族族長的模樣騎在一列小隊前方，有馬騎的人跟著他，其他人則走在後面。

我們和小西蒙一起騎在小隊前方，直到抵達科馬爾。屆時我們將分道揚鑣，小西蒙和弗雷瑟家族的部隊前往愛丁堡，傑米表面上先護送我回拉利堡，之後再回愛丁堡，實際上他當然不會回去，不過這點就與小西蒙無關了。

近午時分，我從路旁的小樹林間鑽出來，看到等得不耐煩的傑米。為了讓上路的人打起精神，大家會喝熱麥酒。我意外發現，熱麥酒不僅適合早上喝，對膀胱也有顯著的影響。

傑米咕噥著說：「女人，不過撒個尿，也要這麼久？麻煩得要命，和我爺爺沒兩樣！」

我犀利地說：「下次你可以一起來看一下，或許會有更好的建議。」

傑米哼了一聲，轉頭去看小隊魚貫通過，他臉上卻掛著微笑。今天早上清澈晴朗，每個人都精神振奮，不過傑米精神特別好。這也難怪，我們要回家了。我明白傑米不會騙自己一切順利，這場戰爭還是要付出代價。但即使我們阻止不了查理王子，至少我們可以解救身旁的人，也就是拉利堡。這點事我們還做得到。

我瞟了一眼族人邐迤的隊伍。

「兩百人，真壯觀。」

傑米伸手提起韁繩，心不在焉地糾正我：「一百七十人。」

我好奇地問：「你確定？羅瓦特勳爵說他要派兩百人。我聽到他吩咐要這樣寫。」

「他沒派這麼多人。」傑米上了馬鞍，站在馬蹬上，指著底下的山坡，遠方畫有弗雷瑟家徽雄鹿頭的旗幟在隊伍前方飄揚。

「我在等妳的時候數了數，上面那裡西蒙旁邊有三十個騎兵，五十名當地的巡守隊，他們拿著大刀與小圓盾，腰上掛著鐮刀、鐵鎚的佃農有九十人。」

我嘲諷地說：「你爺爺想誇大派出的人手啊！」

傑米皺眉：「不過他們到愛丁堡會登入軍冊。我最好看一下。」

我靜靜地跟上去。我想自己身下的坐騎大概有二十歲了，只能沉穩地踱著慢步。傑米的坐騎則浮躁不安，遠比不上多納士。查理王子想騎著多納士公開露面，因此傑米把那匹大公馬留在愛丁堡，也免得落入老西蒙貪婪的手裡。

從我面前上演的這場好戲看來，傑米對爺爺的判斷無誤。我看到傑米先是騎在小西蒙的書記員旁邊，接著兩人陷入激烈的爭辯，最後傑米從鞍上側身一把抓住書記員的韁繩，把他的馬拽離路邊，來到泥濘小徑上，書記員滿臉怒氣。

傑米和書記員下了馬，兩人面對面站著大吵。小西蒙見二人起了爭執，示意縱隊繼續前進，自己則拉著馬加入爭吵。三人一陣你來我往，我發現小西蒙惱怒地漲紅臉，書記員一副愁眉苦臉的表情，傑米的手勢則有點激烈。

這場啞劇讓我看得入迷。只見書記員無奈地聳聳肩，解開鞍帶，拿出幾張羊皮紙。傑米一把搶過，食指沿著一行行文字快速掃讀。然後他抓出其中一張朝西蒙揮舞，其他的全飄落到地上。小西蒙嚇了一跳，拿了那張紙凝神細瞧，然後抬起頭，一臉困惑。傑米一把奪回，用力把堅韌的羊皮紙對半撕開，疊起再撕一次，然後把碎片塞進自己的蘇格蘭毛皮袋裡。

我勒住馬，這小馬趁著短暫休息時間，嗅了嗅附近幾株乾瘦的草木。小西蒙轉身往馬走去，後頸赤紅，我想自己還是最好別擋路。傑米策馬向我奔來，紅髮像旗幟在風中飄揚，嘴唇緊抿，明亮的雙瞳閃著怒火。

他怒吼道：「該死的臭老頭。」

「他怎麼了？」

「他把我的人馬列入他的名單，宣稱他們也屬於弗雷瑟軍團。可惡的老臭蟲！」傑米回望來時的小徑，一臉無奈。「可惜我們已經走這麼遠了，來不及回去教訓那戴假牙的老混蛋。」

我很想繼續聽傑米對老西蒙的精彩批評，但還是先打住問道：「為什麼？他想讓自己看起來出了更多力？」

傑米點頭，怒氣微微從他臉頰上退去。「這就是他，不花一分力借刀殺人。不止這樣，那隻卑鄙的老蜘蛛還想把我的地要回去。自從我父母結婚，他被迫讓出那塊地之後，他就一直想奪回去。他打著如意算盤，一旦他成了茵凡涅斯公爵，就可以聲稱拉利堡一直屬於他，我只是他的佃農，證據就是這支氏族軍隊裡有拉利堡的人馬。」

「他真的能為所欲為？」我疑惑地問。

傑米吐出長長一口氣，溫熱的水氣從鼻孔噴出，像火龍一樣。接著他一聲冷笑，拍拍腰上的毛皮袋。

「現在他不能了。」

從比尤利到拉利堡需要兩天，前提是天氣好、馬匹健壯、路面乾燥，而且除了吃喝睡以外，不多作耽擱。而實際上，出了比尤利約十公里，有匹馬就瘸了，颳風、下雪、凍雨又輪著來，泥濘的地面凍出一塊塊濕滑的冰，如此這般，我們花了幾乎一星期才終於走到往拉利堡農舍的最後一道山坡路，一路又冷、又累、又餓，渾身髒兮兮。

我們獨自回來，就只有我們兩人。我們遣穆塔夫和小西蒙、波福堡的士兵一起回愛丁堡，評估高地軍隊目前的局面。

宅邸聳然矗立，潔白一如覆滿冬雪的田野，四周是幾棟邊屋。我第一次看到這棟宅邸時的情緒，至今依然鮮明。的確，我第一次看到這棟房子不是透過陣陣冰冷的飛雪，而是在明媚的秋日，但即使在那時，屋子看起來就已經是溫馨的避風港。現在樓下的窗戶透出溫暖的燈光，在天色漸灰時發出昏黃柔和的光芒，屋子便顯得更寧靜而強大。

我跟著傑米走進前門，聞到令人垂涎欲滴的烤肉味、剛出爐的麵包香，那股溫馨的感覺又更濃了。傑米幸福地閉上眼睛，深深吸入那股香味。「晚餐！天啊，我餓到能吃下一匹馬。」融化的雪水從他的斗篷下襬滴落，在木頭地板上滴出一圈水漬。

我解開披風的繫繩，撥掉髮上的融雪。「我也以為最後得煮匹馬來吃，你在科琴米爾買的那匹劣馬，只能一瘸一拐地走。」

我們的聲音穿過門廳，樓上一扇門打開，接著傳來一陣小小的腳步奔跑聲，還有高興的叫聲。小傑米發現了他的舅舅。

兩人團聚時的喧鬧聲引來家裡其他人注意，不知不覺中，傑妮、小嬰兒、瑪格、伊恩、克羅克太太，還有幾個女僕都湧入門廳，團團圍起，歡迎擁抱著我們。

「傑米，真高興你回來了！」傑妮踮起腳尖親吻傑米，第三遍說出這句話。「我們聽到軍隊的消息，擔心你們要好幾個月才能回家。」

伊恩說：「你們帶人回來了嗎？還是只是回來看看？」

「帶人回來？」哄著瑪格的傑米聽到伊恩這番話，一時忘了懷中的小女孩。瑪格扯了扯傑米的頭髮，要他注意自己，他輕啄她一下，便將她交給我。

傑米問伊恩：「這話是什麼意思？拉利堡的人應該一個月前就全回來了才對。有人沒回來？」

我抱緊小瑪格，看著伊恩臉上的笑容慢慢退去，一股不祥的預感瀰漫我全身。

伊恩緩緩地說：「傑米，沒有人回來。他們和你一起離開之後，就再也沒出現過了。」他看著傑米的臉，瘦長和氣的臉上也突然浮現同樣嚴峻的神情。

這時門外庭院突然傳來一聲喊叫。傑米急忙轉身到門邊，推開門，身子往外探進風雪中。

我站在傑米背後，看到風雪中有人策馬急奔而來。視野太差，我看不清馬上人的臉，但那瘦小結實的身影像猴子般攀在馬鞍上，絕不可能認錯。傑米說他「快如閃電」，確實。只花一星期就從比尤利到愛丁堡，緊接著回到拉利堡，不是真正的堅忍絕對辦不到。來者正是穆塔夫。我們用不著迷施莉的預言天賦也知道，他帶來的必定是惡耗。

第四十二章

最新情報

這消息很重要，
現在高地軍約有六、七千人，
在霍利的援軍抵達前還有可能打贏，
但傭兵和坎貝爾的人一抵達，就萬事皆休了。

傑米臉色鐵青，盛怒下甩上荷里路德宮晨間會客室的門，把伊旺嚇得跳起來，打翻了桌上的墨水瓶。桌子另一邊坐著小西蒙，看著傑米氣急敗壞，只是揚了揚粗黑的濃眉。

「可惡！怎麼回事啊你？」伊旺匆忙掏著袖子找手帕，想擦乾在桌面溢開的墨汁。「呃，早安，弗雷瑟夫人。」他見到我跟在傑米後面進門，急忙向我致意。

傑米開門見山問道：「殿下在哪裡？」

「史特林堡。」伊旺放棄找手帕了，開口問道：「有沒有布，傑米？」

「有的話我會拿來勒死你。」傑米發現查理王子不在宮裡，稍微放鬆了點，但嘴角還是緊緊繃著。「你為什麼把我的手下關在托博特監獄？我剛剛去看過了，那地方連豬圈都不如！你為什麼不幫點忙？」

傑米的話讓伊旺漲紅了臉，但他清澈的棕色眼睛緊盯著傑米的眼睛。

「我試過了，我說這其中一定有誤會——沒錯，我們發現那三十人時，他們離軍隊已經有十多公里了，說是誤會還真勉強！話說回來，依殿下目前的兵力，還是少不了他們。所以殿下才開恩，沒有下令當場全都絞死。」伊旺一驚魂甫定，怒氣就升上了來。「老天爺，戰時逃兵可是叛國罪！」

「是嗎？」傑米懷疑道，一面對小西蒙點頭致意，一面推了張椅子給我，然後自己找位子坐下。「伊旺，那你下令絞死你那二十個逃回家的手下了嗎？還是現在已經變成四十人了？」

伊旺的臉更紅了，垂下眼睛，專心揪著小西蒙遞給他的布擦拭桌上的墨汁，低聲開口：「至少我那些手下沒有被當場逮到。」他抬起瘦削的臉看著傑米，認真建議道：「去史特林找殿下吧！殿下非常生氣，但畢竟你是因為殿下的命令才去比尤利，所以才沒能看管他們，不是嗎？傑米，殿下把你當朋友，說不定會原諒他們，你可以為他們求情。」

伊旺拿著沾滿墨水的布，猶豫不決地看了看，然後喃喃告退說要把布拿出去，顯然急著想擺脫傑米。

傑米攤坐在椅子上，咬牙切齒喘著氣，眼睛凝視著牆上的斯圖亞特紋章刺繡掛毯，右手的兩隻手指敲著桌子，陷入苦思。自從穆塔夫把消息帶到拉利堡後，他就一直這樣。穆塔夫回報，傑米的三十個手下在潛逃途中遭到拘捕，現在正關在愛丁堡惡名昭彰的托博特監獄等著處死。

就我來看，我也不覺得查理王子會處決傑米手下。就如伊旺所說，高地軍損失不起一兵一卒。查理王子堅持揮兵英格蘭，不單糜師耗餉，英格蘭地方的人民也未如他所期待支持他。更何況，在傑米派外交涉時處死他的人馬，不僅犯了政治忌諱，在私人情誼上也缺乏道義，他再昏庸也不至如此。

如伊旺所言，查理王子終究會赦免傑米手下，這點傑米也明白，但即使如此，他仍惴惴不安，因為在這場情勢越發不利的戰事中，他不僅未能讓自己人安然抽身，還將他們推進蘇格蘭最惡名昭彰的監獄，烙上懦夫的印記，判處可恥的絞刑。

不僅如此，眼下傑米還必須忍著不衝入陰暗汙穢的牢房救人，而是動身前往史特林，思索如何向查理王子低頭求情，難怪他此刻如坐針氈。

小西蒙也默不作聲，皺眉思索，寬闊的前額擠滿皺紋。他突然開口：「我和你一起去見殿下。」

傑米訝異地看著他，然後瞇起眼睛：「你要和我去？為什麼？」

小西蒙似笑非笑答道：「畢竟我們是親戚。難不成你覺得我會像父親一樣，把你的人占為已有？」

「你會嗎？」

「如果我覺得這樣對我有好處，可能會。不過，我覺得這樣只會帶來麻煩，我可不想和麥肯錫家對幹，也不想和你對幹，我的姪子。」小西蒙笑道。「拉利堡儘管很富庶，但離比尤利太遠，想據為己有也不容易，不管出兵還是上法庭，都有難纏的仗要打。我跟父親說過，但他根本聽不進去。」小西蒙坦言。

小西蒙搖搖頭，整整腰下的劍帶。「加入殿下大軍的好處應該更多，等陛下復辟，肯定有不少油水可撈。但想要打勝仗，每個能作戰的兵馬都得上場才行。我和你一起去。」他堅定地又說了一次。

「多謝，西蒙。你一起來會有幫助。」傑米點頭，臉上緩緩浮現微笑。

「好說。你也可以找杜戈爾一起，他現在人在愛丁堡。」小西蒙點頭。

「杜戈爾？找他沒什麼不好，可是……」傑米疑惑地揚起眉毛。

小西蒙懶洋洋地靠在椅子上，面帶嘲諷地看著傑米。「沒什麼不好？你難道沒聽說，現在麥肯錫可是查理王子身邊的紅人啊！」

「為什麼？他做了什麼？」我問道。杜戈爾帶了兩百五十名士兵加入斯圖亞特，但出更多人手的族長也不少。

「一萬英鎊。」小西蒙玩味地咀嚼這幾個字。「白花花的錢，整整一萬英鎊，由杜戈爾的雙手恭敬地獻上，不賴吧！」小西蒙實事求是地說，從椅子上坐直。「卡梅隆告訴我，查理王子已經把西班牙的贊助款花得一毛不剩。他原本期盼英格蘭人民響應，但到頭來收到的錢也少得可憐。杜戈爾的一萬磅拿來買武器食物，至少可以撐幾個禮拜，運氣好的話，到時會有更豐沛的法國資金。」路易王終於體認到，他表親查理王子的魯莽行動可以徹底分散英軍的注意，於是勉強擠出一點錢給查理王子，不過仍要等上好長一段時間。

我注視著傑米，他的表情和我一樣困惑：杜戈爾究竟從何處生出這一萬英鎊？突然間，我想起許久前曾聽過這筆金額。就是在克蘭斯穆的賊窟，我在坑裡度過漫漫的三天三夜，等待女巫罪名的審判。

我驚呼出聲：「潔莉絲！」我想起那場對話，在幽黑的泥濘坑洞裡如何聽到潔莉絲的聲音從黑暗中傳來。我一陣發冷，會客室爐火溫暖，我卻拉緊斗篷緊裹住自己。

當時，潔莉絲自豪地說：「我挪用了近一萬英鎊，用來資助詹姆斯黨的志業。對於起事，我知道自己出了一份力。」她巧妙偽造前夫的簽名，侵占了這筆錢。她的丈夫曾是地方的財政官，後來遭她毒殺。

我大叫：「是她偷的，她偷了這筆錢給杜戈爾，或者是杜戈爾從她那兒拿到的。」想到潔莉絲，一股寒顫沿著我手臂向上竄。她被控施行巫術，在一株花楸樹的枝枒下遭火刑處死，但在那之前她已產下杜戈爾的孩子。我激動地站起身，在爐火前來回踱步。

「那個混帳！兩年前他在巴黎就是幹這件事！」我說。

「什麼事？」傑米皺眉看著我，小西蒙則瞠目結舌。

「他去拜訪查理王子，確認他是否真開始計畫起事。也許那時他承諾要給錢——潔莉絲的這筆錢，因此鼓動了查理王子潛回蘇格蘭。但那時柯倫還活著，他不能公然動用這筆錢，柯倫會過問。他太誠實，不習慣用偷來的錢，不管是誰偷的都一樣。」

「我明白了。」傑米若有所思，慢慢說道：「現在柯倫死了，杜戈爾成了王子的親信。」

小西蒙插嘴：「像我說的，這對你有好處，去找他吧！這個時間他應該在『世界盡頭』小巷。」我們說的人他不認識，提的事他也一知半解，他因此開始不耐煩。

我憂心忡忡地問傑米：「你覺得他會幫你向王子求情嗎？」杜戈爾曾當了傑米一段時間的養父，但關係一直時緊時緩。或許他不想幫懦夫和逃兵說話，以免失去王子剛對他產生的好感。

小狐狸西蒙的歷練雖不及父親，血液裡仍帶著父親的機敏。他揚起那雙濃重的黑眉：「麥肯錫還想併吞拉利堡，不是嗎？如果他認定我和父親打算收回拉利堡，就會比較願意幫你救人，對吧？等戰爭結束，如果他想拿下拉利堡，應付你會比應付我們還要輕鬆。」他點點頭，欣然咬著上唇，琢磨這情勢的演變。

「我先去找他，拿一份父親寫的名單在他面前炫耀，之後你再加入，告訴他，你寧可死也不願讓我把你的人收歸旗下，然後我們所有人一起去史特林。」他朝傑米露出奸詐的笑容。

「真是兵不厭詐。」我說。

「什麼？」兩人一驚，抬起頭盯著我。

「沒什麼。我說，看你們的樣子，果然是一家人。」

—

傑米和小西蒙一起騎馬前去史特林找查理王子，我則留在愛丁堡。然而，在這種情況下我也不能留在荷里路德宮，於是在卡農蓋特街的小巷找了間客房住下，雖然房間又小又冷，但我待在房裡的時間也不多。

托博特監獄倒是不攔阻訪客探監，於是我和佛戈斯每天都到監獄送點小賄賂，請守衛讓我帶點食物和藥品給拉利堡的人。照理說，我不能和囚犯交談，但只要打點妥當，獄方也就睜隻眼閉隻眼，讓我單獨與鐵匠羅斯談了兩、三次。

我第一次探視羅斯時，他說：「都是我的錯，夫人，我應該聰明一點，讓他們三三兩兩地走，不該所有人一起走。我那時太擔心有些人會走丟，因為大部分的人從來沒離家過。」

「別自責，你們只是運氣不好。別擔心，傑米已經前往史特林找王子了，他很快就會讓你們離開這裡。」我要他放心。

羅斯點點頭，疲憊地將一綹頭髮往後撥。幾個月前他還是個魁梧、健壯的工匠，如今渾身又髒又臭、蓬頭垢面，還瘦了不少。他對我擠出微笑，謝謝我帶食物來。

「夫人送什麼我們都吃，比獄方配給我們那一丁點餿水好太多了。」羅斯說完，又猶豫了一下才問我：「能不能……張羅幾張毯子，夫人？我本來沒想要求這個，只是有四個兄弟渾身發冷，而且……」

「我來想辦法。」我不假思索道。

我走出監獄，心想到底該怎麼弄到毯子。儘管部隊主力已南下入侵英格蘭，但愛丁堡仍有軍隊占領，士兵、貴族、食客不斷來來去去，物資已開始短缺。我或許能找到毛毯和保暖衣物，不過這些東西所費不貲，而我只剩十先令了。

愛丁堡有位沃特福先生，他過去曾管理拉利堡的生意和投資，不過傑米擔心銀行資產可能會遭國王扣押，已在幾個月前把所有資金換成黃金，一部分送往法國請賈爾德保管，其他的藏在農莊。別說我，即使傑米本人在這兒都拿不到黃金。

我站在鵝卵石步道上思考，任行人左推右擠。雖然我沒有現金，但還是有幾樣值錢的東西。雷蒙在巴黎給了我一條水晶，水晶本身沒有特別的價值，但黃金底座和鍊子就值錢了。我的結婚戒指——不，即使只是暫時賣出，我也捨不得。但珍珠的話……結婚那天傑米送我一串珍珠項鍊，我手伸進口袋，確定項鍊是否還安然縫在我裙子的接縫裡。

項鍊還在，那些精巧、不規則的淡水珍珠摸起來堅硬又光滑，雖然不如東方珍珠昂貴，但作工精緻，珍珠之間還隔著黃金的鏤空小串珠。這條項鍊是傑米母親的遺物，用來照顧傑米的手下，她應該也很樂意吧！

—

我堅定地說：「五鎊，這項鍊值十磅，如果我有時間走到上面另一家店，還可以拿到六鎊！」我不知道這是真還是假，總之我伸出手，像是要從櫃檯上把項鍊拿回來。當鋪老闆山繆先生快速伸出手壓住項鍊，從他殷切的態度來看，我應該開六鎊的。

老闆說：「那三鎊十先令吧，開這價錢，我家人都要沒飯吃了，但看在您這樣的淑女份上……」

店門上的鈴鐺響起，我背後的店門打開了，當鋪陳舊磨損的地板上響起猶豫的腳步聲。

「打擾了。」我聽到一個女孩的聲音，頓時忘了珍珠項鍊，猛地轉過身，看到當鋪鈴鐺的影子落在瑪莉．霍金斯的臉上。一年過去，她長大也長胖了，儀態添了些成熟莊嚴，但依然很年輕。她眨眨眼，然後高興地尖叫撲過來，緊緊抱住我，衣服上的毛領搔著我的鼻子。

我終於從她的懷抱中脫身，問道：「妳在這兒做什麼？」

「我姑姑住在這裡。還、還是妳要問我為什麼出現在這兒？」她手指比向山繆先生狹窄幽暗的小店。

「這件事我也想知道，不過等一下再說。」我轉向當鋪老闆說：「四磅六先令，不然我就走出去。快，我得走了。」

山繆先生嘴裡嘟囔著，手伸到櫃檯下拿錢箱，我轉身面對瑪莉。

「我要買些毯子，要不要和我一起去？」

她往外看了一眼，門口有個穿制服的小僕人，顯然在等她。「好，之後妳再和我一起去。克萊兒，見到妳真是太高興了！」

我們走下山坡時，瑪莉向我透露：「他送了封信息給我，亞歷山大送的。有個朋友幫他轉交給我。」她提到亞歷山大的名字時，臉上閃閃發光，但也微微皺著眉。

「我發現亞歷山大在愛丁堡，就要、要爸爸讓我來看米爾德勒姑姑。」她恨恨地接下去說：「他不反對我來，巴黎的事情發生之後，他看、看到我就生氣。他很高興我離開他家。」

我問：「所以妳見過亞歷山大了？」自從上次和他相見之後，我就沒再聽過他的消息，也不知道他是如何鼓起勇氣寫信給瑪莉。

「見過了。他沒有要我來，我自己要……來的。」她叛逆地揚起下巴，但繼續開口時有點顫抖：「他、他本來也不會寫信給我，但他覺得自己快、快死了，他想讓我知道……」我手臂環上她的肩頭，很快帶她轉入一條小巷，遠離擁擠的人潮。

「沒關係。」我無奈地拍拍她，知道自己也幫不上忙。「妳來了，也見了他，就已足夠。」

她點點頭，說不出話，擤著鼻子，最後才口齒不清地說：「對，我們曾經度過……兩個月。我一直告訴自己，我已經比大多數人幸運了，度過幸福的兩個月……但我們錯過了太多該、該共度的時光，而且……我們在一起的時間太短了。克萊兒，太短了！」

「確實太短。這樣的愛，一生都不夠。」我內心忽然一陣刺痛，想知道傑米在哪裡，想知道他的狀況。

瑪莉鎮靜下來，抓緊我的袖子。「克萊兒，妳能陪我去看看他嗎？我知道妳也愛莫能助……」她極力壓抑著顫抖。「但也許妳可以……幫點忙。」她見我望向那個呆頭呆腦站在巷子外的小男僕，簡單解釋道：「我付錢請他保密。我姑姑以為我每天下午是去、去散步。妳願意陪我嗎？」

「當然了。」我望向高聳建築物間的縫隙，判斷太陽在城外山丘的哪個位置。再一小時就天黑了，托博特監獄潮濕的石牆入夜後會更冰冷，我想在這之前把毯子送進監獄。我立刻下了決定，轉身朝向佛戈斯，他一直待在我身邊好奇地看著瑪莉。佛戈斯原本跟著拉利堡的人被捕，但他是法國公民，逃過了牢獄之災，只是他一人在愛丁堡舉目無親，只好重操扒手舊業。我發現他也會固定到托博特附近閒逛，買一點食物給獄中的同袍。

我把錢包交給佛戈斯說：「拿著這筆錢去找穆塔夫。告訴他，盡量多買幾張毯子，確定毯子送到托博特監獄守衛那兒。我已經買通守衛了，但還是留著幾先令，以防萬一。」

「可是夫人，我答應過老爺，不會讓妳自己一人……」佛戈斯不肯。

「老爺不在，我做主。快去，佛戈斯。」

他的目光從我身上掃過，瞥向瑪莉，掂量後確定瑪莉不會對我造成威脅，於是聳聳肩離開，嘴裡用法文嘀咕著女人很頑固之類的話。

和我上次來的情況相比，亞歷山大的小房間已大大不同。首先，房間變乾淨了，每一個平面都擦得亮晶晶。還有，櫥裡放了食物，床上有羽絨被，還有許多撫慰病人的小東西。在途中，瑪莉提到她一直悄悄典當母親的珠寶，希望盡己所能讓亞歷山大過得舒適。

但發揮作用的不是那些東西，而是「人」。瑪莉一進門，亞歷山大就像燭光一樣亮了起來，驅散了憔悴的病容。

「親愛的，我帶克萊兒來了。」瑪莉把斗篷往椅子一丟，隨即跪在亞歷身邊，執起他細瘦、爬滿藍色靜脈的手。

「妳好，弗雷瑟夫人。謝謝妳先前的幫忙，很高興再看到妳。」亞歷山大向我微笑的聲音既虛又喘。

「我也是。」我對他笑了笑，不自覺注意到他的脈搏快速顫動，在喉嚨下浮現，皮膚也變得透明。他淡褐色的眼神晶亮、目光溫柔，展現著他僅存的生命力。

我今天沒有帶著藥，但還是仔細檢查著，再讓瑪莉幫他蓋好被子，舒舒服服地躺下。檢查花了他一些力氣，累得他嘴唇微微發青。

我忍著不說出連我都很擔心的病況，只告訴他明天會帶藥來，幫他入睡。我的安慰他幾乎都沒聽進去，一心一意只注視著瑪莉。瑪莉焦急地坐在他旁邊，握著他的手。她瞟了一眼窗外將暗的天色，我便明白她在擔心什麼了：她得在天黑前趕回姑姑家。

「那我走了。」我告訴亞歷山大，識趣地留一些寶貴的時間給兩人獨處。

亞歷山大的目光從我身上掃向瑪莉，然後又感激地對我微笑。

「上帝保佑妳，弗雷瑟夫人。」他說。

「明天見。」我轉身離開，心裡也期盼明天真有機會能過來。

—

拉利堡的人被捕時，武器自然也給沒收了，接下來幾天我四處奔走，軟硬兼施，盡可能找回那些兵器，需要時甚至恐嚇威逼撒嬌賄賂全使上。我典當了賈爾德送我當臨別贈禮的兩只胸針，買足食物讓拉利堡的人吃得和一般士兵一樣好——雖然高地兵的伙食也不怎麼樣。

我說服守衛讓我進到監牢裡診治他們的疾病，從壞血病與冬季常見的營養不良，以及皮膚發炎疼痛、凍瘡、關節炎到各種呼吸系統疾病都有。

我四處登門走訪還留在愛丁堡的族長及貴族（這些人也所剩無幾了），希望在傑米沒能說服殿下之時，他們可以伸出援手。我不覺得傑米會失敗，不過有備無患。

白天除了這些活動，我也騰出時間每天去看亞歷山大。我刻意挑早上去，才不會占去他和瑪莉相處的時間。他睡得很少，也睡不好，早上往往疲倦無力、不想說話，但總是面帶微笑歡迎我。我會替他準備清淡的薄荷與薰衣草茶，並滴上幾滴罌粟糖漿，通常這能讓他睡上幾小時，這樣下午瑪莉來訪時他就會有精神。

除了瑪莉，我在亞歷山大的住處沒看過其他客人，因此有天早上我上樓聽到屋裡有人時，吃了一驚。

我照著約定的習慣，短促地敲了一下門，就開門進去。黑傑克正坐在他弟弟亞歷山大的床邊，身著隊長的紅駝二色制服。他見我進門，便起身行禮，依舊精準而冷漠。

「夫人。」他致意。

「隊長。」我答道。然後我們彆扭地站在房間中央盯著對方，誰也不願再往前一步。

聳肩。

「翰……」亞歷山大嘶啞的聲音從床上傳來，喚著黑傑克的小名，語氣有哄勸也有指使，黑傑克煩躁地聳肩。

「我弟弟要我帶點消息給妳。」黑傑克說完，嘴唇緊閉。他今天早上沒戴假髮，黑髮束起的外貌和亞歷山大非常相似。臉色蒼白、身體虛弱的亞歷山大，看起來就像黑傑克的幽靈。

亞歷山大側臥起身，看著我說道：「妳和弗雷瑟先生一直對瑪莉很好，對我也很好。我知道翰和妳的協議……」他臉上浮起淡淡的紅暈。「但我也知道，妳和丈夫在巴黎幫瑪莉很多忙。我想，應該告訴妳翰昨天從愛丁堡城堡帶來的消息。」屋內的爐火讓他嘴唇乾燥龜裂，他舔舔嘴唇。

黑傑克嫌惡地看著我，但他信守承諾。「就像我之前和妳說的，霍利將軍已經取代了科普將軍的位置。霍利沒什麼領導天分，只是對自己的手下有種盲目的信心。至於他這種信心，是不是比科普的大砲有用……」他不耐地聳聳肩。「無論如何，霍利將軍已經收到指示，要往北進軍，收復史特林堡。」

「是嗎？你知道他有多少軍隊嗎？」我問道。

黑傑克點點頭。「目前他麾下有八千人，其中一千三百人是騎兵。還有六千名傭兵會加入，霍利每天都望眼欲穿。」他皺眉思考道：「我聽說坎貝爾氏族的族長也會派一千人加入霍利將軍，但我不知道這些消息可不可靠，蘇格蘭人做事很難預料。」

「我明白了。」這消息很重要，現在高地軍約有六、七千人，在霍利的援軍抵達前還有可能打贏，但傭兵和坎貝爾的人一抵達，就萬事皆休了。更別提高地軍的作戰技巧比較適合進攻，不適合防守。這消息最好立刻傳給穆瑞勳爵。

黑傑克的聲音將我從沉思中喚回。「告辭了，夫人。」他的聲音一如以往冷漠，對我鞠躬後離開，俊秀冷硬的面孔上看不到一絲人情。

「謝謝你，我非常感激。」我對亞歷山大說道，邊等黑傑克走下那道蜿蜒的樓梯再離開。

亞歷山大點點頭。眼睛下的黑眼圈很明顯，晚上又沒睡好了。「不客氣。可以留點藥給我嗎？下次再見到妳，可能要一段時間吧？」

我停下腳步，沒想到他認為我會自己去史特林。我身體裡每一根神經的確都在催促我動身，但我還要照顧留在托博特監獄的人。

「我不確定。不過，我會留些藥給你。」

⸺

我慢慢走回寄宿處，一邊思索著。如果要馬上把情報帶給傑米，派穆塔夫去最快。傑米一定會相信我寫的便箋，但是他有辦法僅憑一張便箋，就說服穆瑞勳爵、伯斯公爵，或其他的軍隊指揮官嗎？

我不能告訴他消息來源，如此一來，即便一般人認為女人寫的字具有不可思議的力量，但身為指揮官，會願意相信一封女人所寫、毫無根據的信嗎？這讓我想到迷施莉，不禁打了一陣冷顫。她說過：「這是一種詛咒。沒錯，但我們有什麼選擇？不說出我看到的，是我僅有的權力。」我也有這種權力，但行使這權力的風險很大，我不敢貿然嘗試。

我意外發現房門是開的，裡頭傳出乒乒乓乓的聲音。我一直把收回來的武器藏在床下，床底放滿了，就把各種刀劍疊在壁爐旁，現在除了佛戈斯打地鋪的一小塊空間，房間地板全堆滿了東西。

我站在樓梯上，望進門內，看到的景象讓我大吃一驚：房內擠滿了人，穆塔夫正站在床上，負責把武器分派下去——那都是我們拉利堡的人。

「夫人！」這聲呼喊讓我轉身，發現佛戈斯就站在身邊眉飛色舞地抬頭看我，蠟黃的臉上笑嘻嘻地，一排牙齒整整齊齊。

「夫人！很棒吧！老爺讓大家獲釋了！今天早上有個信差帶了釋放令來，還要我們馬上到史特林和老爺會合！」

我笑著摟住他。「太棒了，佛戈斯。」幾個男人注意到我，也紛紛轉身對我微笑，拉拉其他人的袖子，小房間裡的氣氛既興奮又激昂。穆塔夫坐在床邊，就像坐在蕈傘上的侏儒國王，一看見我嘴角便上揚，這一笑讓他換了一張臉，幾乎讓人認不出來。

「穆塔夫先生會帶大家去史特林嗎？」佛戈斯分到一把短劍，正在練習把劍從劍鞘裡拔出、收回。

我迎上穆塔夫的眼睛，搖了搖頭。我想，如果珍妮都可以帶領哥哥的手下到格倫芬南，那我也可以帶領丈夫的兵馬到史特林。我要親自傳達，絕不讓穆瑞勳爵和王子殿下輕忽我的情報。

「不，我來。」我說。

第四十三章

福爾柯克之戰

我緊挨著傑米瑟瑟發抖。
他的手在我的膝蓋和肩膀下收緊，
像一個堅定的承諾，
承諾永不放手。

黑暗中，我能感覺到身邊有人和我一同前進。我旁邊是個風笛手，他腋下夾著風袋嘎吱出聲，單音管的輪廓則從他肩頭探出。風笛手每走一步，風袋和低音管隨之晃動，看起來就像揹著一隻無力掙扎的小動物。

我認得他，他叫賴比瑞恩．麥克伊安。在史特林，氏族的風笛手會輪流在黎明吹奏，邁著整齊的步伐在營地巡行，讓單音管哀泣般的音色在薄弱的營帳間震盪，喚醒所有人迎向新一天的戰鬥。

在傍晚，風笛手也會出來吹奏，漫步踱過軍營場地。營中的人都會停下手邊的事聆聽，此時正值夕陽餘暉漸漸從帆布營帳上淡去，各種聲音也逐漸沉寂。蘇格蘭高地風笛曲的音調高亢，如泣如訴，從月中喚出暮色。曲聲歇止之時，夜色已然降臨。

無論晨昏，麥克伊安吹奏時都緊閉雙眼，踩著堅定步伐，手肘緊夾風袋，手指在音管上靈活飛躍著。儘管天冷，有時我還是會在傍晚坐著，讓樂音穿透我的心靈。麥克伊安無視周遭的一切，身體帶動腳跟行進吹奏著，透過音管傾洩出屬於他的樂章。

風笛大致有兩種，一種是小的愛爾蘭風笛，多用於室內演奏，另一種是大的北方風笛，多用於室外吹奏，特別是用於軍隊裡的起床號、召集氏族、行軍間激勵戰鬥士氣等等。麥克伊安吹奏的就是北方風笛。

一天傍晚他奏完，我站起身子。他擠出風袋最後剩餘的一點空氣，讓風笛發出漸弱的嗚咽聲，隨後朝守衛點個頭，便穿過史特林堡的大門進來。此時我走過去和他並肩走著。

他向我招呼道：「晚安，夫人。」他的聲音很柔和，眼睛雖然張開了，但尚未走出音樂施下的魔咒，眼神仍然迷濛。

「晚安，麥克伊安。我想知道，為什麼你吹奏時總是緊閉著眼睛？」

他撓撓頭笑著答道：「夫人，我想大概是因為教我風笛的是我失明的祖父。每次吹奏時我總是能看見他，看到我們在海岸邊散步，他的鬍子在風中飛揚。他得緊閉著失明的雙眼，抵擋風沙造成的刺痛。他可以從笛音碰到懸崖岩石，再反折到他身上的聲音，判斷自己走到哪裡。」

我問：「原來，你就像是看著祖父，對著懸崖和大海吹奏那樣啊！你是哪裡人，麥克伊安？」他說話的腔調低沉而獨特，跟一般高地人有點不同。

他答道：「我從昔德蘭群島❶來的，夫人，離這兒很遠。」他說「昔德蘭」時，發音聽起來像很像「切德蘭」。等我們一同走到賓客營區分別前，他再次微笑行禮。「不過，若真要說來，我想您應該來自更遙遠的地方，夫人。」

「你說的一點都沒錯。晚安了，麥克伊安。」我說道。

我憶起數天前麥克伊安說到自己闔眼吹奏的樣子，此刻他在這一片黑暗中應該也暢行無阻吧！一行人再怎麼極力保持安靜，走動聲音仍舊吵雜。然而，無論他們造成的回聲多大，都會讓呼號的風聲給吞沒。這晚月黑風高，天空雲層稀薄，冰冷的凍雨降下，刺痛我的臉頰。

高地軍分成十至二十人的小隊分散前進，地面顛簸不平，彷彿地上不時會突然冒出幾座小丘，又好像落葉松與赤楊木樹林會在暗夜裡行走。他們沒有輕忽我的情報，因為伊旺的探子也報告了霍利將軍的行動，蘇格蘭軍已經上路，正在史特林城堡南方某處，準備會一會霍利的軍隊。

---

❶昔德蘭群島（Shetlands），為英國領土的最北端，由一百多個小島組成，主島距蘇格蘭本土約兩百餘公里，十五世紀之後才劃入蘇格蘭領土。

傑米已經不再要求我回去。我答應過不會插手，而且如果戰爭開打，軍醫自然必須隨時待命。我見傑米突然抬頭，猜想他應該是巡視著手下兵馬和前方的路況。他騎著高壯的多納士，即使在黑暗中也非常醒目。他舉起一隻手臂，兩道比較矮小的人影從行伍中脫隊，來到傑米的馬鐙旁。他們低聲交談了片刻，然後傑米在馬鞍上坐直，向我轉頭。

「偵察兵說我們被發現了，英軍守衛已經快速前往卡倫德堡警告霍利將軍。我們不能再等了，我會帶手下繞路趕過杜戈爾的部隊，到福爾柯克丘的另一側。麥肯錫從西方進攻，我們從後方夾擊。山丘上左手邊有一座蘇格蘭教堂，離這裡大概五百公尺，妳就待在那兒別輕舉妄動。英國姑娘，快去！」他在黑暗中摸到我的手臂，輕捏了一下。

「我一脫身就會去找妳，或是派穆塔夫去。如果出了事就進教堂尋求庇護，好嗎？」

「別擔心。」我答道。我的雙唇是冰冷的，真希望我的聲音聽起來不會跟我的心情一樣不安。我把已到嘴邊的「小心點」硬生生嚥了回去，只是用手輕輕滑過他剛硬的臉頰，撥開額前像鹿毛般冰冷滑順的頭髮。

我提起韁繩，驅策座騎左轉並緩步前進，而後方的人從我身邊不斷推進，馬兒因而煩躁不安地甩頭噴氣。我用傑米的方法，猛地往上扯著韁繩，讓牠專注移動。我回頭望著傑米，但他已消失在夜色中，提醒我要加緊腳步在黑暗中找到教堂。

小小的教堂築了石牆，屋頂鋪了茅草，像一隻瑟縮的動物蹲伏在山丘的淺窪地中，讓我覺得分外親暱。這裡看得到英軍的營火，火焰透過凍雨閃著輝光。遠方傳來叫喊聲——是英軍或蘇格蘭軍，我無法分辨。

然後風笛聲響起，暴風雨中隱約傳來駭人的吼叫。刺耳突兀的怒嚎從丘頂各處響起，彷彿來自地獄。我可以想見風笛手正吹鼓了風袋，胸口因換氣快速起伏，發青的嘴唇牢牢含著音管，冰冷僵硬的手指摸索著，努力奏出連貫的曲調。

風袋是皮革製的，外面包覆著蘇格蘭花呢，我幾乎能感覺到風袋頑強抵抗，不願讓人吹飽，然後突然活了起來，一如風笛手的第三個肺，吐納著風笛手的氣息與身邊族人的吶喊。

現在，喊聲響徹天際，隨風向改變一波波傳到我耳邊。風也捲來陣陣雨雪，教堂沒有門廊可遮風擋雨，山丘邊也沒有樹能阻絕風勢。我的馬轉身低下頭，迎著風，粗糙的鬃毛和著冰雪猛烈拍打我的臉。

教堂不只為我阻擋英軍，也能抵擋暴風雨。我推開門，吃力地拉著轡轡，領著馬兒進門。

教堂裡黑漆漆的，只有祭壇上方的一扇羊皮窗，在黑暗中發出一方微光。和外頭的天氣相比，教堂裡十分暖和，隱約一股汗酸味讓屋裡空氣顯得窒人。教堂裡沒有座椅，不會絆到馬匹，除了牆上嵌了一座小神龕以及原本的祭壇，教堂裡空無一物。馬兒聞到人的氣味，神經緊繃，但還不至於煩躁不安。我一邊注意馬，一邊走回門口，探出頭去。

沒人曉得福爾柯克丘的戰況。此起彼落的炮火在黑暗中閃爍，我聽到金屬敲擊聲，偶爾傳來大砲零星而微弱的沉悶轟擊聲。有人受傷發出慘叫，聲音如風笛般尖銳刺耳，與戰士操著蓋爾語的嘶吼聲大不相同。接著風向又變了，我什麼也聽不到，又或者本以為自己聽到什麼，但其實只是風在厲聲嘶嚎。

我沒有看過普林斯頓潘斯的戰鬥。我習慣了大軍帶著坦克和迫擊砲的緩慢戰鬥，忽略了小部隊帶著輕型武器、近身激戰時，戰況如此瞬息多變。

第一個警告是近在咫尺處傳來的呼喊。「Tulach Ard！」伴著風聲呼嘯而至。我一直等到他們上山，才聽到這句麥肯錫族開戰時呼喊的口號，意思是高大的山丘。杜戈爾部隊中有些人被逼著朝教堂這個方向退過來。我縮頸進屋，但我虛掩著門好方便觀戰。

一小群人逃到山上來，從他們的聲音和樣子判斷，應該是高地人。他們身旁飄揚著蘇格蘭披肩、鬍鬚、頭髮，看起來像一團烏雲欺近青翠的山坡，乘著風往山上迅速奔來。

第一個人撞進門裡，我趕緊跳回教堂中。教堂裡一片黑暗，我看不到他的臉，但認得出他的聲音。他一頭往我的馬撞了上去。

「天啊！」

「威利！威利．柯特！」我大喊。

「他媽的見鬼了！是誰！」

我還來不及回答，門又被人撞開，兩道黑色的身影衝進小教堂。他們闖進來的聲響驚動我的馬兒，使得牠騰起前蹄，放聲嘶鳴。闖進來的人也被馬鳴嚇得大聲驚叫，顯然他們沒料到教堂裡竟然有人。

又幾個人擠進來，場面更加混亂，我放棄安撫馬兒的打算，擠到教堂後半部，縮在祭壇和牆壁之間的一塊小空間，靜待情況穩定。

直到黑暗中一聲大喊，蓋過其他人的驚呼，事情才算有了解決的跡象。

「安靜！」這道不容質疑的怒吼讓所有人都安靜下來，等混亂塵埃落定，連馬兒也安靜下來，退到角落一邊生氣嘶叫，彷彿發著牢騷。

那專橫的聲音接著說：「我是里歐赫堡的麥肯錫。還有誰在這裡？」

旁邊響起一個如釋重負的聲音說道：「杜戈爾，我是喬迪，這裡還有我弟弟，我們還帶著魯柏，他受傷了。老天，我剛剛以為這裡鬧鬼！」

另一個我不熟悉的聲音說：「我是阿斯米爾的戈登．麥克勞德。」

另一個聲音說：「還有凱諾克的伊旺．卡梅隆。這是誰的馬？」

「我的。」我小心翼翼從祭壇後面側身而出。我的聲音引起一陣騷亂，但杜戈爾提高音量壓過噪音，大家再度安靜下來。

「安靜，該死的你們這些人！克萊兒．弗雷瑟，是妳嗎？」

「是我，不是女王，不用緊張。威利．柯特也在，至少剛剛是。沒人有打火匣嗎？」我有點焦躁。

杜戈爾說：「不能點火！英軍追來肯定會看到這間教堂，但如果他們沒注意，可不能點火引他們來。」

「好吧！魯柏，你能說話嗎？出點聲我才知道你在哪兒。」我咬著嘴唇說道。我不知道在黑暗中能幫什麼忙，現在這種情況我甚至沒辦法搆到我的醫藥箱。不過，我也不能讓他躺在地上失血而亡。

教堂另一邊傳來可怕的咳嗽聲，接著帶著嘶啞的聲音說道：「姑娘，在這兒。」然後又咳。

我摸黑走去，一面焦急地低聲咒罵。光是聽咳嗽裡帶著泡沫聲，我就明白狀況不妙，就算有醫藥箱也無濟於事了。我在黑暗中蹲伏著屈身前進，雙臂往四面八方摸索著，以確定周遭事物。

我先是碰到溫暖的身體，接著一隻大手抓住我。這一定就是魯柏了，我聽到他呼吸聲有如巨雷，還隱隱帶著咻咻聲。

「我就在這兒。」我一邊說，一邊輕拍著他，希望讓他舒坦一點。我拍的部位顯然讓他極為「舒坦」，因為他喘著氣咯咯笑出，接著拱起臀部，抓著我的手掌用力抵住他的身軀。

「姑娘，繼續繼續，這樣我就會忘記槍傷的痛了。」他話還沒說完，我已使力把手抽回來。

「再說吧！」我面不改色，把手往上挪，掠過他的身體尋找頭部的位置。我摸到又厚又硬的鬍鬚，於是把手伸到那叢茂密的鬍子下，探著他頸上的脈搏。他的脈搏又快又淺，但依然相當規律，他的額頭因流汗而濕滑，皮膚則很濕黏。我的手掃到他鼻尖，摸起來冰冰的，應該是因為戶外的冰冷空氣。

魯柏一邊喘氣，一邊擠出一串笑聲：「可惜我不是狗，不然冷冷的鼻子……是個好跡象。」

「如果你閉上尊口，會是更好的跡象。子彈打到哪裡？不，不要說話，抓著我的手放在傷口上……魯柏．麥肯錫，如果你膽敢把我的手放在別的地方，你就像狗一樣死在這裡好了，我會很高興擺脫你。」我故作輕鬆說道。

他寬闊的胸膛傳來憋住笑意的陣陣顫動，接著把我的手緩緩帶到蘇格蘭披肩下，我用另一隻手掀開礙事的布料。

「好，找到了。」我低聲說道。他的上衣有一小道裂縫，邊緣浸滿鮮血而濕答答的。我兩手用力撕開裂縫，手指輕撫而過的皮膚隨之布滿疙瘩，然後終於摸到子彈射入的小孔。魯柏是個彪形大漢，和他魁梧的身形相比，傷口顯得特別小。

「子彈穿出來了嗎？」我輕聲問道。教堂裡很安靜，只有角落的馬兒仍躁動不安。門關上了，外頭的交戰聲還聽得見，但聲音四散開來，完全無法判斷他們的方位。

「沒有。」他回道，接著又咳。我感覺他的手向嘴邊移去，於是抓起他蘇格蘭披肩一角接上去。我的眼睛已經適應了黑暗，但只看得出面前地上有一團隆起的黑影，不過有時候用摸的就夠了——魯柏胸膛上的傷口血流得不多，但我拿著披肩接住他嘴角的手，卻突然感受到一股濕熱。

子彈至少射穿了他一片肺葉，也可能射穿了兩片，他的胸腔裡灌滿了鮮血。這種狀態下他可以撐過幾個小時，如果一邊肺部功能正常，或許可以撐到一天。如果心包膜已經缺損，那他會走得更快。只有手術救得了他，但這種手術我也無能為力。

我感覺有個帶著正常呼吸聲的溫暖軀體，從我背後靠近。我向後伸手，他也緊抓住我。是杜戈爾。

他走到我身旁，一隻手放在仰躺的魯柏身上。

「怎麼樣，兄弟？你能走嗎？」杜戈爾輕聲問道。我另一隻手還握在魯柏手裡，我感覺到他搖搖手，以此回答杜戈爾的問題。我們背後的人開始竊竊私語。

杜戈爾的手放在我肩上問道：「妳需要什麼？小藥箱？箱子在馬那兒嗎？」藥箱裡已經沒有東西可以治

療魯柏了，但我還來不及告訴杜戈爾，他已經先站了起來。

祭壇突然發出響亮的嘎吱聲。周遭的人立即噤聲，接著一陣快速移動，紛紛抄起剛放下的武器。又是一陣撕裂聲，窗上的油皮裂開來，灌進一陣清新的冷空氣和點點紛飛的雪花。

「英國姑娘！克萊兒！妳在嗎？」窗口邊傳來的聲音讓我站起身，一時忘了魯柏。

「傑米！」身邊所有人都鬆了一口氣，叮叮噹噹放下刀劍和小圓盾。傑米的頭和寬闊肩膀遮住了窗外射進的一束微光，接著他輕輕跳下祭壇，光線從洞開的窗裡照進來，映出他的身影。

「誰在這裡？杜戈爾，是你嗎？」傑米環顧四周輕聲問道。

「是，是我，小伙子，還有你妻子和其他幾個人。附近有沒有英國混蛋？」傑米笑了一聲。

「不然你想我為什麼從窗戶進來？山腳下大概有二十個英國兵。」

杜戈爾喉底發出怒吼：「我敢說就是那幾個混蛋，切斷我們和部隊主力的聯繫。」

「沒錯。」傑米轉身用蓋爾語對我的馬兒說：「小美人兒，妳沒事吧？」馬兒在一片混亂中聽到熟悉的聲音，抬起鼻子大聲嘶鳴，回應傑米。

杜戈爾惡狠狠地叱責馬兒：「噓，妳這笨蛋！想被發現嗎？」

「反正英國兵也不會吊死牠，你就別白費唇舌了。而且外面泥濘的斜坡上全是你們的腳印，要發現你們根本用不著耳朵，有眼睛就夠了。」傑米說道。

杜戈爾朝窗外望了一眼，但傑米已經在搖頭。

「沒用的，杜戈爾。英軍主力往南去了，穆雷勳爵去會他們，但我們交手的那幾個英國兵還留在這邊。有一群人追我追到山上，我躲到另一邊，匍匐穿過草叢，爬到教堂，但我猜他們還在搜尋上面的山坡。」傑米朝我伸出手，我抓住了他的手。他的手因為爬過草叢又濕又冷，但只要能握著他的手和他在一起，我別無所求了。

杜戈爾問：「爬過來？那你打算怎麼出去？」

我感覺傑米聳了聳肩。他朝我的馬一歪頭：「我本來想衝出來，騎馬往山下跑；他們應該沒想到我還有馬。這樣可以製造騷亂，讓克萊兒逃走。」

杜戈爾哼了一聲。「然後他們會像摘顆熟透的蘋果，輕鬆把你從馬上扯下來。」

傑米不動聲色地說：「無所謂。但我倒看不出你們這一大群人要怎麼溜走而不被發現。」

這時牆邊的魯柏彷彿要呼應傑米的話，呻吟了一聲。杜戈爾和我立刻伏在魯柏身旁，傑米則緩緩蹲下。

魯柏還活著，但情況不太樂觀。他雙手冰涼，呼吸中帶著咻咻的喘氣聲。

「杜戈爾！」魯柏嘶聲說道。

「我在這裡。別動，兄弟，你很快就沒事的。」杜戈爾立即脫下自己的披肩，折成枕頭塞在魯柏的頸肩下。魯柏頭部墊高後，呼吸順暢多了，但我摸到他鬍子下方有一塊潮濕的血跡。魯柏只剩一點力氣，他伸出一隻手，抓住杜戈爾的手臂。

魯柏氣喘吁吁地說：「反正……他們一定會找到我們……點個火吧！讓我看看你的臉，杜戈爾。」

我離杜戈爾很近，感覺到魯柏這番話讓他一震。杜戈爾突然把頭轉向我，漆黑中他當然看不到我的臉。他低聲向後方下了一道命令，接著傳來一陣窸窣聲和低語聲，有人砍了一束茅草，扭成火把，用打火石點燃它。火把燒得很快，但光線足以讓我檢查傷勢，其他人則忙著從屋頂圓柱削下長條木片，準備著能燃燒更久的火把。

魯柏臉色如魚肚般蒼白，蓬亂的頭髮浸滿汗水，豐厚的下唇仍隱隱可見一抹血痕，光滑的黑鬍子上也是血跡斑斑。我再次傾身檢查他的脈搏，他對我微微一笑。他的脈搏更淺，速度極快，偶爾出現不規則的節奏。我拂開他臉上的頭髮，他輕觸我的手致謝。

杜戈爾碰碰我的手肘，於是轉身面向魯柏。曾經有個人遭野豬攻擊，受了致命傷，我們也曾面對同樣的情境。那時他問了我：「他能活下來嗎？」而今，他的表情透露出他也憶起同樣的事，眼中再次閃著一樣的疑問，這次卻充滿恐懼，害怕聽到我的答案。魯柏是杜戈爾最親密的朋友，騎馬、作戰都在他右手邊，就像伊恩之於傑米一樣。

這一次我沒有回答，魯柏幫我回答了。「杜戈爾。」杜戈爾著急地朝魯柏彎下身，魯柏笑了。他閉上眼睛一會兒，盡量深呼吸，為最後一刻積蓄力量。

「杜戈爾。」他睜開眼睛，又喊了一遍。「你不用為我難過，兄弟。」

在火光映照下，杜戈爾的臉頰抽動了一下。他想告訴魯柏他不會死，但話只到嘴邊又嚥了下去。

「我是族長，不准你命令我，我偏要為你難過。」杜戈爾顫抖著擠出微笑，拾起魯柏的手緊緊握住。

魯柏一邊喘息，淡淡輕笑，接著又是咳嗽和咒罵聲。

魯柏咳完繼續說：「好吧，就讓你為我難過，杜戈爾，我很高興。不過，你要等我死了才能難過吧？兄弟，我不要死在陌生人手裡，我要你幫我了結這痛苦。」

杜戈爾一臉驚愕，傑米和我也沒有料到他竟如此打算。

「魯柏……」杜戈爾無助地開口，但魯柏打斷他，握緊杜戈爾的手輕輕搖晃。

「你的確是我的族長，兄弟，這是你的責任。來吧，現在就動手，我痛得難受，杜戈爾。我想現在就了結。」魯柏的目光不安地掃視，看到我時亮了起來。「姑娘，可不可以握著我的手送我一程？拜託妳了。」

他低聲說道。

除此之外，我也再不能為他做什麼。我緩緩伸出手，一切如夢一場，我執起魯柏黑茸茸的大手，緊緊握住，彷彿要將自己的溫度透進那逐漸冰冷的掌心。

魯柏呻吟一聲，身體微微側向一邊，望向坐在他頭旁邊的傑米，氣喘吁吁地說：「當初她應該嫁給我才對，小伙子。」

他閉起一隻眼睛，用力擠眉弄眼：「小畜牲，好好努力吧！替我好好待她。」

那雙黑色的雙眸轉回我身上，臉上漾出最後的笑容。

他輕聲說：「別了，美人。」

杜戈爾的短劍已對準他胸骨下方直直下刀。魯柏魁梧的身體一陣抽搐，轉向一側，猛烈咳出僅存的空氣與血水，以及最後痛苦的嚎叫，但這哀號同時也發自杜戈爾。

杜戈爾因為痛徹心扉而全身僵硬，閉著雙眼，雙手緊握短劍的劍柄。接著傑米起身，扶著杜戈爾肩膀將他轉過身來，嘴裡用蓋爾語喃喃說著。傑米朝我望了一眼，我點點頭張開雙手，接著傑米便將杜戈爾輕輕推向我。我摟著杜戈爾，他哭了。

傑米臉上布滿淚痕，背後也傳來其他人的嘆息與啜泣。至少現在他們是為魯柏掉淚，不是為自己哭泣。如果英國兵抓到我們，所有人都會因為謀反被判絞刑。我們此刻哀悼的只有魯柏，而他已經在朋友的圍繞中，安詳上路。

—

今晚冬夜漫長，英軍沒有攻來。我們一起擠在一堵牆邊，蓋著蘇格蘭披肩和斗篷等待。我靠著傑米的肩膀，斷斷續續打著瞌睡。我的另一邊是杜戈爾，他蜷著身子不發一語。我想杜戈爾和傑米都沒睡，徹夜看守魯柏的屍體。魯柏身上覆著自己的蘇格蘭披肩，靜靜躺在教堂的另一邊，在生死鴻溝的另一邊。

我們交談不多，但我知道他們想著什麼。他們想的和我一樣，也就是英國兵是否已經離開，與英軍主力在山下的卡倫德堡重新集結。或者還守在屋外，等黎明來臨再行動，免得有人藉黑夜掩護而逃脫。

第一道曙光降臨，情勢也隨之明朗。

「喂，教堂裡的人，出來！自己投降！」

山坡下傳來一聲響亮的叫喊，帶著英國口音。教堂裡一陣騷動，原本在角落打瞌睡的馬兒也猛地抬頭，吃驚地打響鼻。傑米和杜戈爾互看一眼，彷彿商議好了，兩人起身昂然而立，肩並肩站在緊閉的大門後。傑米一甩頭，我接到訊號便跑到教堂後面，躲在祭壇後。

外頭又傳來喊聲，卻只得到沉默回應。傑米從腰帶抽出燧發槍，檢查彈藥，動作從容，彷彿時間還很充裕。他單膝跪下，架好槍，對著門口，瞄準頭部的高度。

喬迪和威利把守後面的窗口，抽出劍，槍也上了膛。但教堂後方的山丘坡度非常陡，山坡和教堂牆壁間的距離，只能讓單人勉強通行，所以攻擊比較可能來自教堂前方。

我聽到踩在泥濘上的腳步聲逼近門口，還聽到隨身武器微弱的撞擊聲。聲音隔著一段距離停了下來，呼喊再次傳來，比剛才更接近，也更清楚。

「奉喬治國王陛下之名，出來投降！我知道你們在裡面！」

傑米開火。

小教堂內的回音震耳欲聾。這聲音從外面聽起來一定也很驚人，我聽到滑溜的腳步慌忙後退，伴隨低聲的咒罵。子彈在門上轟出一個小洞，杜戈爾悄悄側身挨近，從小洞向外覷。

他低聲說：「可惡，好多人。」

傑米瞥了我一眼，然後抿住嘴唇，專心給手槍重新填彈。蘇格蘭人顯然不打算投降，而由於教堂入口易守難攻，英軍顯然也不打算強攻。他們該不會打算餓死我們吧？高地軍隊一定會派人出來找前晚戰場的傷兵，在英軍拿到大砲轟炸教堂前，如果高地救兵先抵達這裡，我們就有機會得救。

很可惜，外面有個人腦子很靈光。腳步聲再次傳來，然後是一道沉穩威嚴的命令。

那聲音說：「給你們一分鐘出來投降，否則我們就放火燒茅草。」

我充滿恐懼地向上瞟了一眼。教堂的牆壁是石頭砌的，但屋頂是茅草搭的，即使給雪水沾濕，也會很快燒起來，等大火熊熊燒起，烈焰與燃燒的餘燼就會從天而降，吞噬我們。我想到昨晚茅草捲成的火把燒得有多快，燒焦的殘餘物還留在魯柏罩了披肩的屍體旁，在灰暗的曙光中如同不祥的徵兆。

我尖叫出聲：「該死的王八蛋！這裡是教堂！教堂是神聖的庇護所，你沒聽過嗎？」外頭傳來尖銳的嗓音：「是誰？裡面那是英國女人嗎？」

「對！」杜戈爾大叫，跳到門口，一腳踢開大門，對下方的英軍咆哮。「沒錯！我們俘虜了一位英國夫人！你敢燒屋頂，她就和我們同歸於盡！」

山腳下爆出一片喧嘩，教堂裡也是一陣騷動。傑米轉身，繃著臉看杜戈爾說：「搞什麼……」

杜戈爾咬牙回應：「這是唯一的機會，用她來換我們的自由！如果他們以為她是人質，就不會傷害她。等我們脫身，再把她搶回來！」

我從藏身處走到傑米身旁，抓住他的袖子急切地說：「就照他說的吧！他說得對，這是唯一的機會！」

傑米無可奈何地看著我，臉上憤怒和恐懼交雜，進退兩難的情勢讓他感到苦澀。

見他露出苦笑，我回應道：「畢竟，我是個英國女人。」

他輕撫我的臉，惆悵笑道：「對，妳說得對，褐髮美人，但妳是我的英國女人。」他挺起胸膛轉向杜戈爾，深吸口氣後，終於點頭。

傑米一手抓了抓頭髮，一邊動著腦筋：「好吧！告訴他們，她是昨晚我們在福爾柯克的路上擄來的。」

杜戈爾點頭，也不等下一句，就急急出了教堂門口，作為休戰信號的白手帕高舉過頭。傑米轉向我，皺著眉頭，看了教堂門口一眼。那兒聽得到英國口音的說話聲，但聽不出他們說了什麼。

「我不知道妳要怎麼和他們說，克萊兒，也許你最好假裝嚇到不能說話，這樣比編故事更好，要是他們知道妳的身分……」傑米突然停頓，隻手用力抹過額頭。如果他們知道我的身分，我會被押送到倫敦，扔進倫敦塔，然後迅速處死。雖然傳單大肆編派我是「斯圖亞特的女巫」，但就我所知，還沒有人知道我這女巫其實是英國人。

「別擔心。」我說完就發現這句話有多蠢，但也想不出更好的安慰。我抓著他的手，感覺脈搏在他手腕快速跳動。「他們還沒搞清楚我是誰之前，你就會救我回去了。你覺得他們會帶我去卡倫德堡嗎？」

傑米點點頭，冷靜下來。「我覺得會。一等到入夜，妳就想辦法獨自待在窗邊，那時我會去救妳。」

沒時間了，杜戈爾急急進門，小心地在背後關上門。

他看著我，又看向傑米。「解決了，我們交出女人，他們就讓我們離開，不會追上來。我們得帶著馬，你知道，要載魯柏。」他略帶歉意看著我。

「沒關係。」我看著門口，門上子彈穿過的小洞，與魯柏的傷口一樣大小。我口乾舌燥，於是用力嚥口唾沫。我像是布穀鳥的蛋，就要下在別人的巢裡。我們三人在門口猶豫了一陣，沒有人願意踏出最後一步。

「我該……走了。」我試圖止住聲音和手腳的顫抖。「否則他們會納悶為什麼我還不出來。」

傑米閉上眼深呼吸，然後走向我，看著我說道：「英國姑娘，妳最好暈過去，或許這樣比較容易。」他俯下身，把我抱在懷裡，杜戈爾拉著門，讓我們出去。

我耳邊聽到傑米砰砰的心跳聲，在他懷裡，我感覺到他也顫抖著。一直待在滯悶的教堂裡聞著汗水、鮮血、火藥和馬糞的氣味，現在清晨凜冽的空氣襲來，我反而難以呼吸。我緊挨著傑米瑟瑟發抖。他的手在我的膝蓋和肩膀下收緊，像一個堅定的承諾，承諾永不放手。

「神啊！」他才低聲說完，我們已經來到英軍面前。有人尖銳提問，傑米含糊回答，猶豫不決地鬆開手把我放在地上，然後他嗖嗖的腳步聲響起，穿過濕漉漉的草地後消失。我孤身一人，被交到陌生人手上。

第四十四章

意外迭生

我吶喊、哀求、威嚇，直到喉嚨嘶啞，

我捶著堅硬的房門，直到拳頭紅腫瘀青。

但是一個人也沒有。走廊的寂靜深不可測，一如屋外的黑夜，一如闃靜的墳堆。

我的恐懼潰堤，最後跪倒在門邊，痛哭失聲。

我彎身靠近火堆，伸手取暖，看到自己握著韁繩的雙手汙穢不堪。這時一個念頭閃過腦海：走這一段路去溪邊洗手，值得嗎？在沒有抽水馬桶或自來水的年代，想按照現代的衛生標準生活，實在是麻煩多於好處。我尖酸刻薄地想，這時代的人就是因為又髒又無知，難怪常常生病死掉。

想到自己可能因為骯髒而生病死掉，我還是拖著疲憊的身軀站起來，走向營地邊的小溪。小溪旁滿是泥濘，我的鞋子還深陷進泥地中。我洗淨了髒手，腳卻濕了。等我吃力走回火堆，發現羅伯森下士正等著我，手上拿了一碗燉菜。

他拉拉前額頭髮（這是這個時代的男人致意的方式），把碗端給我時說道：「夫人，隊長說您辛苦了，這碗燉菜聊表慰勞之意。他還想告訴您，明天會抵達塔維斯托克，那兒有一家客棧。」羅伯森下士猶豫一下，樸實的中年圓臉上露出憂慮，又接了一句：「夫人，隊長說很抱歉沒地方可以住，但我們搭了一頂帳篷讓您今晚有地方睡。帳篷很簡陋，不過可以擋雨。」

我極力表現得謙和有禮。「請幫我向隊長致謝。」然後更親切地加一句：「也謝謝你了。」我很清楚，曼威寧隊長只覺得我是個累贅，根本不會多花心思幫我想晚上睡哪裡。這頂帳篷是用一塊簡單的帆布仔細搭在樹枝上，完全是出自羅伯森下士的好意。

羅伯森下士走後，我獨自坐著，慢慢嚼著燒焦的馬鈴薯和多筋的牛肉。我在溪邊發現一片晚生的田芥菜，菜葉邊緣有點萎黃，但我還是摘了一把放在口袋。口袋裡還有當天稍早停下來休息時，我摘的一點杜松子。芥菜葉已經老了，味道很苦，但我咬幾口馬鈴薯，吃幾口芥菜葉，努力把菜吞下去。吃完燉菜我掏出杜松子，每顆只咬幾下，免得嗆到，然後把嚼不動、沒味道的果實連著種子整顆吞下去。杜松子的油脂有一股辛香，從喉底衝上來，嗆得我流眼淚，卻也滌盡了舌頭上油膩與燒焦的氣味。加上芥菜，或許能讓我免於壞血病。

我曾費心收集了許多乾燥的蕨類捲芽、玫瑰果、蘋果乾和蒔蘿籽放在大的藥箱中，以免漫長的冬季營養不良。希望傑米記得吃。

我把額頭擱在膝上，應該沒有人在看我，我在想念傑米的時候，不想讓人看見。

在福爾柯克山丘上，我極力拖延昏迷的時間，但不久有個英國龍騎兵拿著隨身酒壺，想把白蘭地灌進我喉嚨叫醒我。「拯救」我的英軍完全不知該如何處置我，於是決定帶我到卡倫德堡，交給霍利將軍的手下。

到這一步為止，一切都按計畫進行。但一小時後，情勢卻嚴重偏離預定計畫。我坐在休息室裡聽他們在我旁邊討論，我很快了解，原本我以為昨晚發生了一場大戰，結果只不過是英軍支隊去和主力部隊會合的路上，遇到麥肯錫的軍隊，發生的一場小衝突。英軍主力部隊現在正在福爾柯克山丘集結，準備迎擊來襲的高地軍。我以為我經歷了那場戰爭，但事實上，那場戰爭根本還沒發生！

霍利將軍本人正負責監督軍隊集結，由於沒人知道該拿我怎麼辦，於是他們決定寫封信描述營救我的經過，由一位年輕的二等兵護送我到坎貝爾上校在克斯的臨時總部。這個二等兵叫多布斯，身材矮胖、為人古怪，他非常盡忠職守、力求表現，令人心煩。一路上我試了好幾次，總是無法擺脫他。

等我們抵達克斯，才發現坎貝爾上校不在，他已經給徵召到利文斯頓去了。

我對護送我的衛兵說：「看吧，坎貝爾上校一定沒時間，也不會想和我說話，而且我也沒什麼好告訴他的。我乾脆就在這鎮上找地方住下，安排一下怎麼繼續前往愛丁堡，這樣豈不更好？」我對英軍的說詞，和我兩年前告訴柯倫的差不多，因為我也想不到更好的說法。我說我剛喪夫，從牛津來，想到蘇格蘭找親戚，結果遇到蘇格蘭高地土匪，被他們劫走。

多布斯搖頭，固執地紅了臉，他應該不到二十歲，腦子也不太靈光，不過一旦下定決心，誰也勸不動。他說：「博尚夫人，不行，我得把妳安全送到上校那兒，否則布萊索隊長會要我的命。」我用娘家姓氏作別名，所以他這樣稱呼我。

於是我們又騎著兩匹糟糕至極的劣馬，動身前往利文斯頓。多布斯終於不再緊盯著我，但是我的處境並沒有好轉，反而被關在利文斯頓一幢房子樓頂，還得和上校再說一遍我的遭遇。這位上校名叫戈登・麥克利許・坎貝爾，是低地蘇格蘭人，指揮喬治國王的一個軍團。

「我明白了。」他的語氣聽起來完全不明白。上校個子不高，面相狡猾，頭頂微禿，紅髮從鬢角處往後梳。他把眼睛瞇得更細，低頭看著攤在紀錄本上皺巴巴的那封信。

上校把一對半圓形眼鏡架在鼻子上，凝神細看信紙道：「信上說，綁架你的人中，有一個是弗雷瑟族人，非常高大，紅髮。對嗎？」

「對。」我回答，心想他不知想到了什麼。

上校頭一歪，眼鏡滑下鼻梁，他眼神銳利，從眼鏡上方盯著我。「在福爾柯克附近救了你的軍隊寫了這封信，說他們記得綁架你的人中，有個人正是惡名昭彰的高地族長『紅髮傑米』。好了，博尚夫人，我知道被綁架的時候，妳很……心煩，可以這麼說吧？」說到「心煩」兩字，他牽動一下嘴角，但不是在微笑。「妳可能沒有心思仔細觀察，但不曉得妳是否聽到其他人如何稱呼那個高地人？」

「聽到了，他們叫他傑米。」我不覺得這樣說會有什麼問題，我看過的傳單已經寫得很清楚，傑米支持斯圖亞特的事業。傑米投入福爾柯克之役，英軍可能會對這點感興趣，但不太可能讓他罪上加罪。

傑米說過：「他們沒辦法把我吊死兩次。」一次就綽綽有餘了。我瞟了一眼窗外，半小時前天就黑了，下方街道上士兵提著閃爍的提燈，在街上來回巡邏。傑米這時應該在卡倫德堡，尋找我守候的那扇窗口。

突然我起了個荒唐的念頭，覺得傑米已經想辦法查出我的行蹤，跟著我到了這裡，守在下方街道，就等我在窗前現身。

我倏地起身，走到窗前。街道上空空蕩蕩，只有個賣醃鯡魚的，坐在凳子上，提燈放在腳邊，等客人上門。他當然不是傑米，他不可能找到我。斯圖亞特營中沒有一個人知道我在哪兒，我孤身一人。我慌了起來，一掌拍向玻璃，不管會不會把玻璃打破。

後方傳來上校的聲音，尖銳又緊張：「博尚夫人！妳還好嗎？」

我緊閉雙唇，不讓嘴唇顫抖，又深呼吸幾次。玻璃起霧，霧氣遮蔽了下方的街道。我恢復表面的平靜，轉身面對上校。

我說：「我很好。如果你問完，我想離開了。」

「是嗎？嗯。」他看著我，臉上的表情有點像是懷疑，然後毅然搖搖頭。

他告訴我：「妳留在這裡過夜，明天一早，我會把妳送到南邊。」

我驚愕地脫口而出：「南邊！要命的去南邊幹麼？」

他高高挑起狐狸毛般的雙眉，詫異地張大嘴巴。然後他輕輕搖頭，閉上嘴巴，只張開一條縫，吐出接下來的話。「上頭有令，只要得到高地罪犯紅髮傑米．弗雷瑟的消息，或找到他的同夥，一律往南送。」

「但我不是他的同夥！」我說。除非結婚也算一種結夥。

坎貝爾上校充耳不聞，轉身走回辦公桌，翻找一疊文件。「找到了。到時候由曼威寧隊長護送妳，他會在黎明時來這裡接妳。」他搖搖一只形狀像小妖精的銀鈴，門打開，二等傳令兵探出頭，臉上帶著詢問的表情。「加維，帶夫人回住處，把她的門鎖上。」他轉向我，敷衍地欠個身。「博尚夫人，我不認為我們會再見面。好好休息，一路順風。」

事情就這樣成了定局。

我不知道順風的速度有多快，但應該比曼威寧隊長的小隊速度要快。曼威寧隊長負責看管一列補給馬車，運往拉納克。等貨物與趕馬車的人到了拉納克，隊長繼續和其他隊員南下，運交非機要文件。我顯然屬於「非緊急情報」那一類，因為無論目的地在哪裡，我已經上路一週多，卻仍看不出是否到達目的地。

「南邊」是指倫敦嗎？我猜了上千次，但曼威寧隊長不曾透露半點蛛絲馬跡。

我抬起頭，發現火堆的另一端有個龍騎兵盯著我。我毫不閃避地迎視，直到他滿臉通紅、垂下目光落到手裡的碗為止。我習慣了這種目光，雖然大多數不像他這麼直接。

這種目光打從一開始就跟著我了，當時送我到利文斯頓的年輕二等兵就這樣盯著我，帶著一點尷尬與隔閡。過了一段時間我才了解，英軍對我充滿疏離的態度，不是因為懷疑我，而是出自輕蔑與恐懼，還混雜了一絲憐憫，以及對公務的責任心。

對他們而言，我不僅遭貪婪、野蠻的蘇格蘭人擄走，更隻身與這群野蠻男人共處一室。對一般的英國人來說，這群人「和野蠻的禽獸差不多，搶劫、強盜，無惡不作」。像我這樣的英國女人在這群禽獸身邊過了一晚，不可能還是完璧之身。

我沮喪地想，當時傑米抱著昏倒的我走出來，或許讓整場戲容易多了，但也加深了他們認為蘇格蘭人迫害了我的印象。原來「營救」我的小隊長鉅細靡遺寫了一封信，所以後來每個接管我的人——或許還有每個他們交談過的人——都對這件事一清二楚。我在巴黎得到的教訓，讓我明白流言蜚語的擴散力。

羅伯森下士一定明白我的遭遇，但仍對我十分和善，不像其他士兵，我偶爾會無意間會在他們臉上看到奸詐盤算的表情。下次我睡前禱告，一定會在祈禱中加入羅伯森下士的名字。

我站起來，拍拍斗篷，走向帳篷。羅伯森下士也跟著起身，謹慎地在火堆旁走動，並在同袍旁邊找好背對著我帳篷入口的地方坐下。當大家各自解散，他會在與我隔著一段距離又能聽到我呼叫的地方待下。過去三晚，無論睡在客棧或野地裡，他都是這樣做。

三天前，我曾打算逃跑。曼威寧隊長很清楚我是被迫失去行動自由的。雖然他不喜歡我這個累贅，他仍盡忠職守，派了兩個守衛看管我，白天則騎馬走在我身側。

到了晚上，看守會鬆懈許多。隊長顯然認為我不可能在隆冬時節徒步穿越荒野。他的推測沒有錯，我對這種自殺行為一點也不感興趣。

不過，某晚我終於決定要逃走。我們經過一個小村莊，又繼續走了兩個小時之後就停下來紮營過夜。我盤算著自己就算靠步行，也能在天亮之前循原路走回那個村莊。村裡有一座小釀酒廠，有些四輪馬車會從酒廠載著酒桶前往附近的小鎮。酒廠的院子裡堆滿酒桶，我研判可以先躲進那兒，再和第一班馬車一起離開。

所以，我等到整個營區都安靜下來，士兵裹著毯子在火堆邊打鼾時，便躡手躡腳地鑽出毯子，小心把毯子放在柳樹叢邊，穿過低垂的柳枝。除了風的沙沙聲，沒聽到其他聲音。

走出樹叢後，我聽到後方有聲響，原本以為那也是風的沙沙聲，沒想到有隻手箝住了我的肩膀。

「噓，妳不想讓隊長知道妳未經許可擅自離營吧？」我沒有尖叫，因為我已經嚇得說不出話了。這士兵個子較高，由於他特別注重自己的黃色鬈髮，所以隊友喚他「潔西」來取笑他。他對我笑，我則有點遲疑地擠出笑容。

他的目光往下停在我胸部時，嘆了口氣，接著盯著我的眼睛，向我走近，我則立即倒退三步。

他懶洋洋地笑著哄我說：「唉呦，寶貝，妳應該沒差吧？反正妳都嘗過啦，就再來一次嘛！況且我還是英國人，不是骯髒的蘇格蘭人。」

「把手拿開，潔西。這位夫人已經夠可憐了。」潔西後面的一簾柳葉中，羅伯森下士一聲不響地現身。

潔西狠狠瞪著羅伯森下士，腦中轉了一圈壞主意，想想又覺得不妥，於是一言不發，轉身消失在柳葉中。下士默默等我拾起掉落的斗篷，然後帶著我回營。他拿了自己的毯子讓我躺下，然後披著另一件毯子在離我約兩百公尺的地方像印第安人般坐著。那天晚上，不管我何時醒來，都看到他還坐在那裡，兩眼茫茫凝視著火堆。

†

我們到了塔維斯托克的客棧，但我並沒有足夠的時間在客棧內梳洗。當天中午抵達村子時，曼威寧隊長便立刻動身送文件。不到一小時他就回來了，要我去取自己的斗篷。

我茫然問道：「為什麼？我們要去哪兒？」

隊長冷冷看我一眼說：「去貝爾赫斯莊園。」

這聽起來有趣多了。我抬頭環視，幾個士兵坐在地上擲骰子賭博，火堆邊睡著一隻滿身跳蚤的流浪狗，空氣中則是濃濃的啤酒花味。

貝爾赫斯莊園坐擁天然美景，但建造者卻視若無睹，堅持背對那片開闊的草原，面對荒涼隱蔽的懸崖。

這座莊園的馬車道又直又短，一點也不像法式莊園優美的弧形門徑。倒是入口處立了兩座石柱，上頭很實際地刻著莊園主人的家徽。馬兒達達走過石柱旁，我盯著家徽，想認出這究竟是什麼圖案。是貓嗎？還是豹？這隻動物昂首蹲伏，爪子抓著百合。看起來很眼熟，但究竟是誰的家徽？

門口附近長草堆邊有陣騷動，一個衣衫破爛駝著背的人，匆匆躲到陰暗處避開馬蹄，這時我看到一對淡藍色的眼睛瞥了我一眼。這個乞丐也讓我感覺似曾相識。也許只是我的幻覺，或許只要不像英軍的東西都會引起我注意吧！

護送的隊伍停在前院，只有我和曼威寧隊長下馬。隊長敲門時，我還在思索著門的另一邊究竟會是誰。

「博尚夫人？」一位貌似管家的人開門問道，臉上表情似乎預知了來者是誰。他想得沒錯。

「我是。呃，請問這是誰的房子？」我一邊問，一邊瞧著房內陰鬱的門廳。有張臉望向我，眼睛如驚愕的小鹿般瞪大著。

那是瑪莉．霍金斯。

—

瑪莉吃驚張嘴的同時，我也使盡全力放聲尖叫。管家冷不防嚇了一跳向後退，絆到一張小沙發椅，像保齡球瓶一樣翻倒。外面士兵也嚇得驚叫著跑上來。

我拎著裙襬像報喪女妖一樣大聲尖叫：「老鼠！有老鼠！」接著便往客廳跑。

我這麼歇斯底里地叫著，瑪莉也跟著尖叫。我猛然衝向她，把她擠到客廳一個角落，抓住她肩膀。

我迅速在她耳邊低聲說：「不要告訴別人我是誰，一個字都別說！否則我小命不保！」我本來還覺得自己大驚小怪，但話一說完，才發覺此言不虛。若有人知道我是紅髮傑米之妻，我的處境會非常危險。

瑪莉茫然點了頭，房間另一邊的門就打開了，一個男人走進來。

「瑪莉，這恐怖的噪音是怎麼回事？」他身材圓潤，下巴線條堅毅，雙唇緊抿，顯然他是個不惜脅迫他人而得以隨心所欲度日的人。

瑪莉緊張得結巴：「沒、沒事，爸爸，只是有老、老鼠。」

男爵閉眼深吸口氣，試圖表現出耐心十足的樣子，接著睜開眼睛，看著自己的女兒。

他命令瑪莉：「再說一遍，孩子，流暢一點。我不許妳這樣咕咕噥噥。深呼吸，穩住。好了，再說一遍。」瑪莉照著父親的話做了，她吸了好大一口氣，連胸口綁的胸衣束帶都繃緊。她手指絞著裙子的綢緞，試著鎮定下來。

「有、有隻老鼠，爸爸。老鼠嚇到這位弗……這位夫人了。」

這次表現算是差強人意。男爵走上前打量我。

「這位女士，請問妳又是誰？」

找不到那隻神祕老鼠的曼威寧隊長終於進門，突然出現在我身旁，將我介紹給大家，並呈上坎貝爾上校的字條。

「看來妳要由公爵大人看管了，夫人，至少暫時是這樣。」男爵將字條交給一旁的管家，接過管家從架上拿來的帽子。

「很可惜剛見面我就要匆匆離開了，博尚夫人。」男爵往後頭看了看，那裡有道短短的樓梯從大廳旁岔出去。管家已經恢復神色，上了樓梯，把那髒兮兮的字條托在銅盤上。「我看沃麥施利已經去通知公爵了。我該走了，不然會錯過郵件馬車。夫人，就此告別。」

他轉向瑪莉，說：「再見，瑪莉，記得要……好吧，再見啦！」他的嘴角上揚，露出慈父的微笑。

瑪莉眼睛看著地上，低聲說道：「再見，爸爸。」我輪流看了他們兩人一眼，瑪莉究竟在這裡做什麼？看來她就住在這裡，而這棟屋子的主人應該和她有親戚關係。

「博尚夫人？公爵大人請您現在去見他。」一個矮胖的男僕在我旁邊，對我行禮。

我轉身跟著僕人走去，瑪莉緊緊抓住我的袖子，想開口說話：「可、可、可是……」此刻情勢緊張，我沒有耐心聽她說完，於是敷衍笑笑，拍拍她的手。

「好，好，別擔心，沒事的。」我說。

「可、可是，他是……」

這時男僕一鞠躬，推開走廊盡頭的一扇門。房內的燈光照射在滿室奢華的織錦與光滑的木製家具上。我看到一張椅子側著，椅背上繡了家徽。剛剛外頭的那個石雕家徽有些磨損，這個就清楚多了。

這是一頭昂首蹲立的獵豹，爪子裡抓著一束百合花——還是番紅花？椅子上坐著一個人，他站起身，我警覺起來。他轉過身來，影子投落在光潔的門檻上。瑪莉終於痛苦地說出她想說的話，她的聲音與男僕的介紹同時響起。

她說：「是我的教、教、教父！」

男僕說：「這位是森丁罕公爵大人。」

公爵驚訝地張大嘴：「妳是……博尚夫人？」

我無力地說道：「呃，這樣稱呼也是可以……」

客廳的門在我背後關上，房裡只剩下我和公爵大人。我關門前看了瑪莉一眼，她站在走廊上，眼睛瞪得像盤子一樣大，嘴巴像金魚無聲地一開一闔。

窗戶兩側放著巨大的中國風陶瓶，窗前擱著嵌花桌。壁爐臺上擺著一座風情萬種的青銅維納斯雕像，旁邊有兩只鑲金邊的瓷碗，鍍銀燭臺上插著蜂蠟製的蠟燭，正燃著燭光。地上鋪著內面起絨的地毯，看得出是質料很好的波斯製品，幾乎蓋滿了地板，角落還放著一架大鍵琴。房裡剩下的一點空間，則擺著鑲嵌家具和幾件雕塑。

我神色自若說道：「您這兒布置得很出色啊！」公爵一直站在火爐前，雙手在燕尾服外套後方交握。他看著我，寬闊、紅潤的臉龐上充滿興味，但帶著戒心。

「過獎，夫人大駕光臨，令寒舍蓬蓽生輝。」公爵胸膛寬闊，卻用尖銳的男高音說話。興味終究蓋過戒心，他笑了，笑得直率又親切。

「您為什麼自稱姓博尚？這該不會剛好是您的真名吧？」他問。

我脫口道出實情：「這是我娘家的姓。」

「您是法國人？」公爵揚起兩道濃密的金色眉毛。

「不是，我是英國人。我總不能用弗雷瑟這個姓吧？」

「我懂了。」公爵依舊揚著眉，他對一張雙人小織錦椅揚了揚頭，請我坐下。椅子的雕飾繁複，就像房裡其他家具一樣高雅精緻，足以納入美術館收藏。我把濕透的長裙拉好，盡量保持優雅，不管裙子上的泥塊與馬毛，一屁股坐上華貴的錦緞椅。

公爵臉上依然掛著淡淡的微笑，在爐火前來回踱步，一邊打量我。一股暖意與舒適感在我痠痛的腿上蔓延開來。腳邊就是疲憊的深淵，我努力抵抗著不讓自己跌進去。此刻情勢詭譎，可不是卸下防備的時候。

公爵突然問：「妳到底是什麼身分？是英國人質、狂熱的詹姆斯黨人，還是法國間諜？」

我用兩隻指頭按摩痠痛的眉心。正解是「以上皆非」，但這麼說對我的處境於事無補。

「這屋子陳設高雅，相較之下，招呼客人卻怠慢了點。」我極力擺出傲慢的姿態，即使在這種情況下並不容易。不過，露易絲傳授給我的高傲貴婦典範，多少有點效果。

公爵就像隻蝙蝠聽到笑話，嘰嘰尖聲高笑起來。「請原諒，夫人。妳說得對，我應該等妳用過茶點再請教才是。我真是太不周到了。」

他搖鈴召喚男僕，低聲吩咐幾句，然後站在爐火前平心靜氣地等托盤端來。我坐著不發一語，偶爾環視房間，或是偷看一下公爵。我們都沒興趣閒聊，儘管公爵和藹可親，但我們都清楚，這只是暫時停火。

我想知道原因。別人常常好奇我是誰，這我不驚訝。但我比較想知道公爵的角色是什麼，或他認為我的角色是什麼。他之前遇過我兩次，當時我是弗雷瑟夫人，拉利堡堡主之妻。現在，我出現在他家門口，冒充英國人質，自稱博尚夫人，剛被人從一群蘇格蘭詹姆斯黨人中救出，不管是誰都會對我的身分充滿好奇，但他對我的態度遠不只是單純的好奇。

茶來了，還配上司康與蛋糕。公爵拿起自己的杯子，揚眉示意我用另一杯，我們就這樣默默喝茶。我聽到房子另一頭有悶悶的撞擊聲，似乎正在槌打釘子。公爵放下杯子，與茶碟碰出輕響，暗示我們重新回到敵對狀態。

公爵以米老鼠般的聲音搭配威嚴的表情說道：「好，那麼開始吧，弗雷瑟夫人——我可以這樣稱呼吧？謝謝。首先我想說，我對妳已經十分了解，不過還想了解得更清楚。請不要遲疑，老老實實回答我的問題。我承認，要殺妳確實非常不容易，但我相信終究可以辦到。」他朝我微微行禮，笑容依然掛在嘴角。

我動也不動凝視著他，但不是因為我天生沉著，純粹只是過於驚愕。我仿效露易絲的另一個招牌動作，先是詫異地揚眉，啜一口茶後，從容地用繡上姓名字母的餐巾輕輕印了印嘴角。

「公爵大人，也許您會覺得我很傻，但小女完全不明白您所說的。」我客氣答道。

「是嗎，夫人？」

那雙靈活的藍色小眼睛眨也不眨，伸手拿起托盤上的鍍銀鈴搖了一下。

門立刻打開，這個高瘦的男人一定是一直待在門邊等候召喚。他穿著高階僕役的暗色制服與上好的亞麻上衣，來到公爵身邊，深深一鞠躬。

「聽候大人差遣。」他的英語帶有明顯的法國口音，五官也是法國臉孔：長鼻子、一臉蒼白、薄唇緊抿，一對耳朵像小翅膀從頭兩側探出來，耳尖很紅。他抬起頭看到我，瘦削的臉霎時失去血色，不由自主後退一步。

森丁罕公爵不高興地皺著眉，然後把目光轉向我問道：「妳不認得他了？」

我才想搖頭，那男子貼在褲腿旁的右手突然動了一下，悄悄彎下中指和無名指，以食指和小指對著我，那是山羊角的避邪手勢。下一秒，我便看到他的虎口邊的小小黑痣，更加應證了我的猜想。這下我明白了。毫無疑問，在巴黎時，穿著圓點上衣攻擊我和瑪莉的，就是這個人，而且這顯然是公爵的傑作。

「你這該死的王八蛋！」我破口罵道。我憤怒地起身撞倒了茶几，隨手拿起最近的雪花石膏雕刻煙草罐，用力朝那人的頭猛扔過去，他轉身逃竄，沉重的煙草罐差了幾寸，在門框上砸得粉碎。

我追著他，門碰地一聲重重關上，我停下腳步喘氣。我雙手扠腰，瞪著森丁罕公爵。

「他是誰？」我質問道。

公爵平靜地說：「我的貼身男僕，名字叫艾伯·丹頓，他是個好人，喜歡戴領巾、穿長筒襪，可惜就是和這些法國人一樣心浮氣躁，也迷信過頭了。」公爵不以為然地對緊閉的房門皺了皺眉。「這些天主教徒真的很討厭，又是聖人又擦香水，而且什麼都信。」

雖然我的心臟仍貼著緊身胸衣的鯨骨砰砰跳，不過呼吸逐漸緩和了下來。我費力地深吸一口氣：「你這齷齪、噁心、無恥的……變態！」

公爵不耐煩地點頭。「好，好，妳說的我都承認，還有更多妳沒提到呢！不過，這件事我的確運氣不怎麼好。」

「運氣不好？你對這件事的看法就是運氣不好？」我走到雙人椅旁坐下，步伐有點不穩，雙手激動地發抖，只好緊握雙手，藏到裙子下。

「夫人，我運氣不好的事可多了！」他姿態優雅地張開雙手說道：「想想看。我要丹頓去解決妳，他和同夥想先找點樂子，這也無可厚非，但是他們莫名其妙發現妳是什麼女巫，手腳就慌了，逃跑前還玷汙了我的教女。我費心幫她安排的婚事全都告吹，想想事情有多諷刺！」

他每句話都讓我驚訝，我不知道該先反駁哪一句。但其中有一句特別刺耳。

「解決我？什麼意思？你是說你真的想殺了我？」眼前一片天旋地轉，我只能猛灌一大口茶，但此舉的鎮定效果欠佳。

森丁罕公爵快活說道：「是的，我一直努力想讓妳明白這點。夫人，要不要來杯雪利酒？」

我仔細看了他一會兒。他剛剛才說想殺我，現在又說要倒酒給我？「白蘭地，斟滿一點。」

他尖細的嗓音又咯咯笑起來，走到餐具櫃邊時，轉頭又說了一句：「藍鐸隊長說妳是個非常有趣的女人，對他來說，這可是絕無僅有的恭維。女人總喜歡纏著他，但我想是因為他的外貌，而不是他的癖好。」

我接過他遞來的白蘭地。「所以喬納森．藍鐸的確為你工作。」我看著他倒了兩杯酒，確定裡頭就只有白蘭地。我迫不及待猛灌一大口。

公爵跟著我喝下一大口，辛辣的酒氣讓他眨了眨眼睛。「當然，好的工具往往危險，但不需要因噎廢食嘛，只要事先預防就好了。」

「危險？你到底多了解黑傑克？」我好奇問道。

公爵吃吃地笑。「夫人，我對他可說是瞭若指掌，大概比妳懂多了。僱用這種人，要有手段才行。錢只能用來賄賂，而不是用來控制人。」

「不像勒索那麼好用？」我冷冷說道。

他往後一靠，雙手在圓鼓鼓的肚子上交握，無動於衷地看著我。「所以你認為我們彼此勒索？」他搖搖頭，些許鼻菸灰末飄下，沾上他的絲綢背心。「不，夫人。一方面，我們身分地位不同，這種傳聞只可能在某些圈子裡影響我的名聲，我其實不需要太擔心。但對藍鐸隊長來說，軍隊非常不認同這種不自然的癖好，甚至往往因此將當事人處死。他根本動不了我，真的。」儘管他有三層下巴，還是努力把頭側向一邊。

「我能控制藍鐸，靠的不是財富也不是威脅。他服侍我，是因為我能給他想要的東西。」公爵說道，水汪汪的藍色小眼睛在眼眶裡閃閃發亮。

我打量他肥厚臃腫的眼眶，毫不掩飾地露出嫌惡的表情，公爵大人笑得發顫。

公爵說：「不，不是妳想的那樣，隊長不像我，他的口味稍微精緻高雅一點。」

「那你到底給他什麼？」

公爵低聲說：「虐待，我任他恣意施虐。不過，妳早知道了，對吧？最起碼妳丈夫知道。」

光坐在他附近我都覺得汙穢，我站起身來，想離他遠一點。雪花石膏煙罐的碎片散落一地，我漫不經心地踢中一塊，碎片彈跳起來，打轉著飛進雙人座椅下，讓我想起了剛剛在這裡的丹頓。

我很猶豫，不知道該不該問他為何計畫謀殺我。但此時不說，更待何時？

我轉身面對他問道：「你為什麼想殺我？」我迅速掃了一眼桌上的物品，萬一他還想殺我，我可以拿個東西抵禦。

他似乎沒打算親自動手，反而費力彎下腰撿起那隻奇蹟般完整無損的茶壺，放回立直的茶几上。

公爵平靜說道：「這在當時算是個權宜之計。我知道妳和妳丈夫想阻礙某件和我有關的事。我本來想除掉妳丈夫，但他和蘇格蘭兩個有權有勢的家庭關係密切，動他太危險了。」

我腦中靈光乍現，像在放煙火。「你想除掉他？難道是你派水手到巴黎襲擊傑米？」

公爵隨便點點頭。「這手段有點粗糙，不過最簡單。但後來杜戈爾在巴黎現身，我開始懷疑妳丈夫究竟是不是效忠斯圖亞特。我無法確定他的立場。」

我才想知道公爵的立場呢！他這番話說得奇怪，聽起來好像他私底下其實是個詹姆斯黨人。倘若真是如此，那他保密的功夫真是到家了。

公爵輕手輕腳地蓋上茶壺蓋，繼續說：「然後，妳和路易王的友誼與日俱增。就算妳丈夫和銀行家沒談成功，只要妳高抬貴手不管閒事，路易原本可能送來查理王子需要的東西。」

他把手上的司康湊近眼前，皺著眉，彈掉上頭的幾絲細線，又決定抵抗誘惑，把司康丟回桌上。

公爵邊回憶邊說道：「等我弄清楚實際情況，我便讓他獲赦，努力引誘他回蘇格蘭。要讓他獲赦，我可是花了不少錢，但終究是白花了！」

「但後來我想到妳丈夫對你一往情深，真是感人。」公爵唇邊露出令人生厭的假笑。「我猜，如果妳遭遇不幸，他可能心神不寧，沒心思顧及原本的計畫，這樣我就不必殺他，免得引起不必要的軒然大波。」

我忽然想到什麼，轉頭看著房間角落的大鍵琴。琴架上放著幾張樂譜，上面的字跡優美清晰。「待殿下踏上蘇格蘭，即有五萬英鎊。」簽名處寫了「S」，顯然是森丁罕（Sandringham）的縮寫。

公爵愉快地笑了。「夫人，妳真的非常聰慧。一定是妳猜出來的，至少我聽說妳丈夫對音樂不拿手。」

「其實不是我猜出來的。」我從鋼琴前轉身答道。桌子這邊沒有拆信刀或鈍器這種有用的東西。我忽然匆忙拿起花瓶，把臉埋在一大束溫室花朵中，閉上雙眼，感覺冰涼的花瓣輕觸我突然熱燙的雙頰。我不敢抬頭，生怕公爵察覺我臉上表情有異。

因為在公爵的背後，我看到了一個圓形、外表如皮革的東西，形狀像南瓜，裹著綠色天鵝絨窗簾，就像公爵的異國風藝術品。我睜開眼睛，透過花瓣小心偷看，有張嘴咧著不整齊的牙齒對我笑，就像萬聖節南瓜提燈的笑容。

我感到既驚恐又充滿安慰。我對門口那個乞丐的直覺沒錯，那是修．門羅，當傑米還是高地逃犯時就有的老朋友。修．門羅當過校長，在海上被土耳其人擄走，遭到拷打而成了殘廢，淪為乞丐與盜獵人，另外還是出色的間諜。我聽說他是高地軍的間諜，但沒想到他因為間諜行動到了這麼南邊的地方。

他像鳥兒一樣在二樓窗外，攀著常春籐等多久了？我不敢對門羅多作表示，只能死死盯著公爵肩膀上方一點，看似冷漠地凝視空中。

公爵充滿興趣地看著我。「真的嗎？該不會是葛斯曼吧？我不覺得他有那麼機靈。」

「你覺得我機靈？真是太抬舉我了。」我把鼻子埋在花叢裡，心不在焉地對一朵芍藥說話。門羅放開常春藤一會兒，一隻手出現在我視線內。阿拉伯人抓走時門羅，割了他的舌頭，所以他會用手語。他先是目不轉睛地盯著我，慎重地先向我一指，然後再指他自己，最後往旁邊一指。寬大的手掌翹起，拇指和食指做成一雙跑步的腿，向東邊跑去。他又眨了個眼，握拳致意，然後就消失了。

我終於放鬆下來，接著深呼吸，恢復平靜。我打了個噴嚏，把花放下來。

「所以你是詹姆斯黨人？」

公爵和藹地回答：「不一定。重點是，夫人，妳是嗎？」公爵從容地脫下假髮，抓抓只剩稀疏金髮的頭頂，再戴回假髮。「在巴黎時，妳想阻止詹姆斯國王奪回寶座。失敗以後，現在妳和妳丈夫似乎十分忠誠地支持殿下。為什麼？」他藍色的小眼睛現在看起來不是很熱衷，但當初他可是十分熱衷於暗殺我。

自從我意識到身在森丁罕公爵的屋簷下，我就不斷回想法蘭克和威克菲爾德牧師對森丁罕的討論。他是詹姆斯黨人嗎？就我記憶所及，歷史的評價（也就是法蘭克和牧師的評判）尚無定論。我也不敢妄加臆測。

「我不認為我該告訴你。」我緩緩開口道。

公爵揚起一邊的金色眉毛，從口袋拿出一個小琺瑯盒，撮出一點盒裡的東西。「夫人，妳確定這樣做好嗎？我隨時都可以把丹頓叫來。」

我直截了當地說：「丹頓一丁點都不敢靠近我。」趁他張口結舌之際，我匆忙接道：「另外，你也不會碰我，就那檔事來說。況且，如果你這麼想知道我站在哪一方，那麼你找出答案前也不能殺我了，對吧？」

公爵被一小撮鼻菸嗆得猛咳，用力槌打穿著繡花背心的胸口。他大肆打著噴嚏，口沫橫飛，我站起身，輕蔑地冷冷瞪著他。

「這樣嚇唬就能逼我開口？沒用的。」我不知哪來的信心。

森丁罕用手帕輕輕擦拭眼角的淚。最後，他深吸一口氣，從噘起的厚唇吐出一口氣，眼睛緊盯著我。

他從容說道：「很好，我想僕人已經把妳的房間整理好了。我請女僕來帶妳回房。」

我看著他的表情一定很傻，因為他費力從椅子上站起時，掛著嘲弄的譏笑。「某種程度來說，妳到底是什麼身分，或妳知道什麼訊息，都不重要。我讓妳住在這裡，是因為妳有一項很重要的特質。」

「什麼？」

公爵頓了一下，伸手拿搖鈴，微微一笑。

「妳是紅髮傑米的妻子，他很愛妳對吧，夫人？」

以拘留室來說，這房間還不壞。房間長寬各十公尺，裝飾的奢華程度，只有樓下的客廳才比得上。小平臺上放著一張天篷床，蓬頂裝飾著鴕鳥羽毛，從四個角落探出，床邊垂墜著花緞幃幔，一對花色相配的錦緞椅放在大壁爐前，看起來十分舒適。

陪我前來的的婢女放下帶來的水盆和水罐，匆匆點起準備好的爐火。男僕把罩著蓋子、放著晚餐的托盤擺在門邊的桌上，然後面無表情地站在走廊。我本來打算趁人不注意衝出走廊，這下計畫也給破壞了。我沮喪地想，反正衝出去也沒什麼用，等我在走廊上轉過第一個彎，就會在屋子裡徹底迷路，這該死的房子像白金漢宮一樣大。

女僕出去前優雅地行個屈膝禮，對我說：「公爵大人希望您住得舒適，夫人。」

我沒好氣地回答：「當然了。」

她離開把門關上時，發出砰的一聲，令人心情更加沉重。鑰匙轉動發出的刺耳聲響，似乎刮去覆蓋我裸露神經的最後一點保護。

寬敞的房裡寒意襲人，我冷得發顫，抱住雙臂走到壁爐邊，坐在一張椅子上，然後深深陷入。我有一股衝動，想趁自己獨處時，好好發洩一下情緒。但另一方面，我又擔心如果讓壓抑的情緒釋放出來，就再也收不回去了。我緊閉雙眼，感受眼前跳動的紅色火光，希望讓自己冷靜下來。

畢竟，我現在還沒有危險，修．門羅正要去找傑米。即使經過這週的移動，導致傑米失去我的消息，門羅也會找到他，指引正確的方向。門羅認識這四個教區中每個佃農鍋匠，走遍每戶農舍莊園，他無聲的訊息將會透過消息與流言網絡快速散播，就像風吹著雲朵越過山嶺一樣快。但前提是，他已經從攀爬的常春藤上下來，安全離開公爵的勢力範圍，沒被逮到。

我安慰自己：「別傻了，他可是專業的盜獵人，怎麼可能被逮到。」話音從裝飾華麗的白色石膏天花板彈回，給了我一點支持。我繼續說著，好聽聽自己的聲音：「這樣一來，傑米就會到這裡來。」

我突然意識到：沒錯，等傑米來了，森丁罕公爵的手下正恭候大駕。公爵強調，我是紅髮傑米的妻子，這就是我最重要的特質。我是誘餌。

「我是誘餌！」我坐挺身子大喊，想到他們竟然這樣羞辱我，我大感憤怒，但也感謝這股怒氣驅散了恐懼。我趁此怒意自我振作，於是站起身來大步走動，思索著下次見到公爵要送他什麼新稱謂。正當我琢磨著「鬼鬼祟祟的屁精」這個詞，外頭傳來壓低的叫嚷聲，分散了我的注意力。

我推開窗口沉重的天鵝絨窗簾，發現公爵所言不假，窗口密密實實地交錯釘滿粗大的木條，連想伸出一隻手臂都很困難，但我還是可以看到外面。

薄暮降臨，園林樹下的陰影漆黑如墨，喊叫聲就是從那裡傳來的。馬廄也傳來喊聲，兩三個人拿著點燃的火把出現在那裡。

小小的黑色身影朝樹林跑去，手上松木火把的火焰向後飄動，在濕冷的風裡閃耀橘紅色的火光。他們跑到園林邊，這時一小團模糊的人影出現，一個翻滾跳到屋前的草皮上。地面潮濕，草皮也因冬天而枯黃，這人滾落地面的力道在地上留下一道深長的黑溝。

我踮起腳尖，抓著木條，頭頂住木條想看更清楚些。天色已完全暗了，底下有場騷動，藉著火炬的光，只能偶爾看到揮舞的四肢。

我一顆心快跳出來了，但還是努力嚥了口唾沫，告訴自己他不可能是傑米，他不可能來的這麼快，不可能是現在，也不會是一個人——他應該不會自己一個人來吧？現在一群人圍著一個人攻擊，那人跪在地上，縮成一團的黑影，公爵的獵場看守人和馬夫掄起拳頭和棍棒，往他身上不停招呼。

直到那縮成一團的人影攤平在地，吶喊聲便停止，零星有人又補上幾拳，這幫僕役才向後退開。他們交談了幾句，但我的位置太高，聽不見談話內容。接著兩個人彎身把地上的人拉起來，挾在腋下。我在三樓，看著他們從我窗下走過，往屋子後方走去，藉著火光，我看到一雙腳穿著涼鞋拖在地上，骯髒的襯衣給扯得稀爛。他不是傑米。

一路上有個馬夫蹦蹦跳跳的，得意地拿著一條皮帶上厚厚的皮革錢包。我的距離太遠，聽不到皮帶上小金屬物碰撞的叮噹聲，但這些小金屬物在火光下閃閃發亮。一陣恐懼與絕望湧上來，我雙臂發軟。

這些金屬物有硬幣、鈕釦，還有流浪乞丐的鉛製小徽章，這個徽章是種許可，讓乞丐可以在特定的教區行乞。修．門羅曾受土耳其人虐待，為了照顧他，教會頒贈他四個行乞徽章。他不是傑米，他是修．門羅。

我顫抖得厲害，幾乎要站不住，但還是跑到門口，使盡全力捶打房門。

我大聲尖叫：「放我出去！我要見公爵！聽到沒有，放我出去！」

不管我怎麼捶打喊叫，外面都沒反應，我又衝回窗邊。樓下的景象現在非常祥和，一個小男孩拿著火把站在園丁旁邊，看園丁跪在草坪周圍，輕柔地將打鬥過程中鏟起的草皮換成新的。

「喂！」我吼道。窗戶給木條擋住，不能向外推開；我跑到房間另一邊，抄起一座沉重的銀燭臺，奔回窗邊，砸碎一塊玻璃，不顧碎片飛散。

「救命啊！喂，下面的！告訴公爵我要見他！我現在就要見他！救命啊！」下面有個人好像轉頭望向我，但另外兩個人仍繼續工作，沒有人朝房子走來，好像只是聽到鳥兒夜啼，劃破了他們身周的暮色。

我跑回門邊，捶門吶喊，又跑回窗邊，然後再跑回門邊。我吶喊、哀求、威嚇，直到喉嚨嘶啞，我捶著堅硬的房門，直到拳頭紅腫瘀青。但是一個人也沒有，聽起來這幢寬闊的房子裡好像只有我一人。走廊的寂靜深不可測，一如屋外的黑夜，一如闃靜的墳堆。我的恐懼潰堤，最後跪倒在門邊，痛哭失聲。

—

我醒來，身體又冷又僵硬，腦袋抽痛，同時感到有個寬大結實的東西在地板上推我。敞開的沉重大門夾到我的大腿，夾在門與地板間的空隙，我醒過來，痛得動了一下。

「噢！」我笨拙地翻身，掙扎著用手和膝蓋撐起身，頭髮垂在臉上。

「克萊兒！請……請小聲點！妳受傷了嗎？」瑪莉在我身邊跪下，她穿的細麻布長袍上了漿，沙沙作響。門在她背後關上，我聽到上方傳來上鎖的聲音。

我茫然地說：「對……我是說，沒有，我沒事。但是修．門羅……」我趕緊住嘴，搖搖頭想清醒一點。

「瑪莉，妳在這裡做什麼？」

「什麼比賽？」

我用正常的音量說：「沒關係，門那麼厚，除非裡面有足球比賽，不然外面也聽不到。」

她低聲說：「我買通管家讓我進來。妳說話一定要那麼大聲嗎？」

「沒事。」雖然我的眼皮又濕又腫，腦袋抽痛像有人在裡面打鼓，但神智已經逐漸清醒。我撐著站起來，搖搖晃晃走到水盆旁，在臉上潑點冷水。

「買通管家？不過我們還是被鎖在裡面吧？我聽到鑰匙轉動的聲音。」我用毛巾擦乾臉，一邊問道。

房裡光線昏暗，瑪莉看來臉色蒼白。昨晚我睡在地板上時，蠟燭已經燃盡熄滅，現在除了壁爐餘燼深紅色的光芒，房裡沒有別的光線。瑪莉咬著嘴唇。

「我只能做到這樣了，吉布森太太很怕公爵怪罪下來，所以不敢給我鑰匙。她只答應把我和妳鎖在裡面，然後早上讓我出來。我想妳可……可能想要有人陪。」她怯怯地補了最後一句。

我說：「呃……謝謝，妳真好。」我從抽屜拿出一支新的蠟燭，走到壁爐前點燃。蠟燭融化淌下蠟油，凝聚在燭臺上，我不管會不會弄壞桌子的凹雕花紋，就在桌上倒了一小攤蠟油，把新的蠟燭立在桌上。

「克萊兒，妳、妳惹上麻煩了嗎？」瑪莉說。

我咬住嘴唇，免得回答地太輕率。畢竟她才十七歲，她不了解男人，或許更不懂政治。

「對，可能還是很大的麻煩。」我的大腦開始轉著，就算要逃跑時瑪莉幫不上忙，但至少我可以向她打聽她的教父，還有屋子裡發生了什麼事。「妳聽到剛才外面樹林邊的吵雜聲嗎？」她搖搖頭，身體顫抖著，因為房間很大，爐火的熱度還沒傳到床邊，就已經消散殆盡了。

「沒有，但我聽到廚房女僕說，獵場看守人在園林捉到一個盜獵人。這裡好冷，我們可以到床上嗎？」她爬過床罩，縮在床罩邊的枕墊下。她的屁股渾圓勻稱，在白色睡衣下看起來像個小孩子。

我說：「他不是盜獵人，其實說他是盜獵人也沒錯，不過他也是我的朋友，正要去找傑米，告訴他我在這兒。妳知道看守人抓到他以後發生了什麼事？」

瑪莉轉過身，面孔浮現在床帷的陰影中蒼白而模糊。即使昏暗，我都能看見她深色的雙瞳陡地放大。

「噢，克萊兒！太遺憾了！」

我耐不住性子回道：「我也很遺憾。妳知道那個盜獵人在哪兒嗎？」如果修．門羅被監禁在馬廄之類能接近的地方，或許還有一絲微薄的希望，讓瑪莉想辦法在早上放走他。

瑪莉嘴唇顫抖，說話斷斷續續，相較之下她平常的口吃還比較好懂。我早該察覺不對勁，當她好不容易把話說完，這句話就像一把射出的匕首，刺穿我的心臟。

「他、他們把、把、把他吊死了，吊在園、園林大、大門口。」

——

過了好一段時間，我才回過神來注意到身邊的事。震驚、悲傷、恐懼、希望破滅就像洪水襲捲而來，完全淹沒了我。我隱約意識到瑪莉的小手怯生生地拍著我的肩膀，問我要不要手帕、要不要喝水，但我還是像球一樣蜷縮成一團，渾身顫抖說不出話來，痛苦絕望像拳頭一樣揪住我的胃，我在等它慢慢放鬆。最後，我榨乾了恐懼，或許也榨乾了自己，然後無神地睜開眼睛。

「沒事的。」我試圖振作坐起身來，粗魯地用袖子擦鼻子。我接過瑪莉遞上來的毛巾，擦乾眼睛。瑪莉擔心地俯視我，我伸出手，捏捏她的手安慰她。「真的，沒事了。很高興妳在這裡。」我突然想到一件事，扔下毛巾，好奇地看著她。「話說回來，妳為什麼在這棟房子裡？」

她目光低垂，紅著臉，扯著床罩。「妳知道，公、公爵是我的教父。」

「對，我聽說了，不過不知怎的，我覺得他好像特別喜歡妳陪在他身邊。」

聽我這麼說，她微微一笑。「不、不是。但他……我是說公爵他，他幫我找了另一個丈、丈夫。」她努力想說出「丈夫」這個詞，紅了臉頰。「爸爸帶我到這裡來見他。」

從她的態度來看，我覺得不應該立刻向她道賀。我問：「妳認識那個人嗎？」

結果瑪莉只知道他的名字。他叫艾薩克森，是倫敦的進口商，公務繁忙，無法遠道至愛丁堡看望未婚妻，但同意到貝爾赫斯來，如果各方都滿意的話，就在這裡舉行婚禮。

我從床頭桌上拿起一隻銀背髮梳，心不在焉地整理頭髮。所以，公爵無法和法國貴族結為同盟，現在打算把教女賣給一個有錢的猶太人。

瑪莉勉強擠出微笑說：「我有新嫁妝喔，四十三件刺繡襯裙，其中兩件繡的是金……金線。」她突然停下來，緊抿雙唇，低頭茫然凝視自己空虛的左手。我把手覆在她手上。

我試著鼓勵她：「或許他人不錯。」

「我怕、怕的就是這樣。」她低頭往下看，避開我詢問的目光，放在腿上的兩手絞在一塊兒。

她的臉皺在一塊兒。「他們沒有告訴艾薩克森先生巴、巴黎的事，還說我也不能告訴他。他們找了一個可怕的老婦人，告訴我新、新婚之夜要怎麼做，假裝是我的第一次，但是我……克萊兒，我該怎麼辦？還有亞歷山大……我沒告訴他，我說不出口！我真是懦弱，我連再、再見都沒說！」串串淚珠滑下她的臉頰。

她撲到我懷裡，我拍拍她的背，努力安慰她，讓我稍微忘了自己的悲傷。她好不容易慢慢平靜下來，並坐起身、打嗝，喝了點水。

「妳決定接受？」我問道。

她抬頭看著我，睫毛捲翹而濕潤。「我別無選擇。」

「可是……」我才張口，但又止住。

她說得沒錯。她年紀輕，又是女性，沒有金錢人脈，沒有人會幫她，除了順從父親和教父的期望嫁給艾薩克森先生這位來自倫敦的陌生人，她別無選擇。

我們兩人心情沉重，對托盤上的食物都沒有胃口，於是鑽進被窩裡讓自己暖和起來。瑪莉宣洩完情緒，精疲力盡，幾分鐘之內就睡熟了，而我雖然一樣疲憊，卻無法入睡，心裡在為門羅哀悼、為傑米擔心，同時對公爵感到好奇。

床單冰冷，我的腳凍得像冰塊。我不願再想些痛苦悲慘的事，所以把腦子轉到森丁罕公爵身上。他在這件事扮演什麼角色？

從所有外表跡象來看，他是詹姆斯黨人，他自己也承認願意殺人，或者買凶殺人，好讓查理王子獲得需要的援助，到蘇格蘭來闖蕩。音樂密碼就是個證據，表明承諾提供資助，最後促成查理王子在八月啟航的人，就是公爵本人。

一定有些支持詹姆斯黨的人，必須煞費苦心地隱瞞自己是詹姆斯黨人。謀反是重罪，這麼做並不奇怪。如果公爵支持起事，事情卻失敗，那他的損失必定比很多人慘重得多。

不過，我還是很難相信森丁罕公爵會熱切支持斯圖亞特王朝。從他對丹頓的意見來看，公爵並不支持天主教君主。而且假使真要支持，為什麼等這麼久，等到查理王子現在亟需金援時才伸手相助？而且為什麼要等查理王子踏上蘇格蘭才幫他？

對公爵的行為，我想到兩種可能原因。兩種原因都不怎麼高尚，不過都符合他的性格。

有可能他其實是詹姆斯黨人，願意支持討厭的天主教國王，支持斯圖亞特王朝復辟，換取日後的利益。我看得出來，公爵的字典裡沒有「原則」這兩個字，「好處」一詞他倒是滾瓜爛熟。他可能想等查理王子到英格蘭再資助他，把錢留給高地大軍打最後的關鍵一仗，推進倫敦。熟悉查理王子的人都知道，不可以一下子給他太多錢，這是常識。

或者，公爵在資助斯圖亞特的事業之前，想確定他們確實有些金錢後盾。畢竟為起事出力，不等於要一個人隻手撐起整隊大軍。

從另一方面來看，公爵對援助開出這樣的條件，也許出自其他原因，而且這個原因陰險得多。要求詹姆斯黨軍隊踏上英格蘭，才給予資金，可以確保查理王子會和手下將領繼續鬥爭，駁回越來越多的反對意見，拖著心不甘情不願、七零八落的大軍南下，越走越遠，遠離可以提供屏障庇護的崎嶇山區。

如果公爵幫助斯圖亞特王朝復辟能得到好處，那幫助漢諾威王朝，將查理王子誘騙到對方掌中，再把查理王子和他的手下出賣給英國軍隊，又能換來什麼好處？

歷史一直沒能查清公爵的真正立場，這點也讓我覺得納悶，公爵遲早必須表明自己的真正意圖。當然，上次詹姆斯黨叛亂時，老狐狸羅瓦特勳爵也玩了兩面手法，既迎合了漢諾威王朝，同時又保住斯圖亞特王朝對自己的好感。有一段時間，傑米自己也這麼做。或許在皇室政權動盪不安的時候，要隱瞞自己真正效忠的對象，也不是那麼困難。

寒意爬上我的雙腿，我煩躁地動動腳，兩隻小腿互搓，覺得皮膚好像麻了。比起乾燥的樹枝，雙腿的摩擦力顯然小得多，因為不管我怎麼摩娑小腿，都感覺不到絲毫暖意。

我躺著無法成眠，坐臥不安又渾身冰冷，突然察覺身邊有個微小、有節奏的嗶啵聲。我側頭傾聽，又用一隻手肘支起身體，疑惑地盯著瑪莉。她側身縮成一團，嬌嫩的肌膚在熟睡中變得紅潤，讓她看起來就像一朵盛開的溫室花朵，拇指緊緊塞在她粉紅色的柔軟唇瓣間。我看到她的下唇在動，微微吸吮，動作輕得幾乎細不可辨。

我哭笑不得，最後，我只是輕輕拉出她的拇指，把她柔弱的手放在她懷裡，接著吹熄蠟燭，偎近瑪莉。不知道是這小動作帶有的純真，讓我想起多年前的信任與安全感，還是瑪莉溫暖的身體帶給我一股單純的舒適，又或僅僅因為恐懼和悲傷已經消耗殆盡，我的腳逐漸溫暖，最後我終於放鬆，沉入夢鄉。

我裹在溫暖的棉被裡，睡得深沉安詳。因此，我在這平穩、恬靜的昏昏沉睡中被人猛然一推，受的驚嚇比平常大得多。爐火熄了，屋裡像馬車夫的帽子一樣昏暗，但既不平穩也不恬靜了。某個沉重的物體突然落在床上，打到我的手臂，而且顯然正想殺死瑪莉。

我身下的床一陣起伏，床墊陡然翹起，床架因為我身旁的打鬥掙扎而劇烈震動。痛苦的哼叫與低聲嚇罵在身旁響起，一隻手臂拚命揮舞，打到我眼睛——我想那是瑪莉的手。

我慌忙滾下床，在平臺階梯絆了一下，便摔倒在地。床上掙扎的聲音更大，一陣可怕尖銳的嘶喊聲響起，我猜是瑪莉被人勒住，正試圖發出尖叫。

一個低沉的男音突然吃驚地咒罵一聲，床上被褥又是一陣亂扯，尖叫聲突然停了。我匆匆找到桌上的打火石，點火燃起蠟燭。搖曳的燭焰逐漸平穩，照亮前方的人影，從剛才那精神飽滿的蓋爾語咒罵聲，我已經猜到來者何人。瑪莉全身除了一雙瘋狂掙扎的手，其他都看不見，臉被悶在枕頭下，身體被我那高大、焦躁的丈夫壓住。儘管他身形大戰優勢，似乎還是死命用盡了全力。

他一心想制服瑪莉，沒有抬頭看剛點燃的蠟燭，繼續努力要抓住瑪莉的雙手，同時用枕頭使勁壓住她的臉。看到這副奇景，我抑制大笑的衝動，放下蠟燭，隔著床探過身子，拍了拍他的肩膀。

「傑米？」我問道。

「嚇！」他像隻鮭魚扭身跳起，彈下床蹲伏在地，短劍抽出一半。直到確認是我，他才放鬆下來，閉上眼睛。「老天爺，英國姑娘！以後不准這樣嚇我，知道嗎？」

瑪莉已經掙脫枕頭，現在正直挺挺地坐在床上，雙眼圓瞪，氣急敗壞。傑米對瑪莉解釋：「我沒有惡意，我以為妳是我妻子。」接著，他故意大步繞過床，摟住我雙肩用力吻我，像是安慰自己終於找對人了。我熱情回吻他，感受他充滿鬍渣的粗糙臉頰在我臉上摩娑，聞到他身上散發溫暖、強烈的氣味，那氣味結合了潮濕的亞麻和羊毛，以及一股濃烈的男人汗水味，令我陶醉。

他終於放開手對我說：「穿好衣服，這該死的房子到處都是僕人，樓下簡直像蟻窩。」

我四望尋找亂扔的連身長裙，一邊問他：「你怎麼進來的？」

他不耐煩地說：「當然是從門口進來的。在這裡。」他從椅背上抓起我的連身長裙，扔給我。的確，厚重的房門敞開，一大串鑰匙插在鎖上。

我開口問：「不過，你又是怎麼……」

傑米粗魯答道：「等等再說。」他見瑪莉正下床來，便說道：「小姑娘，妳最好回床上，地板很冷。」

「我和你們一起去。」層層衣物悶住瑪莉的聲音，直到她的頭探出連身長裙領口，頭髮蓬亂，她一臉執拗，看起來心意堅決。

傑米怒視著她說：「妳休想。」我發現他臉頰上多了幾道破皮的新抓痕。不過，等傑米看到瑪莉顫動的嘴唇，他便努力克制住脾氣，開口安慰她：「小姑娘，事情會順利過去。我們離開時會鎖門，到了早上妳就告訴大家發生了什麼事，沒人會怪妳。」

瑪莉充耳不聞，匆匆穿上拖鞋跑向門口。

「嘿！妳要去哪裡？」傑米大驚，一個急轉身要追她，但來不及阻止她跑出門。瑪莉站在門口走廊外，像頭鹿一樣靜止不動。

她激動地說：「我要和你們一起去！如果你們不帶我去，我就沿著走廊跑，大聲尖叫。你試試看！」

傑米盯著她，頭髮映著燭光閃著銅紅光澤，血液衝上面頰，顯然在天人交戰。他知道我們必須保持安靜，又有股衝動想徒手勒死她，以免她鬼叫。瑪莉瞪回去，一手抓起裙子，準備開始跑。我穿好衣鞋，戳戳他的肋骨，分散了他的注意力。

「帶著她，走吧！」我果斷地說。

他看了我一眼，和他看瑪莉的眼神一模一樣，但只遲疑了一下子，就點個頭，拉著我的手臂，我們三個人匆匆離開，踏進寒冷陰暗的走廊。

房裡既死氣沉沉，同時又充滿聲音。我們腳下的木板嘎吱作響，衣服像狂風吹過樹葉簌簌響，牆壁似乎隨著木板的沉降而呼吸起伏，走廊下窸窣難辨的聲響表示有動物躲在底下的神祕藏身處。而整棟龐大、昏暗的房子本身卻籠罩在一片可怕的死寂中，深深沉浸在不能驚擾的睡眠裡。

瑪莉抓緊我的胳臂，一起躡手躡腳跟著傑米走過走廊。傑米貼著牆壁前進，行動迅速又安靜。我們經過一道門，我聽到門的另一側響起了輕輕的腳步聲。傑米也聽到了，他平貼著牆，示意我和瑪莉走前面。壁面的灰泥透過我緊貼著牆面的掌心，傳來一股寒意。門慢慢打開，探出一顆頭，頭上蓬鬆戴著白色頭巾女帽，朝我們的反方向往走廊看去。

那人悄聲說：「誰？是你嗎，艾伯？」一絲冷汗流下我的脊椎。這個女僕顯然正等著公爵的貼身男僕丹頓來相會，這男人可真不辱法國人風流的美名啊！

我覺得傑米這全副武裝的高地人，應該無法混充女僕缺席的情人。我感到傑米在我旁邊十分緊繃，正努力克制自己去攻擊女人。下一秒這女僕就會轉過來，看到傑米，放聲尖叫，然後整間屋子將被她喚醒。

我從牆後走出來。

我帶著歉意對她說：「呃，抱歉，是我。」

那女僕大驚失色，我一個箭步走向前去，讓她面對我，傑米仍然在她背後。

我笑道：「對不起嚇到妳了，我睡不著，想喝點熱牛奶。請問廚房是往這邊走嗎？」

這女僕二十出頭，身材豐滿，呆愣地張著嘴。從露出的牙齒來看，她顯然不是很注重口腔衛生，真令人難過。幸好這女僕不是帶我到房間的那一個，她應該不知道我不是客人，而是給人關在房裡。

我開門見山說道：「我來這裡作客。」接著我把握「進攻就是最佳防守」的要領，以責怪的眼神瞪她。

我質問道：「妳剛剛喊著誰？艾伯？公爵大人知道妳晚上在房間招待男人嗎？」這幾句話似乎戳到她的痛處，女僕臉色發白、雙膝落地，抓著我的裙子。她太擔心醜聞曝光，忘了冷靜下來想想，為什麼一個客人凌晨會在走廊徘徊，不但穿著連身長裙和鞋子，還披著旅行斗篷。

「夫人！求求您不要告訴公爵大人！我看得出您有一副好心腸，一定不會想看見我被解僱吧？可憐可憐我吧，夫人，我家裡還有六個兄弟姊妹要養，而且我……」

我拍拍她的肩膀安慰道：「好了，好了，別擔心，我不會告訴公爵，只要妳回床上，然後……」女僕仍滔滔不絕想證明自己的清白，我用和小孩或精神病患說話的語調，小心哄她回到房內。

我當著女僕的面關上門，癱靠在門上。傑米一臉笑容，從陰影中浮現我面前，他只是拍拍我的頭向我致意，然後又抓著我的胳臂，催我走過走廊。瑪莉在樓梯平臺的窗前等著，窗外月光偶然穿破飄忽的雲層，射進屋內，照得瑪莉的睡袍熒熒發亮。看來有場風雨正在醞釀，不曉得對我們的逃跑是好是壞。

傑米走到樓梯平臺，瑪莉抓住了他的蘇格蘭披肩。

她低聲說：「噓！有人來了！」

確實有人，我聽到微弱的腳步聲從下方傳來，一片蒼白的燭光點亮了樓梯井。我和瑪莉焦急地四處張望，但我們藏無可藏。這後面的樓梯是給僕人走的，頭梯平臺就是一方簡單的地板，既沒有家具遮擋，也沒有垂掛的布幔躲藏。

傑米嘆口氣，示意我和瑪莉回到剛才的走廊上，然後拔出短劍，鎮靜地守在平臺陰暗的角落。

瑪莉忐忑不安，手指和我緊緊纏繞。傑米的槍掛在皮帶上，但顯然不能在屋裡開槍，而那個僕人也會想到這點，所以用槍不會有效，非得用刀才行。想到那個倒楣的僕人，我的胃一陣痙攣，他就要和一個九十五公斤、嚴陣以待的蘇格蘭人，以及他手上的黑碳鋼短劍正面交鋒。

我正打量著自己的衣服，或許可以犧牲一件襯裙來綁那個僕人。這時候，那僕人低著頭手拿燭臺進入我的視線。他一頭中分黑髮，髮油味甜膩嗆鼻，立刻讓我憶起黑暗的巴黎街頭，以及面具下那張無情的薄唇。

我認出他就是丹頓，倒抽一口氣，他忽然抬頭張望，離樓梯平臺只差一步。眨眼間，他給人從脖子後方拎起，猛力朝平臺牆邊摔去，力道之大連手上的燭臺都飛了出去。

瑪莉也見過他。

她嚇得忘了要低聲說話，也忘了口吃，大聲嚷叫。「就是他！在巴黎的那個人！」

傑米一隻肌肉發達的前臂橫壓過丹頓胸口，把無力掙扎的他釘在牆上。窗外雲朵飄忽，光線忽明忽滅，照得丹頓的臉時隱時現，看得出他面無血色。緊接著傑米把刀鋒壓在丹頓喉嚨上，丹頓的臉色霎時全白了。我踏上平臺，不確定傑米要做什麼，也不知道該叫傑米做什麼。丹頓看到我時，發出給人扼住脖子的呻吟，還想在胸前畫十字。他驚恐地瞪大眼，低聲喊道：「白夫人！」

傑米突然用力，抓住丹頓的頭髮猛地往後一拽，他的頭砰地撞上牆壁鑲板。

「你這個人渣！你該慶幸我沒有時間慢慢折磨你。」傑米輕柔的語氣裡充滿致命的威脅。語畢，他把丹頓的頭向後一拽，丹頓不由自主地吞口水，喉結滾動，一邊驚恐地盯著我。

傑米咬著牙根說道：「你口裡的『白夫人』是我的妻子！她的臉，將是你臨死前的最後一幕！」

傑米的短劍猛力劃破丹頓的喉嚨，一片暗色的血簾噴湧而出，濺上傑米的上衣。樓梯平臺上忽然瀰漫著死亡的惡臭，癱在地上的人形發出喘鳴，還有液體汩汩流出的聲音，時間似乎就此凝結。

後方的聲音終於讓我回過神來，原來瑪莉在走廊上吐了起來。我腦中第一個念頭是：早上僕人有得清了。第二個念頭：傑米怎麼樣了？我藉著轉瞬即逝的月光看到傑米的臉，他臉上濺滿血滴，蓬亂的髮梢也滴著血，喘著粗氣，看起來也不怎麼冷靜。

我轉向瑪莉，看見她背後走廊深處，有道光從敞開的門縫漏出來，有人要來查看這噪音的來源了。我抓住瑪莉睡袍下襬，把她的嘴大力一抹，然後抓住她手臂，拉著她走向平臺。

「快！我們走吧！」我說道。傑米原本茫然望著丹頓的屍體，此時也搖搖頭恢復神智，轉身朝樓梯走。傑米似乎知道該怎麼走，毫不遲疑地領著我們穿過昏暗的走廊。瑪莉跌跌撞撞跟在我身邊，不停喘氣，呼吸聲大到聽起來像引擎聲。

在餐具室門口，傑米忽然停下，低低吹了聲口哨。立刻有人回應，門邊開來，室內一片漆黑，裡面有幾個模糊的人影，其中一位脫離黑暗靠上來，傑米和他咕噥了幾句，這位不知是人是鬼的仁兄，便伸手抓住瑪莉，把她拉進陰影。迎面吹來一股陰涼的穿堂風，我明白前面某處有扇門開著。

傑米手搭著我肩膀，領我避開障礙，穿過黑暗的餐具室及一間較小的房間，感覺似乎是某種雜物間。我的小腿脛骨撞到東西，痛得叫出聲，又咬緊嘴唇忍住咒罵。

終於，我們來到自由的夜空下，風攫住我的斗篷，迅速捲起，吹得像個鼓脹的氣球。在黑暗的屋子裡，穿越令人神經緊繃的小道後，現在我覺得好像快長出翅膀，飛上雲霄了。

我身邊的人似乎也都鬆了一口氣，周圍響起低沉的交談與壓低的歡笑聲，但傑米很快噓地要大家安靜。這群人一次一個，迅速奔過屋前的空地，在舞動的月光下成為飄忽的影子。傑米站在我身邊，看著他們消失在園林樹叢裡。

「穆塔夫呢？」等最後一個手下離開，傑米皺著眉頭喃喃說道，彷彿自言自語，又自問自答：「應該是去找修．門羅了。英國姑娘，妳知道修．門羅在哪裡嗎？」

我嚥了嚥喉，感覺刺骨的冷風鑽進斗篷，重獲自由的喜悅因為想起門羅的死而蕩然無存。

「我知道。」我盡量簡單交代這個壞消息。傑米沾滿血跡的臉頰上面色凝重，我說完後，他的表情像石頭般冷酷僵硬。

後方響起一串問句：「你們想整晚都呆站在這兒，還是乾脆敲響警鐘，讓那些傢伙知道上哪裡逮人？」

穆塔夫從我們身旁的陰影中現身，像幽靈一樣安靜。傑米看到他，表情稍微放鬆了些。穆塔夫腋下夾著一捆布包，布上有暗沉的斑斑血跡，大概是廚房裡拿來的一隻帶骨大腿肉。他另一隻手腋下挾著大火腿，脖子上還掛了一串香腸，更證實了我的猜想。

傑米皺起鼻子，淡淡一笑。「老兄，你聞起來像屠夫，能不能別走到哪兒都想著吃？」

穆塔夫側著頭，看著渾身濺滿血跡的傑米。

「聞起來像屠夫，總比看起來像屠夫好。小伙子，可以走了吧？」

ꟷ

穿過園林的路上黑暗又陰森，高聳的樹木彼此相隔甚遠，中間種了小樹，在明暗不定的月光下，小樹的形狀會突然變得像凶狠的獵場看守人。終於，雲層越積越厚，滿月也比較少露臉，這變化讓人欣喜。等我們到達園林另一端，雨也降了下來。

有三個人帶著馬留下來。瑪莉已經上馬，坐在傑米一名手下身前。她對於要跨騎在馬上顯然很不自在，一直想把睡袍塞到大腿下，努力隱藏她有大腿這件事。

我騎馬的經驗比較豐富，但沉重的裙襬還是惹來我的咒罵。我提起裙子，傑米伸出手讓我一蹬，我手掌在馬背熟練一壓，上了馬。馬因為我這一推噴著響鼻，耳朵後倒。

我不怎麼同情地說：「抱歉了夥計，我這下還不算什麼，等他上馬你就知道了。」

我環視四周，看看「他」在哪裡，發現他站在樹下，手放在一個約十四歲的陌生男孩肩上。

我看喬迪．保羅．弗雷瑟正在旁邊忙著繫馬的肚帶，於是傾過身去問他。「那是誰？」

「他啊！」喬迪瞟了男孩一眼，然後皺眉繼續和不合作的肚帶奮鬥。「他叫伊旺．吉布森，是門羅繼子中年紀最大的一個。公爵手下的獵場看守人抓到門羅時，他好像和門羅在一起，不過他逃了，我們在獵場邊發現他，他就帶我們到這裡。」喬迪沒必要地又拽了一下，喜孜孜地看著肚帶，好像在對肚帶發出挑釁，看它敢不敢說甚麼。接著喬迪抬頭看我。

他突然問：「你知道那孩子的父親在哪兒嗎？」

我點點頭，答案想必在我臉上寫得一清二楚，因為喬迪轉過頭去看那男孩。傑米抱著男孩，緊緊將他摟在胸口，拍著他的背。我們又看著傑米將孩子從胸前拉開，兩手搭在男孩肩上，凝視男孩的臉，說了幾句話。我聽不到傑米說什麼，但過了一會兒，男孩站直身子，點點頭。傑米也點頭，最後拍一下男孩的肩，領男孩轉身走向一匹馬，馬上的喬治．麥克路爾向男孩伸出手。傑米低頭大步走向我們，寒風呼嘯、冷雨飛濺，他的蘇格蘭披肩尾端在背後颯颯飄盪。

喬迪一口唾沫吐在地上，說：「可憐的小傢伙。」他沒指明是誰，隨即也上了馬。

我們騎到園林東南方角落附近就停住，馬匹又是跺蹄、又是掙扎。兩個人掉頭回去，消失在樹林裡。好不容易等他們回來，前後應該不超過二十分鐘，感覺卻有兩倍時間長。

回來時他們兩人合騎一匹馬，另一匹載著彎成弓狀的長條物，那是修．門羅的屍體，裹在弗雷瑟一族的蘇格蘭披肩裡，橫掛在馬鞍上。馬群都不喜歡屍體，載著屍體的馬從我身旁經過時，我的馬猝然抬頭，鼻翼賁張。傑米一扯韁繩，生氣地用蓋爾語罵了聲，馬才老實下來。

我感覺傑米在我背後，站在馬鐙上，向後望著，彷彿在計算留下來的夥伴人數。然後他的手環上我的腰，我們出發，向北前行。

我們騎了一整夜，只停了幾次稍事休息。一次休息時，我和傑米站在七葉樹下，傑米伸手要擁抱我，卻突然停下來。

我面帶微笑說：「怎麼回事？在你手下面前不敢吻自己的妻子嗎？」

他否認，接著吻了我，然後退後一步微笑。「不是，我只是一時間擔心妳會尖叫然後抓我的臉。」他小心翼翼地摸了摸瑪莉在他臉頰留下的抓痕。

我笑著說：「沒想到『我』會這樣歡迎你吧？」

他笑著說：「欸，其實那在我預料之中。」他從穆塔夫偷來的香腸那兒拔了兩條，遞了一條給我。我不記得上次吃東西是何時了，但想必過很久，因為儘管我怕食物中毒，還是抗拒不了肥美的香腸。

「你以為我才一個星期就認不出你了嗎？」

傑米搖搖頭，依然面帶微笑，嚥下一口香腸。「不，我進屋要找妳的時候，我多少知道妳在哪裡，從窗口的木條就看得出來。」他揚起一邊眉毛補充道：「從窗上釘的木條來看，公爵大人對妳印象一定很差。」

「是糟透了沒錯，繼續。」我趕快帶過，不想再提公爵。

傑米再咬一口，熟練地把食物塞到嘴頰，一邊說著：「我知道妳的房間，但還需要鑰匙，對吧？」

我說：「對，你剛剛正說到那兒。」

他草草嚼了幾下便吞下肚。「我從管家那裡拿到鑰匙的，不過過程不是太順利。」傑米輕輕揉了揉腰帶下方的部位。「從那女人的樣子看來，她之前就在床上給人吵醒過幾次，而且對方都是草草了事。」

我想像那副景象，覺得很好笑。「我敢說你走進去的時候，她一定覺得你是一塊十分珍稀、令人精神為之一振的小鮮肉吧！」

「我非常懷疑，英國姑娘。她像報喪女妖一樣尖叫，拿膝蓋撞了我的下身，趁我扶腰呻吟時，又撲上來用燭臺敲我的腦袋。」

「你怎麼辦？」

「我狠狠揍她一拳——我自覺這相當不紳士——然後把她綁起來，再拿條毛巾塞進她嘴裡，讓她無法再破口大罵，接著搜她房間，找到鑰匙。」

「幹得好。」我突然想到：「不過你怎麼知道管家睡在哪裡？」

他平靜地說：「我不知道，洗衣女工告訴我的。我告訴她我是誰，威脅說如果不告訴我管家在哪，就要把她開腸剖肚，叉起來烤。」他對我苦笑了一下。「我不是告訴過妳，英國姑娘，有時候被當成野蠻人也有好處。我敢說現在他們都見識到紅髮傑米了。」

「就算他們之前不知道，現在也知道了。」我在昏暗的光線下盡可能仔細打量他。「洗衣女工呢？」

傑米回憶道：「她扯我頭髮，還被她連根拔起了好幾撮。告訴妳，英國姑娘，要是有天我得換工作，我可不會把襲擊女人當職業，這樣討生活太累人了。」

—

快天亮時凍雨下得很大，但我們還是又騎了一會兒，然後伊旺．吉布森遲疑地勒住小馬，笨拙地站在馬鐙上四顧，接著示意我們騎上左邊山坡。

天色太暗了，我們無法騎馬上山，只好下來領著馬，拖著泥濘的腳步，穿過石南叢和花崗岩，沿著幾乎看不見的崎嶇小路，一步步艱難地前進。等我們走到山頂，停下來喘口氣，黎明已經降臨，天色發白。濃重的雲層掩蓋了地平線，深灰色的夜空逐漸不知不覺換上淺灰色。至少現在我看得到自己正走在一條水深及踝的小溪裡，下坡路上也能避開不明顯的石頭與荊棘，以免扭傷腳踝。

底部是個小山凹，有六間房子。說「房子」或許太抬舉了，其實那只是窩在落葉松下，用石頭粗陋搭就的小屋。茅草屋頂垂下來，離地只有幾公分，所以屋子只露出一點石牆。

我們在一間窩棚外停下來，伊旺猶豫地看著傑米，彷彿迷失了方向。看傑米點頭，伊旺才一溜煙跑向低矮的小屋。我靠近傑米，握著他手臂。

他沉著嗓子對我說：「這是修．門羅的家，我把他帶回給他妻子，那小夥子正進去通報。」

我看著小屋幽暗、低矮的門，又看向裹著蘇格蘭披肩、毫無生氣的屍體，有兩個人正把屍體從馬上解下。我感覺傑米的手臂一陣輕輕顫慄。他閉上眼睛一會兒，嘴唇微動，然後走向前，伸出雙臂接過屍體。我深吸一口氣，把臉上的頭髮往後撥，跟著傑米彎身通過門楣。

屋內雖然氣氛哀戚，不過不像我擔心得那麼悲痛。傑米用輕柔的蓋爾語對門羅的遺孀致上弔唁，她低頭靜靜聆聽，淚水如雨水般滑落臉頰。她遲疑地將手伸向蓋著門羅的蘇格蘭披肩，似乎想掀開披肩，卻又遲疑著。她站在那兒，一隻手彆扭地放在隆起的披肩上，另一隻手把一個年幼的孩子拉近自己腿邊。

火爐邊擠了幾個孩子，都是門羅的繼子，爐邊粗糙的搖籃裡還有個襁褓中的嬰兒。我看著嬰兒，心裡一絲安慰，至少門羅留下了這個孩子。但看著小嬰兒髒汙的臉融入陰影中，這點安慰馬上被不寒而慄的感覺淹沒。雖然伊旺勇敢又聽話，但才十四歲，下面年紀最大的是個女孩，也才十二歲左右。他們要怎麼維生？

女人滿臉風霜，牙齒幾乎都掉光了，但另我吃驚的是，她不過大我幾歲。女人朝著一張單人床點個頭，於是傑米把屍體輕輕放在那床上。傑米又輕聲用蓋爾語對女人說話，但她只是無奈地搖頭，眼睛仍然望著床上的屍體。

傑米低下頭跪在床邊，一隻手放在屍體上。他的語氣輕柔但字字清晰，僅憑我零落的蓋爾語也能聽懂。

「朋友，我向你起誓，願萬能的上帝作見證。為了報答你為我的付出，只要我在，你的家人必不虞匱乏。」傑米動也不動，除了爐火中泥炭劈啪作響，以及雨水淅瀝瀝落在茅草屋頂上，屋裡悄然無聲。傑米低垂著頭，髮色因淋濕而轉深，濕氣凝成水滴，在傑米披肩上如寶石般閃爍。傑米手掌緊握一下，作最後的道別，接著站起身。

傑米向門羅太太一鞠躬，然後轉身拉起我的手。我們還沒離開，就有人掀開懸掛在低矮門口的牛皮。我往後讓一步，瑪莉走進來，後面跟著穆塔夫。

瑪莉渾身又濕又髒，看起來手足無措，肩上緊裹著潮濕的蘇格蘭披肩，睡袍衣擺已經濕透，底下露出一雙泥濘的臥房便鞋。她看到我便靠過來，很高興見到我。

「我本來沒有要、要進來，但穆塔夫先生一定要我來。」她低聲說完，靦腆看了門羅的遺孀一眼。

傑米疑惑地揚起眉毛，穆塔夫則恭敬地朝門羅太太點頭，用蓋爾語說了幾句。身材矮小的穆塔夫一如往常，看起來脾氣倔強但辦事得力，可我覺得他的神態又多了一絲自豪的感覺。他拿出一個鞍帶，看來圓鼓鼓的，又很沉重。也許是給門羅太太的臨別禮物吧！

穆塔夫把袋子放在我腳邊，直起腰來，從我開始，輪流看過瑪莉、門羅太太，最後是傑米。傑米臉上的表情和我一樣困惑。穆塔夫找齊了觀眾，莊重地向我行禮，一綹淋濕變深的頭髮落到額前。

「夫人，我為妳報仇了。」我第一次聽他這麼平靜慎重地說話。他直起身向瑪莉和門羅太太低頭致意：「也為兩位伸張了正義。」

瑪莉打了個噴嚏，急忙用披肩擦擦鼻子。她雙眼圓睜盯著穆塔夫，眼裡滿是疑惑。我低頭看著鼓鼓的鞍袋，心底升起一股寒意。

只見門羅的遺孀跪下來，雙手沉穩地打開袋子，拎出森丁罕公爵的頭顱。

第四十五章

姓藍鐸的都該死

該死的法蘭克！姓藍鐸的都該死！

該死的喬納森．藍鐸，

該死的瑪莉．霍金斯．藍鐸，該死的亞歷山大．藍鐸……

克萊兒．藍鐸．弗雷瑟，妳也該死！

我們往北回到蘇格蘭，一路上備嘗艱辛。我們擔心被認出是高地人，一路上躲躲藏藏，不能買食物也不能討食物，只能在畜棚沒人看守時進去偷點吃的，或是在田裡挖挖看有沒有可食用的塊根。

我們終於一步一步回到了北方。我們不曉得蘇格蘭軍目前在哪裡，只知道他們在北方。因為沒辦法確定軍隊所在，我們決定回愛丁堡，至少那兒可以打聽到戰爭的消息。我們和蘇格蘭軍失聯了數週，我知道英軍想奪回史特林堡的計畫失敗，而傑米知道我們打贏了福爾柯克之役，蘇格蘭人得勝。

但之後呢？

好不容易，我們騎上了愛丁堡皇家哩大道的灰色鵝卵石街道。傑米立刻前往軍營總部，我和瑪莉前去亞歷山大的住處。由於忙著趕路，幾乎沒說話，內心十分擔心屆時會看到什麼。

亞歷山大還在。瑪莉走進房間便雙膝一軟，跪倒在他床邊。亞歷山大原本正昏昏沉沉打著瞌睡，猛然驚醒。他睜開眼，眨了又眨，然後彷彿看到天使降臨，臉上散發出喜悅的光芒。

他的唇貼在瑪莉髮上，不停說著：「神啊！我還以為……主啊，我不停禱告……就希望再見妳一面，就只要一面。主啊！」

僅僅避開視線似乎不夠，於是我走出房間到樓梯平臺上，在階梯上坐了半個多小時，把疲憊的頭擱在膝上休息片刻。

待時間差不多，我又回到小房間。瑪莉離開的這幾週，房間又變得陰鬱髒亂。我替亞歷山大檢查病況，輕輕把手放在他孱弱的身體上。我很意外他能撐這麼久，不過現在他也時日無多了。

他見了我的表情，了然於心點點頭，並不意外。

亞歷山大疲憊地躺回枕頭，輕聲說：「我一直在等，希望她……會再回來。我很傻……但我持續禱告。現在禱告應驗，我可以平靜地走了。」

「亞歷山大！」瑪莉痛哭失聲，彷彿受到重擊，但亞歷山大仍笑著緊握瑪莉的手。

「我們早知道這天遲早要來。不要灰心，我會一直與妳同在，看顧妳，深愛妳。我最親愛的瑪莉，別哭了。」他低聲對她說著。瑪莉粉嫩的臉頰漲得通紅，想聽他的話，卻又止不住哽咽，兩行淚不聽話地滾下雙頰。雖然瑪莉灰心消沉，面容卻比過去都嬌豔動人。

亞歷山大看來是使勁了全身力氣，要再求我一件事：「弗雷瑟夫人，請問……明天……您可以帶著堡主一同前來嗎？這件事非常重要。」

我猶豫了一會兒。不管傑米聽到什麼消息，肯定想馬上離開愛丁堡，加入大軍，找到其他手下。但多待一天不可能影響戰事結果，而且看到兩雙眼睛這樣殷殷期盼地望著我，我也不忍拒絕。

我答應道：「我們會過來。」

傑米一邊爬上陡峭的鵝卵石街道，往亞歷山大住的巷子走去，一邊抱怨：「我真是太笨了，昨天我們從當鋪把珍珠贖回來後，就應該立刻出發。妳不知道這裡離茵凡涅斯多遠嗎？而且我們又只有爛馬可以騎！」

我不耐煩地說：「我知道，可是我答應他了。而且如果你見到他……唉，到時你就明白了。」

他雖然不滿，但也不再抱怨，幫我拉住大門，跟著我進入破舊的建築物，爬上蜿蜒的樓梯。

瑪莉半坐半躺在床上，身上還穿著趕路時的破爛衣裳，緊緊把亞歷山大摟在懷中。她肯定維持這個姿勢過了一整夜。

亞歷山大看到我，輕輕從瑪莉懷中起身，拍拍瑪莉的手，放到一邊。他一隻手肘撐起身子，臉色比他的床單還要蒼白。

「您好，弗雷瑟夫人。」他微微一笑對我說，但臉上冒汗濕亮，灰白的臉色更是不祥的預兆。

「非常感激您過來。堡主……也過來了嗎？」他說著，微微喘氣，眼光投向我的後方。傑米聽到他的話，從我背後走進房間。瑪莉聽到聲響，回過神來，目光投向我，再投向傑米，然後站起來，一隻手怯生生地放在傑米臂上。

「圖瓦拉赫堡主，我……我們……想、想拜託您一件事。」傑米態度軟化，並非瑪莉用頭銜稱呼他，而是因為她的結巴。雖然他臉色依然嚴峻，但不再那麼緊繃，並親切地低頭望著她。

「大人，是我要求夫人帶您過來的。您也看得出來，我不久人世。」亞歷山大已經推直身子坐在床沿，從磨損的睡袍下襬，露出他纖細如骨的小腿。小腿透著蒼白的光澤，細瘦修長的腳趾毫無血色，因循環不良而變成黯淡的青色。

過去我常見到各種形式的死亡，眼前這是最糟的情況，也可以說是最好的情況。患者面臨死亡，但充滿勇氣；而醫者治療無效，只能撒手。不管最後治療是不是徒勞無功，我還是翻遍藥箱，找出我幫他製作的毛地黃素。我有幾瓶效力不同的棕色輸液，色澤由淺到深，裝在玻璃小瓶裡。我毫不猶豫選了最深的一瓶，因為他每次呼吸，我都能聽到肺裡的積水發出啵啵聲。

他臉上蠟紙似的皮膚像蠟燭般散發出光芒，這光輝不是毛地黃素的功效，而是出於意志力，也就是這意志力，讓他支撐到現在。這種情況我以前也見過幾次，可能是男人，也可能是女人，他們意志堅強，可以超越身體的極限，撐過一段時間。

我想有些陰魂大概就是這麼來的，儘管虛弱的肉體已經倒在路邊，生命無法支持延續，但精神意志卻殘存下來。我今天帶傑米來，原因之一就是不想讓亞歷山大心願未了就離開人世。

傑米自己似乎也有類似的結論，輕聲問道：「我看到了。你希望我做什麼？」

亞歷山大閉上眼點點頭，舉起我遞給他的小瓶喝下，苦味讓他打了個冷顫。他睜開眼睛，對傑米微笑。

「我只拜託您繼續留在這裡，我保證不會耽誤太久。我們還要再等一個人。」

等待的時候，我繼續想辦法幫著亞歷山大，雖然這狀況下我能做的不多。我又給了他毛地黃輸液，並用點樟腦幫他緩解呼吸。用了藥後，他的情況似乎好一點，但我用自製聽診器對著他凹陷的胸部聽診時，能聽到他心臟正猛烈跳動，並經常交雜著顫動與心悸，感覺他的心跳隨時可能停止。

瑪莉一直握著他的手，他的目光也從未離開瑪莉，彷彿要記下她臉龐的每道輪廓。光是待在同一個房間，感覺都像是打擾了他們。

門開了，黑傑克站在門邊。

黑傑克不解地看了我和瑪莉，然後他看到傑米，眼神發出光芒，全身繃緊。傑米正視他的眼睛，然後轉頭朝床上揚頭示意。

黑傑克看到亞歷山大憔悴的面容，快步穿過房間，跪在床邊說：「亞歷山大！天啊，亞歷……」

亞歷山大枯槁的雙手捧著黑傑克的臉，對他笑了笑，想安慰他：「沒事。我沒事的，翰。」

我一手托在瑪莉肘下輕輕催她下床。不管黑傑克為人如何，都該讓他有時間私下和弟弟說最後幾句話。

瑪莉失去希望，大受打擊，她沒有反抗，跟著我到房間另一頭，由著我讓她坐在凳子上。我從水罐裡倒點水沾濕手帕，想給她擦擦眼睛，但她只是呆坐著，槁木死灰地抓著手帕。我嘆口氣拿起手帕，替她擦臉，並幫她盡量梳順頭髮。

後方傳來輕輕的哽咽聲，我朝床那兒看去，黑傑克還是跪在地上，臉埋在弟弟的大腿上，而亞歷山大握著他的手，輕撫他的頭髮。

亞歷山大說：「翰，你知道我拜託你這件事是很難開口的，但如果你愛我這個弟弟……」話沒說完，他突然大咳，臉上因為過度用力泛起一陣潮紅。

傑米的身軀原本就繃得很緊，現在更顯僵硬。黑傑克似乎感覺到傑米的目光停在他身上而僵住身子，但他沒有抬頭。

黑傑克一隻手放上弟弟肩膀，彷彿要平息他的咳嗽，冷靜地說：「別擔心，你知道你用不著開口，我會照你的意思去做，她就是……那個女孩？」他往瑪莉的方向瞟了一眼，但不太想直視她。

亞歷山大點點頭，仍在咳嗽。

黑傑克雙手放在亞歷山大肩上，想讓他躺好。「沒事的，我會想辦法讓她生活無虞的。你放心吧！」

傑米低頭看我，睜大眼睛，我看著他緩緩搖頭，感覺寒毛從背脊一路竄起。現在一切都合情合理了，為什麼瑪莉儘管痛苦，雙頰卻紅潤嬌豔，還有為什麼她願意嫁給倫敦的猶太富商……

「不是錢的問題，她有身孕了。他……」我停下來，清清喉嚨說道：「我想亞歷山大希望你娶她。」

亞歷山大點點頭，眼睛仍然沒有張開。他喘了一會兒，然後張開眼睛，明亮的淺棕色雙眸盯著哥哥，他哥哥的表情既震驚又無法理解。

「沒錯……翰，我要你為我照顧她。我想要……讓我的孩子姓藍鐸。你可以……讓他們在社會立足，比我能做的更多。」他伸出一隻手，摸索著。瑪莉抓住他的手緊揣在懷裡，彷彿抓住浮木一般。他溫柔地對瑪莉微笑，伸出一隻手去撫摸她閃耀的深色鬈髮，那鬈髮落在她臉頰，遮住她的臉。

「瑪莉，我希望……唉，妳知道我希望什麼，我希望的很多。我也對很多事感到抱歉，但我不後悔我們彼此相愛。經歷了這些快樂的日子，我可以心滿意足地離開了，只是我怕有人欺負妳、羞辱妳。」

「我不在乎！誰知道都無所謂！」瑪莉忍不住大喊。

「但我在乎。」亞歷山大輕聲說。他對黑傑克伸出另一隻手，黑傑克猶豫一下後便握住。亞歷山大把兩隻手拉在一起，瑪莉的手動也不動，黑傑克的手則十分僵硬，就像木頭砧板上的死魚。但亞歷山大緊包住他們兩人的手，緊緊覆在一起。

「你們是我最親愛的人，我把你們交給對方。」亞歷山大輕聲說，輪流看著兩張臉。聽到這臨終的最後請求，兩張臉都面露驚恐，但也因為即將失去最重要的親人，同樣充滿強烈的哀傷。

「可是……」從我認識黑傑克以來，第一次見他啞口無言。

「很好。」聲音幾乎細不可聞。亞歷山大睜開眼睛，吐出憋了許久的一口氣，對哥哥微笑。「沒有多少時間了，現在就讓我為你們主持婚禮。就因為這件事，我才請弗雷瑟夫人帶堡主前來。大人，請問您願意和妻子一起當我們的見證人嗎？」亞歷山大抬頭望著傑米，傑米從驚愕中醒來，機械般地點點頭。

我從來沒看過這三個人那麼灰頭土臉。

亞歷山大太虛弱，只好由面容僵硬的黑傑克幫忙，把牧師的白領圈繫到亞歷山大蒼白的脖子上。黑傑克本人看起來也糟透了，疾病讓他面容枯槁，在臉上深深鑿出皺紋，使他看上去比實際年齡大了幾歲，眼窩深陷如同人骨刻出的深穴，穴裡一雙眼睛向外凝視。他身上一如往常，穿著無可挑剔的行頭，於是整個人看來就彷彿裁縫把衣裳套在作工拙劣的人體模型上，模型臉部僅是在木頭上隨便刻出眼鼻。

至於瑪莉，她悲傷地坐在床上不停哭泣，眼淚無助地落在斗篷上，整頭亂糟糟地，我只好盡量幫她打理，替她拉直連身長裙、梳理頭髮。她沮喪地坐著吸鼻子，眼睛盯著亞歷山大。

亞歷山大一手撐著梳妝檯，一手在抽屜裡找東西，最後拿出一本大大的《公禱書》。書太重了，他沒辦法像平常一樣舉在面前，他也站不起來，於是重重坐在床上，書攤開放在膝蓋上。他閉上眼，喘著粗氣，一滴汗水從臉上流下來，在書頁上留下了汗漬。

「諸位好……」亞歷山大開始主持。為了他自己，也為了其他人，希望他選的儀式簡短一點。

瑪莉止住啜泣，又紅又亮鼻子在蒼白的臉上特別顯眼，上唇還有一道鼻涕的痕跡。傑克面無表情地從袖子裡抽出亞麻手帕，靜靜拿給她。

她淡淡點頭接過，默默地用手帕抹抹臉。

「我願意。」她脫口而出，好像完全不在意自己說了什麼。

黑傑克也允諾了，口氣堅定卻充滿抽離感。眼前締結婚約的兩人都不在意彼此，他們眼睛都盯著祈禱書，全副心神只放在眼前坐著的這個男人身上。

結束的一刻，也不適合恭喜新人，我們陷入一陣尷尬的沉默。傑米帶著詢問的目光看我一眼，我聳聳肩。我那時嫁給傑米之後馬上就昏過去了，所以也不曉得接下來該怎麼做。瑪莉好像即將步上我的後塵，她看起來也快昏過去了。

儀式完成後，亞歷山大動也不動地坐了一會兒。他淡淡笑著，若有所思地環視房間，目光輪流在每張臉上停留，從黑傑克、傑米、瑪莉，一直到我。他柔和的淺棕色眸子對上我的眼，我看到他眼底深處的光輝。殘燭越燒越短，但燭芯卻閃耀起來，瞬間明亮而熾烈。

他的目光在瑪莉臉上徘徊，然後閉上眼，極度不捨而痛苦。我聽到亞歷山大痛苦的呼吸聲，他皮膚蒼白的光澤漸漸消退，燭光黯淡下來。

亞歷山大仍閉著眼，一隻手則盲目地摸索。黑傑克抓住他的手，扶住他的肩膀，讓他慢慢躺到枕頭上。亞歷山大修長的手像男孩一般光滑，不安地抽動，比白襯衫還蒼白。

「瑪莉。」青藍色的唇逸出低語，瑪莉用雙手包住亞歷躁動的雙手，緊抱在胸前。

「我在這裡，親愛的，我在這裡！」她彎下身靠近他，在他耳邊低語。瑪莉的動作逼得黑傑克往後一步，於是他離開床邊，面無表情地站著低頭凝望。

亞歷山大吃力地張開弧形的嘴唇，這次只張開一半，他目光搜尋，凝視著黑傑克。

「翰，你對我真好。一直……那麼好。」

瑪莉俯在他身上，秀髮垂落，陰影遮住亞歷山大的臉。黑傑克站著，像古代巨石陣的巨石一樣一動不動，看著自己的弟弟與自己的妻子。房裡悄然無聲，只有爐火的絮語，以及瑪莉輕輕的抽泣聲。

傑米輕碰我的肩膀，他朝瑪莉的方向揚頭。

他平靜地說：「陪她一下。不會很久吧？」

「不會。」

傑米點點頭，然後深吸一口氣，再緩緩吐出，走到黑傑克身邊。他抓住黑傑克僵硬的手臂，輕輕讓他轉向門口。

傑米平靜地說：「來吧，老兄。我會看著你平安回到營區。」

黑傑克離開，歪扭的門打開時嘎吱作響，他走出門，回到住處，孤身一人，度過他的新婚之夜。

我關上客棧房間的門，筋疲力竭地倚在門上。外頭漆黑一片，守夜人的呼喊迴盪在大街上。

傑米在窗邊守望。我一進門他就走過來，連斗篷都來不及脫，他就一把將我緊緊摟在懷裡。我一下沒入他的懷抱裡，感受他溫暖強壯的身體。他一隻手托在我膝蓋後，將我抱起，走到窗邊的座位。

「喝點東西吧，英國姑娘，妳看起來累壞了。」傑米拿起桌上的長頸瓶，為我調了杯飲料，看來是要調白蘭地加水，只是他沒加水。

我疲憊地扒梳頭髮。我們一早吃完早餐，就到拉迪沃克巷找亞歷山大，現在已經過了傍晚六點，感覺我好像去了好幾天。

「可憐的亞歷山大，他沒撐多久，好像只是在等，確定有人能給瑪莉安穩的生活。我傳話給瑪莉的姑姑了，她姑姑和兩個堂親來接她。他們會……處理他。」我啜飲著白蘭地，醇酒燒灼我的喉嚨，酒氣在喉中冉冉上升，就像煙霧在曠野中上升，但我不在乎。

我努力擠出微笑說：「好了，至少我們能確定法蘭克安全了。」

傑米此時怒目望著我，兩道微紅的眉毛幾乎連成一氣。

他惡狠狠地說道：「該死的法蘭克！姓藍鐸的都該死！該死的喬納森．藍鐸，該死的瑪莉．霍金斯．藍鐸，該死的亞歷山大．藍鐸……願他靈魂安息。」傑米最後在胸前畫個十字。

「你說過不會嫉妒……」我才開口，他就生氣瞪著我。

「我騙妳的。」他抓住我的肩膀搖晃我。「既然都說了，克萊兒．藍鐸．弗雷瑟，妳也該死！我他媽當然嫉妒！我嫉妒妳回憶中沒有我的每一秒，嫉妒妳為別人流的每一滴淚，嫉妒妳在其他男人床上的每一刻！該死的妳！」他打翻我手上的白蘭地——我想他是不小心的——然後把我拉過去，粗暴狂野地吻我。

他又拉開我，再次搖晃著我說道：「妳是我的，該死的妳，克萊兒．弗雷瑟！我的，誰也別想和我一起擁有妳，不管是別的男人、記憶，還是什麼都一樣，只要我們都還活著就不准！不准妳再對我提起那男人的名字，妳聽到了嗎？」為了用力強調這句話，他又狠狠吻我。「妳聽到了嗎？」他拉開身子再次確認。

我吃力的開口：「如果你……放手，我就能……好好回答。」他這才意識到自己過於激動，趕緊把我放開。「對不起，英國姑娘，我只是……天啊，妳為什麼……好吧，我知道為什麼……但妳難道非得……」我把手放在他腦後，往下一拉，用長長的深吻打斷他的語無倫次。

我放開他，堅定地說：「對，我非得完成這件事，但現在都結束了。」我鬆開斗篷，讓它滑下肩膀落在地板上。傑米彎下腰想要拾起，我出手阻止。

「傑米，我累了。帶我上床好嗎？」我說。

他深深地吸了一口氣，緩緩吐氣，低頭盯著我，眼裡滿是疲倦、壓力與深情。

「好。」他終於低啞說道：「過來。」

傑米默不作聲，在粗暴的動作中，將他鋒利的怒氣化成猛烈的歡愛。

「啊！」我在歡愉的邊界發出疼痛的呻吟。

「對不起，褐髮美人，我控制不了……」

「不、不……」我用熱唇封住他多餘的歉意，緊緊擁著。當律動的柔情在我們之間翻湧滋長，我感到他深藏的怒氣逐漸消退。他的唇緊貼著我，開始溫柔探索我的唇，一啄一啄用舌尖愛撫我，輕輕驅離我即將散失的痛楚。

我捧住傑米的臉龐，需索的舌尖與他緊密交纏。他今早沒刮鬍子，微微的鬍碴在我的掌中輕輕摩蹭著。傑米微微側身小心不壓痛我，然後低身覆上我，重拾急促的節奏，撫遍彼此每一寸敏銳顫抖的肌膚，牢牢結合我們狂野的感官，以無聲的唇齒訴說著柔蜜私語。

我們在充滿生氣的愛湧中合為一體，死亡的手永遠無法觸及我們無垠的深情。

墳塚是幽靜隱密之地／但我想沒人願在此相擁。❶

亞歷山大冰冷的驅體躺在床上，瑪莉獨守空閨，而此刻我們在此溫存相守，沒有什麼比這更重要。

他攫住我的臀，碩大的手心溫暖我的肌膚，把我深深壓向他。一股顫慄傳遍我全身每一個敏感的細胞，也傳遍他的每一寸灼熱，彷彿我們共享一副血肉之身。

我從睡夢中醒來，仍在他懷裡，感覺到他仍醒著。

「再睡吧，褐髮美人。」傑米的聲音特別輕柔低沉，充滿令人心碎的餘韻，我的眼角閃過一瞬隱約的光影。我伸手一摸，發現他的臉頰已經濕潤。

「怎麼了，吾愛？」我低聲呢喃：「傑米，你明白我多麼愛你嗎？」

「我明白，我完全明白。睡吧，我會在妳沉睡時告訴妳，我是多麼愛著妳。妳醒著的時候，我怎麼說聽起來都像是一遍又一遍的傻話。在我懷中好好睡吧！同樣的傻話終究會穿透妳的夢境，讓妳明白我這顆只屬於妳的真心。再睡吧，褐髮美人。」他平靜說著。

我轉過頭，雙唇刷過他鎖骨中央的凹陷，在那小小的三角疤痕下，脈搏緩緩跳動。我把手覆在他胸口上，將自己的夢交給他保管。

---

❶出自十七世紀英國政治家馬維爾（Andrew Marvell）的詩作《致羞怯的情人》，詩中勸人把握當下，及時行樂。

第四十六章

死亡的憂懼

如果我必須忍受兩百年沒有妳，這兩百年的煉獄就是對我的懲罰，
因為我有罪，我曾經撒謊、殺人、偷竊、謀反、背叛。
只有一件事抵得過這一切。就算我站在神的面前，我所有的罪與之相比，都遠不足慮。
他的聲音更低沉，幾乎像是耳語，他的雙臂緊緊摟著我。
主啊，祢賜予我一個珍貴的女人，而我愛她如此之深！

我們和高地軍一起往北撤退，沿路都是士兵留下的蹤跡。我們經過幾隊步行的士兵，他們低著頭，迎著風雨堅強邁進。另外有些人則躺在溝渠裡，倒在樹籬下，筋疲力竭，再也走不動。沿路都是遭遺棄的裝備與武器，還有一輛馬車翻覆，車上幾袋麵粉撒出，給雨淋得濕透。一挺小型長管炮撐在樹下，兩根炮管在陰影中閃著深色幽光。

一路上天氣也不賞臉，耽擱了我們的行程。這天是四月十三日，我或走或騎，有種可怕的感覺不斷啃噬我的心。穆瑞勳爵和氏族族長，查理王子和他的首席顧問，他們都在卡洛登大宅，這是我們路上遇到的一個麥唐納族人傳來的消息。他知道的就這麼多，我們也沒攔他，就目送他如活屍般跌跌撞撞消失在迷霧中。一個月前英軍帶走我的時候，高地軍的糧食配給就已經短缺，現在情勢顯然每況愈下。路上的士兵因為疲憊飢餓而步履蹣跚，但他們一個個都遵照王子的命令，固執地朝北方推進，走向蘇格蘭人稱為德魯摩西荒地的地方，走向卡洛登。

沿途中，有一段路況實在太糟，腳步踉蹌的小馬沒辦法行走，我們只好領著馬繞過一片小樹林，踏過一片潮濕的歐石南，吃力翻爬了近八百公尺，道路才能通行。

傑米從我麻木的手中接過韁繩，對我說：「穿越樹林用走的比較快。」他下巴朝一小片松樹與橡樹指了指，那兒地面潮濕，濕樹葉升起清涼甜美的氣味。「英國姑娘，妳走那條路，我在另一邊和妳碰頭。」

我很非常疲倦，不想和傑米爭辯。每踏出一步都花了我不少力氣。走進樹林，踩在光滑的層層樹葉與松針上，肯定比踏在潮濕危險的石南叢中輕鬆一點。

林中很安靜，頭頂的松枝降低了風的呼嘯聲，雨滴穿過枝葉，啪嗒啪嗒輕輕落在層層堅韌的橡葉上，即使葉片都已打濕，沙沙聲依舊不絕於耳。

離前方樹林邊緣不到幾公尺，一個人躺在那兒，身旁是一塊灰色巨岩。他身上的格子呢有淡綠色，就像岩石上的苔癬；也有棕色，就像飄來覆蓋他半身的落葉。他已經融進整座樹林裡，要不是看到那一小塊鮮藍色，我可能就踢到他了。

那塊鮮藍色是一種奇特的菌類，如天鵝絨般柔軟，遮蓋住赤裸、冰涼的蒼白肢體，沿著骨骼與肌腱的曲線，往上長出小小的蕈傘，在風中顫動，就像森林裡的野草與林木，侵入貧瘠的土壤。

那抹艷藍就像閃電般鮮活，生動而奇異，我不曾見過，但曾耳聞。我照顧過一個老兵，他歷經第一次世界大戰，參與了慘烈的壕溝戰。就是他告訴我的。

「我們叫它死人蠟燭。它那種鮮明的藍色別的地方都看不到，它只長在戰場上，長在死人身上。」老兵抬頭看我，白色繃帶下垂老的眼睛閃著疑惑。「我一直想知道，沒有戰爭的時候它長在哪裡。」

我想，在空氣中，或許有看不見的孢子，等著抓住生機。它顏色燦爛、奇特而鮮亮，一如這男子的祖先在作戰前用來彩繪身體的菘藍。

一陣微風吹過，吹起男子的頭髮，在空中捲動、飄揚，滑順又充滿生命力。我出神地盯著屍體，後方落葉發出啪嚓聲，我突然一驚，回過神來。

傑米站在我身邊低頭看。他什麼也沒說，只是拉著我的手肘，帶我離開森林，留下那具死屍，身上覆滿腐生植物，帶著戰爭與殉難的顏色。

—

我們無情地逼迫自己驅策小馬，終於在四月十五日早上抵達卡洛登大宅。我們從南邊走來，先經過幾棟邊屋，士兵看到屋子時出現一陣騷動——幾乎可說是轟動了。奇怪的是，馬廄竟然是空的。

傑米下馬，把韁繩遞給穆塔夫，說道：「你們在這裡等著，有點不對勁。」

穆塔夫瞟了馬廄的門，微微讓開，點點頭。騎在穆塔夫後方的佛戈斯原本想跟上前，卻給穆塔夫喝止。我騎馬太久，渾身僵硬，便下馬跟上傑米，還在馬廄裡一攤泥上滑了一跤。馬廄有點奇怪。等我跟著傑米穿過馬廄門，我才意識到哪裡奇怪——太安靜了。

馬廄裡靜悄悄，又冷又暗，完全不像平常那像溫暖熱鬧。不過，裡頭也不是完全沒有生物，黑暗中有個黑影在動，看起來比老鼠或狐狸都大。

傑米往前站一步，想也不想就擋在我身前，說道：「是誰？亞力克，是你嗎？」

乾草堆裡身影慢慢抬起頭，蘇格蘭披肩滑落，里歐赫堡眾馬之王露出他一隻眼睛，另一隻眼因為多年前的意外而失明，蓋著一塊黑眼罩。通常一隻眼睛就夠了，只要一隻靈活閃動的藍眼睛，就能管住馬廄裡的小伙子、馬匹、馬夫和騎士，讓他們都服服貼貼。

現在，亞力克·麥馬漢·麥肯錫的眼睛呆滯又灰暗，就像一塊石板。那高大的身體原本充滿活力，如今卻蜷縮在一起，飢餓更讓臉頰一片木然。

傑米知道亞力克因為天氣潮濕，關節炎又犯了，於是在他身旁蹲下，讓老人不必勉強起身。

傑米問：「我們剛到，之前發生什麼事了？」

亞力克好像花了很長的時間才聽懂且消化問題，並想辦法擠出回答。等他終於吐出答案，那些話聽起來有股空虛感，或許只是因為馬廄裡太空洞、陰暗，一切都靜止了的關係。

他說：「全部都下鍋了，前天晚上他們行軍到奈恩，昨天逃回來。殿下說要堅守卡洛登，穆瑞勳爵帶著集結到的部隊，現在已經在卡洛登了。」

聽到卡洛登，我忍不住輕輕悲嘆一聲。那麼，就是這裡了。發生這麼多事，這件事還是逃不過，而我們人就在這裡。

傑米也打了一陣哆嗦，我看到他前臂豎起紅色的寒毛。他十分焦慮，但從他的聲音完全聽不出來。

「部隊根本沒準備好，他們需要休息，難道穆瑞勳爵看不出來？」

老亞力克發出嘎吱聲，大概是一種笑聲。「勳爵大人知道又怎樣？軍隊現在歸殿下管了，殿下說我們要在德魯摩西和英國兵打。至於食物……」老頭兒的眉毛又粗又濃，一根根粗糙地扎出來，去年就全白了。現在他一道眉吃力地揚起，彷彿這小小的表情也耗盡他全力，然後一隻關節扭曲的手在腿上一動，比向那片空蕩蕩的地方。「他們上個月把馬吃了，那之後就沒什麼食物了。」

傑米突然起身靠在牆上，低著頭，全身顫抖。我看不到他的臉，但他的身體就像馬廄的木板一樣僵硬。

傑米終於開口：「那我的手下有沒有分到應得的一份？多納士……牠體型滿大的。」傑米語氣平靜，但我看到亞力克的獨眼突然射出銳利的眼神，知道他也聽出傑米在極力忍住哽咽。

老亞力克慢慢從乾草堆裡站起，痛苦地移動殘缺的身體。他伸出一隻粗糙的手，儘管因為患了關節炎不能彎曲手指，還是緩緩擱在傑米肩頭傳達一點安慰。

亞力克平靜地說：「多納士留著給查理王子，讓他凱旋回到愛丁堡的時候騎。歐蘇利文說走路不……不適合王子殿下。」

傑米雙手掩面，面對空蕩蕩的馬廄站著，全身無力即將不支。

好不容易，他喘著氣平復呼吸，開口說道：「我真蠢，天啊，我真蠢。」他垂下雙手，露出哀傷的面容，風塵僕僕的臉上淚水縱橫。他提起手背抹過臉頰，但淚水彷彿不受控制，從眼中不停淌下。

「起事失敗了，我的子弟兵任人宰割，在樹林裡腐爛……我竟然為了一匹馬在哭！老天，我真蠢。」他搖搖頭，低聲說道。

老亞力克長嘆一聲，手吃力地滑下傑米的手臂。「小伙子，你還能哭算好了，我已經沒感覺了。」

老亞力克笨拙地屈起一條腿的膝蓋，又坐下來。傑米站了一會，低頭望著老亞力克，淚水依然無法遏抑地滑下臉頰，彷彿雨水刷洗過光滑的花崗岩石板。然後他握住我的手肘，不發一語，轉身離開。

走到馬廄門邊，我回頭望亞力克。他一動不動坐著，身影幽暗、彎腰駝背，裹著蘇格蘭披肩，還睜著的那隻藍眼睛，就像另一隻一樣空洞無光。

—

士兵四散在屋內，面容憔悴、精疲力竭，努力想忘掉噬人心骨的飢餓感，也想多探聽迫近眉睫的那場浩劫。這裡沒有女人，陪氏族族長來的女眷都安全送走了，迫近的災厄投下了一道長長的陰影。

傑米喃喃和我說了幾句話，就走向王子目前暫住的區域，留我在門外。我跟著傑米前去對事情沒有好處，於是我在房子中靜靜走動。屋裡有低沉的呼吸聲，來自沉睡的人，並且氣氛凝重，絕望消沉。

來到頂樓，我發現了一間小雜物間，裡頭擺滿零碎廢物和不要的傢俱，此外一個人也沒有。我躡手躡腳走進這個放滿奇怪雜物的小房間，覺得自己像一隻老鼠，在巨大神祕的力量脫柙而出、毀滅世界以前，想找個避難之所棲身。

房內有一扇小窗，窗外是灰濛濛的早晨。我用斗篷一角擦掉一扇窗格的汙垢，但屋外除了濃霧，什麼也沒有。我把額頭靠在冰涼的玻璃上，遠方某處就是卡洛登戰場，但除了自己朦朧的倒影，我什麼也看不見。

森丁罕公爵離奇死亡，死狀悽慘，這件事我知道查理王子已經聽說了。我們北上途中遇到的每個人都提到這件事，所以我們可以安全地再次現身了。我們到底做了什麼？我也不曉得。那一晚之後，詹姆斯黨人的志業是不是從此毀在我們手上？還是我們無意間救了查理王子，讓他逃過英國人的陷阱？我伸出手指畫過霧氣瀰漫的玻璃，擦出吱吱的聲音，記錄又一件我永遠不會知道答案的事。

似乎過了很久，我才聽到房外的腳步聲，落在未鋪地毯的樓梯上。我走到門口，看到傑米走上樓梯平臺。只消看一眼他的臉，我就明白了。

他臉上的顴骨突出，因為飢餓而更鮮明，因為憤怒而更銳利。他直截了當地說：「亞力克說得沒錯。部隊正向卡洛登前進，其實他們根本走不動了。他們兩天沒吃沒睡，大砲裡也沒有彈藥，但他們還是去了。」他的怒氣突然爆發，掄起拳頭往搖搖晃晃的桌子一捶。幾個黃銅小碟接二連三地從一堆家用雜物中跌出，鏗鏘聲響徹閣樓。

傑米的手不耐煩地一揮，抽出腰帶裡的短劍，猛地往桌子一插，短劍直挺挺嵌在桌上，震得直打顫。

傑米呼吸聲粗礪，雙拳放在桌上握得死緊：「鄉下人說：短劍見血，死神不遠。我看到徵兆了，他們也都看到了！齊馬諾克、羅切爾還有其他人都知道。就算預兆全擺在眼前，卻一點用也沒有！」

傑米雙手撐在桌子上，低頭盯著短劍。他在這侷促的房間裡顯得異常高大。他心中燃著怒火，隨時可能爆發。沒想到，他突然抽回雙手，往一張破舊的高背長椅一坐，把頭埋在雙手中。

「傑米。」我開口，又嘸了嘸喉嚨。接下來的話我幾乎說不出口，但我還是得說。我早知道傑米會帶來什麼消息，也想過還能做什麼。「傑米，只剩下一個方法了，唯一的方法。」

他低垂著頭，額頭抵著指關節，搖搖頭，沒有看我。

「不，回不去了。他下定決心了，穆雷、羅切爾、巴梅立諾，還有我都勸過他。但軍隊現在已經站在平原上，坎伯蘭已經往德魯摩西出發，沒辦法了。」

醫術的力量很大，如果一個醫生知道怎麼用藥物救人，也知道怎麼用藥物殺人。我之前給了柯倫氰化物，他還來不及用，死時放在床邊的桌上，於是我拿了回來，現在就在我的藥箱裡。經過粗餾結晶的氰化物外觀灰白帶棕色，看起來並不起眼。我的嘴乾澀到說不出話，我喝了隨身酒壺裡剩的一點酒，酒的酸味嘗起來更像苦澀的膽汁。

「還有一個方法，唯一的方法。」我說。

傑米的頭還是埋在手裡。一路騎來，已經極為疲憊，亞力克令人震驚的消息，更是加重打擊。我們在卡洛登大宅繞過一遍，已經找到傑米手下，或說他大部分的手下。他們看起來備受折磨、衣衫襤褸，和身邊瘦骨嶙峋的羅瓦特弗雷瑟族人混在一起。在與查理王子談完，傑米遭受的打擊已遠超過最後一根稻草。

「什麼，英國姑娘？」他問。

我猶豫不決，但我不得不說。不管我們有沒有辦法做到，我必須說出這最後一個可能。「問題出在查理王子，他是關鍵。這場戰事，這整場戰爭，一切都因他而起，對吧？」

「所以？」傑米現在抬頭看我，布滿血絲的眼裡盡是疑惑。

「如果他死了……」我終於說出口。

傑米閉上眼睛，最後一絲血色從臉上褪去。「如果他死了……現在，今天，或者今天晚上死了，沒有查理王子，就沒有開戰的理由，沒有人下令揮軍卡洛登，沒有戰爭。」傑米嚥了嚥，喉嚨細長的肌肉隨之起伏。他睜開眼睛盯著我，表情驚駭，低聲說道：「天啊，克萊兒，妳不是認真的吧！」

我緊抓脖子上那塊色澤朦朧、鑲著金座的水晶。

去福爾柯克之前，他們叫我去照顧王子。歐蘇利文、督里巴爾汀，還有其他幾位。殿下生病了，他們說是「身體微恙」。我去見了查理王子，叫他露出胸口和手臂，檢查他的嘴巴和眼白。是壞血病，還有幾個營養不良的問題。我是這麼說的。

謝爾登憤怒地說：「胡說！殿下怎麼可能像普通農夫一樣得搔癢症！」

我反駁：「他一直吃得跟農夫一樣，甚至比農夫吃得更差。」農夫沒有別的可以吃，只好吃洋蔥和包心菜。殿下和他的顧問對這些寒酸的食物不屑一顧，多半吃肉，很少吃別的。我環視四周吃驚又生氣的面孔，大多數人都出現缺乏新鮮食物的症狀。他們的牙齒鬆動掉落，牙齦柔軟出血，膿泡在殿下白皙的皮膚上大肆蔓延。

我很不想交出含豐富維生素C的寶貴玫瑰果乾和乾燥莓果，雖然頗為猶豫，但基於救人的本能，終歸還是建議用果乾為殿下泡茶。但是他們毫不客氣地拒絕，我明白他們會找阿契．卡梅隆帶著一碗水蛭和柳葉刀，以放血方式來減輕王子殿下的搔癢症。

我試圖說服傑米：「我做得到，我可以幫他調一劑。我甚至可以想辦法讓他喝下去。」我的心臟就要跳出胸口，一時間我感到呼吸困難。

「如果他喝完就死了呢？天啊，克萊兒！他們會當場殺了妳！」

我把雙手夾在腋下，試著讓冰冷的手暖和起來。「那重……重要嗎？」我拚命想穩住自己顫抖的聲音。事實上，還滿重要的。這一瞬間，我真正意識到自己的生命在天平上比我能救的那數百人重要多了。我握緊拳頭，因為恐懼而止不住地顫抖，像隻老鼠站在鋸齒大張的陷阱前。

傑米立即來到我身邊，在我雙腿失去重心前接住我，扶我到破舊的高背長椅邊坐下，雙臂緊緊環抱我。

「我的褐髮美人，妳是如此勇敢！可是妳知道，我不可能讓妳去的。」傑米在我耳邊喃喃說道。

我不再顫抖得那麼厲害，可是仍覺得很冷。我意識到自己剛才的殺人提議，覺得有點難受。

「也許還有別的方法。現在食物所剩無幾，而且都端給查理王子。我想也許可以趁亂在他的食物裡神不知鬼不覺地加一些東西。」我說。確實如此，屋裡到處都是官兵，在桌上和地板上躺著就睡，腳上還穿著靴子，累得武器都來不及放好。房子一片凌亂，一直有人來來往往。要引開僕人的注意，抓緊機會把毒藥加進晚餐裡並不難。

一開始的恐懼稍微退去，但決定親自動手還是讓我深感恐懼。可怖的感覺像毒液在我體內穿梭，讓我渾身發寒。傑米緊摟我的肩，然後放開手，仔細考慮整個局勢。

查理王子喪命，這場紛擾也不會結束。局勢已推展至深，穆瑞勳爵、巴梅立諾勳爵、齊馬諾克勳爵、羅切爾氏族、克林蘭諾氏族，所有人都是叛徒，將被英王奪去生命和財產。高地軍也已支離破碎，少了查理王子這個有名無實的領袖，軍隊將如雲霧般崩散。英軍在普雷斯頓潘斯和福爾柯克之役嚇破了膽，飽嘗戰敗之辱，屆時會毫不留情追擊逃亡的蘇格蘭軍，挽回因戰敗失去的名譽，用鮮血洗刷恥辱。

查理王子虔誠的胞弟約克公爵已經立誓獻身教會，也不太可能繼承兄長的位置，繼續復辟之戰。眼前只剩無法閃避的浩劫與毀滅。此刻唯一能做的，就是解救明天即將戰死荒地的士兵性命。

是查理王子自己選擇在卡洛登作戰，是查理王子頑固、短視、專制，藐視手下指揮官的諫言，堅持南侵英格蘭。而不管森丁罕公爵原本立意是好是壞，隨他一死，他承諾的援助也成空了。原本盼望潛伏於英格蘭的詹姆斯黨人也能投入斯圖亞特麾下，但南方一直無人前來馳援。查理王子被迫撤回北方，於是執拗地孤注一擲，把裝備簡陋、精疲力竭、飢腸轆轆的士兵拋進被大雨浸潤的沼地上，面對坎伯蘭軍隊憤怒的炮火。如果查理王子死了，卡洛登之役或許不會發生，一條人命，換來兩千條活命。但是……這條皇室血脈將不是死於戰場，而是遭人冷血謀害。

小房間裡有座壁爐，因為缺乏燃料而空蕩冷清。傑米坐著凝視壁爐，彷彿要從看不見的火焰中尋找答案。謀殺，不僅是謀殺，也是弒君，更是一位交情匪淺的朋友。

但是，密密排成一列列的高地氏族已經在開闊的荒地上瑟瑟發抖，隨著計畫不斷調整、變動、更改，越來越多人拋入戰場。其中有里歐赫堡的麥肯錫族，比尤利堡的弗雷瑟族，這四百人都是傑米的親族。還有傑米自己的手下，拉利堡的三十個人。

傑米一動不動、面無表情地思考著，但他擱在膝蓋的雙手緊緊絞擰在一塊，反映他內心的掙扎。我坐在他身旁，屏著呼吸等待他的決定。

最後他吐出一口氣，伴著輕不可聞的嘆息，然後轉向我，眼裡的悲傷難以言喻。

「我做不到。」他伸手輕捧著我的臉。「我希望老天讓我下得了手，英國姑娘，但我做不到。」

如釋重負的感覺襲來，我一時啞口無言，但傑米讀出我的感受，握緊我的手。

我低聲說：「天啊，傑米，我很高興聽你這麼說！」

傑米垂頭倚著我雙手，我轉頭把臉頰枕在他的髮上，接著，我僵住了。

門口站著一個人，他充滿憎惡地看著我，是杜戈爾。過去幾個月他蒼老不少：魯柏陣亡、沒有結果的爭執與失眠的夜、戰況不利造成的壓力、即將戰敗的痛苦，在他赤褐色的鬍子撒了白絲，皮膚透顯著蒼白，臉上也劃出十一月時還看不到的深深刻痕。我驚訝地發現，杜戈爾現在看起來就像他的兄長，柯倫。杜戈爾一直想領導麥肯錫族，現在他繼承了族長的職責，也付出了代價。

「卑鄙的……叛徒！妳這婊子！女巫！」

傑米彷彿被槍擊般猛地一震，臉色像屋外的雪一樣慘白。我彈了起來，撞翻凳子發出的哐噹聲響是房裡唯一的聲音。

杜戈爾慢慢朝我逼近，斗篷往旁邊一甩，露出手邊長劍的握把。我始終沒注意到後門被打開的聲音，門一定原本就虛掩著……他站在門外偷聽多久了？

「妳，從我第一次見到妳，就該看清妳的真面目。」杜戈爾輕聲說，混濁的綠色雙眼深處揉雜了恐懼與憤怒，幾乎要把我刺穿。

傑米一個箭步站到我身旁，一手抓住我的手臂，要我退到他的背後。

「杜戈爾，事情不像你想的那樣。其實……」

「不是？」杜戈爾出口打斷，他目光從我身上移開，我躲到傑米背後，暫時離開他灼人的目光。「不像我想的？我聽到這女人卑鄙地慫恿你謀殺王子殿下！這不但是謀殺，還是謀反！你還想狡辯？」杜戈爾的聲音依然輕柔，他搖搖頭，扁塌油膩的赤褐色頭髮糾結在一起，披散在肩上。他跟所有人一樣挨餓受凍，臉頰瘦到顴骨突出，但鑲嵌在凹陷眼眶裡的雙眼，燃著怒火。

「小子，我不怪你。」他的聲音透出倦意，這讓我意識到他已經五十多歲了。「這不是你的錯，傑米，她施法迷住你，誰都看得出來。」他咬牙切齒地看著我。

「我很清楚她怎麼引誘你，就像以前她也對我施過相同的巫術。」他把灼人的目光投向我。「這殺人、說謊的賤貨，她會抓住男人的老二，指甲掐住男人的睪丸，把他拖上絕路。小子，這女人還有其他女巫都一樣，她們就是這樣對你施咒。她們引誘你上床，你把頭枕在她們柔軟的乳房上，她們就偷走你的靈魂。傑米，她們會吸乾你的精氣，啃光你的血肉。」

杜戈爾伸舌潤唇，眼睛緊盯我不放，一手牢牢握住劍柄。「站開！我來破解這英國婊子的魔咒。」

傑米檔在我面前，遮住我眼前的杜戈爾。

傑米冷靜地安撫杜戈爾：「你累了，杜戈爾。你太累了，又聽到不中聽的話。下樓吧，讓我……」

傑米來不及說完。杜戈爾深沉的綠色眼睛盯住我的臉，搶先從腰邊的刀鞘裡抽出短劍，嘶聲衝著我說道：「我要割開妳的喉嚨。第一次見到妳我就該殺了妳，解決妳這禍水，對所有人都好。」

也許他說得沒錯，不過不代表我會乖乖站著，讓他彌補過去的懊悔。我快步退往桌子，緊緊抵著桌緣。

「退後，杜戈爾！」傑米衝到我前面，舉起前臂，阻止杜戈爾向我逼近。

杜戈爾甩著頭，公牛般血紅的眼緊盯著我。杜戈爾嘶啞地說：「我要殺了這女巫、這叛徒！給我閃邊，小子。我發誓，如果你膽敢護著她，不管你是誰，我照殺不誤。」

他一個箭步閃過傑米，抓住我的手臂。儘管他又累又餓又上了年紀，力氣仍舊勝過我許多。他手指緊緊箝住我的手臂。

他用力硬扯，我痛得大叫，舉腳猛踢。他一把抓住我的頭髮，把我的頭向後扯，熏臭粘熱的呼息吐在我臉上。我尖叫著打他，指甲掐進他的臉，掙扎著想脫身。

傑米一拳打在他肋骨上，使他一陣猛咳，傑米另一拳又揮下，打中了他的肩膀，讓他手臂一麻，放開我的頭髮。他突然這麼一放，我用力反彈衝撞到桌子，痛得我不住呻吟。

杜戈爾轉身面朝傑米，擺出戰鬥的架式，短劍刀鋒向上。「既然這樣，放馬過來。」他喘著粗氣，重心微微左右搖晃，伺機而動。「弗雷瑟的小畜生，果然有其父必有其子，天生就是個叛徒。過來啊，小狐狸，看在你母親的份上，我會給你個痛快！」

閣樓窄小，幾乎沒有施展的空間，無法抽出長劍。傑米的短劍緊緊插在桌上，可說手無寸鐵，於是隨著杜戈爾移動，眼神機警地盯著來勢洶洶的短劍。

「把刀放下，杜戈爾，如果你心裡還有我母親，那就看在她份上聽我說！」

杜戈爾沒有回答，突然對準上方，伸臂一刺。

傑米巧妙躲過，短劍又從另一邊揮過來，他再次躲過，年輕靈活是傑米的優勢，但杜戈爾手上有刀。

杜戈爾往前一步，短劍從傑米身側往上一劃，劃開傑米的上衣，在他身上留下一道深紅的痕跡。傑米痛得發出嘶聲，往後一跳，搶在短劍迅速揮下前，伸手抓住杜戈爾的手腕。

刀鋒光芒隱約一閃，消失在兩具打鬥的身軀之間。他們扭打在一起，像戀人一樣緊纏對方，空氣裡充滿了男人的汗水與狂暴的辛辣氣味。刀鋒再次出現，兩隻手爭奪著渾圓的刀柄。刀身猛地一刺，一人大聲狂吼，另一人痛喊出聲。杜戈爾退了幾步，身體搖晃，五官糾結，雙頰滿是汗水，而那支短劍的刀鋒則沒入他鎖骨之間。

傑米身體一斜，氣喘吁吁地靠在桌緣，瞳孔因驚愕擴張，頭髮因汗水溽濕，上衣裂縫染上傷口的血跡。杜戈爾發出可怕的聲音，界於驚恐的喊叫與窒息的呼吸聲，蹣跚倒下之前傑米接住他，但傑米也被杜戈爾的重量拖著跪倒在地。杜戈爾的頭靠著傑米的肩膀，傑米雙臂抱住杜戈爾。

我迅速來到他們身邊，想幫忙扶住杜戈爾。但是為時已晚，他身體癱倒下開始抽搐，從傑米懷抱中滑脫，在地上縮成一團，肌肉不由自主地抽動，像離開水的魚一樣掙扎著。

傑米讓杜戈爾的頭枕在大腿上，扶起他的頭。我看見他臉孔扭曲，面色暗紅，眼睛闔得只剩一條縫。他的嘴巴不停在動，說著什麼。他使盡全力想說話，但除了受傷的喉嚨一直發出粗啞刺耳的聲音，他說不出任何字。

傑米臉色鐵青，顯然他明白杜戈爾說的話，使勁想壓住杜戈爾抽動的身體。杜戈爾最後一陣痙攣，發出最後的斷氣聲，便靜靜平躺不動。傑米的手緊緊抓住他肩膀，彷彿怕他再次起身。

「天神保佑啊！」一聲沙啞的嗓音傳來，杜戈爾的手下威利．柯特站在門口，嚇得瞠目結舌，瞪著杜戈爾的屍體。尿液從杜戈爾散亂的斗篷底緩緩流出，聚成一小攤。威利在胸前畫了十字，視線沒有移開。

「威利。」傑米站起來，顫抖的手抹過臉孔。「威利！」威利嘴巴張開，一臉困惑地看著傑米。傑米一隻手搭在威利的肩膀上，推他進了房間。「我需要一小時。給我一小時，然後我就回來解釋這件事。我以我的名譽保證，我說話算話，但我需要一小時的自由，就一小時。請你等我一小時，再把這件事說出去。」

威利舔了舔乾燥的嘴唇，來回看著杜戈爾的屍體和傑米，他終於點頭，顯然是因為不曉得該怎麼做，只能答應傑米的要求。

傑米用力吞嚥，拍拍威利的肩膀。「很好。留在這裡，幫杜戈爾的靈魂禱告……」他朝地上的屍體點點頭，眼神卻迴避開來。「也幫我禱告吧！」他俯身橫過威利，拔出桌上的短劍，然後推著我出門、下樓。

樓梯走到一半，他停下來靠在牆上，雙眼緊閉。他深深吸氣，彷彿就要暈厥過去。我把手貼在他胸口，發現他渾身發抖，心跳像擂鼓一樣。他很快又站直身子，對我點點頭，拉住我的手臂。

「我要去找穆塔夫。」他說。

穆塔夫就坐在屋簷下一塊乾燥的地方，用蘇格蘭披肩罩著頭，抵擋雨雪。佛戈斯蜷縮在他身旁，因為騎了很長一段路，累得打瞌睡。

臉色陰沉的穆塔夫一見傑米的表情，便立即起身，一副隨時待命的姿態。

傑米劈頭就說：「我殺了杜戈爾。」

穆塔夫的臉瞬間慘白，然後又恢復了平常謹慎嚴厲的神色說道：「欸，接下來怎麼辦？」

傑米摸索著毛皮袋，拿出一張折疊的紙，顫抖的雙手卻打不開。我接了過去，在屋簷底下把紙攤開來。紙的頂端寫著「財產讓渡書」。紙上內容簡短，只寫著幾行黑字，將圖瓦拉赫堡的所有權移轉予詹姆士·傑可柏·弗雷瑟·穆瑞，上述財產信託予歸屬人雙親傑妮·弗雷瑟·穆瑞以及伊恩·穆瑞代管，直至歸屬人成年。底部是傑米的簽名，還有兩行空白，旁邊寫著「見證人」。日期是一七四五年七月一日，是查理王子在蘇格蘭岸邊開始發動叛亂，讓傑米成為英國叛徒的前一個月。

「我要你們在這裡簽名，你和克萊兒。」傑米說著，從我手上拿過紙，遞給穆塔夫。「不過這表示你們要作偽證，我知道我沒有權力要求你們。」

穆塔夫黑色的小眼睛快速掃過讓渡書，冷冷說道：「你是沒有權力要求，不過，你也用不著要求。」他用腳推了佛戈斯，佛戈斯突然坐起，眨著眼睛。

「小子，溜到屋裡幫你老爺拿墨水和鵝毛筆，動作快！」穆塔夫說道。

佛戈斯甩頭清醒一下，看傑米對他點頭，拔腿就跑。

水從屋簷滴到我的背頸，我顫抖著，把肩膀上的蘇格蘭羊毛連裙披肩拉緊一點。無從得知傑米寫這份文件的時間，只知道日期是假的，看起來傑米在謀反前就準備好了。成為叛國賊，所有的財產和土地將會被查封，但如果沒人懷疑這份文件，那這一切就可以安全移轉給小傑米。至少傑妮一家可以安全留住土地農舍。傑米可能早就預知需要讓渡財產，不過我們離開拉利堡前，他還沒有簽署文件，他希望能想辦法回來，再度宣告他擁有這座家園。既然無法實現，至少還能保護家園不被查封。除了我和穆塔夫兩個見證人，將不會有人知道傑米於何時簽署。

佛戈斯氣喘吁吁地回來了，拿著一小瓶墨水和光禿禿的鵝毛筆。我們把文件貼著牆，小心地先甩甩鵝毛筆，免得墨水滴到紙上，然後輪流簽名。穆塔夫先簽，我看到他的中間名，寫的是費茲吉彭斯。

我小心抖著紙張，讓墨水風乾。這時穆塔夫問：「你要我送去給你姊姊嗎？」

傑米搖頭。雨滴落在他的披肩上，形成硬幣大小閃閃發光的水漬，也落在他的睫毛上，像淚珠一樣。

「不用，讓佛戈斯送去。」

「我？」佛戈斯的眼睛驚訝地轉了一圈。

「對，就是你，夥計。」傑米從我手中接過紙，折好，然後單膝跪下將它塞到佛戈斯上衣裡。

「這一定要送到我姊姊手上，就是穆瑞夫人手中，不許失敗。這比我的命還重要，也比你的命重要。」

佛戈斯受託這項重責大任，有點喘不過氣，他起身站得筆直，雙手在腰間緊握。

「我不會辜負你的，老爺。」一個淡淡的微笑掠過傑米嘴角，傑米一手拍拍佛戈斯滑順的頭髮。

「我知道，夥計，謝謝你。」傑米說。他轉動左手的戒指然後拔下，那顆圓頂平底紅寶石原本是傑米父親的。傑米把戒指拿給佛戈斯，說：「拿去，拿給馬廄那個老頭看，告訴他我要你騎多納士。領到馬就騎回拉利堡，除非一定要睡覺，別停下來，睡覺時記得躲好。」

佛戈斯緊張地說不出話，但穆塔夫懷疑地皺眉看著他。「你覺得這孩子能駕馭那匹暴躁的馬？」

「他沒問題的。」傑米語氣堅定。佛戈斯終於冷靜跪下來吻了傑米的手。接著他跳起來，往馬廄飛奔而去，瘦小的身影消失在霧裡。

傑米舔了舔乾燥的嘴唇，閉上雙眼，然後張開眼轉身對著穆塔夫，彷彿下定了決心說道：「而你，夥伴，我需要你召集大家。」

穆塔夫粗獷的眉毛一揚，但他只是點點頭。「接著呢？」

傑米瞥了我一眼，然後又看向穆塔夫。「我想他們現在應該在荒地和小西蒙在一起。只要把他們聚在一處就好。我帶著妻子前往安全的地方，然後……」他猶豫了一下，然後聳聳肩。「我會去找你。等我。」

穆塔夫再次點了點頭，轉身要走。然後他停下來，又轉回來看著傑米。他的薄唇動了一下，然後說：「我只拜託你一件事，小子。讓英格蘭人殺你，不要讓你的族人來殺你。」

傑米像是被刺了一下，但他點了點頭，不發一語，向穆塔夫伸出雙臂。他們很快擁抱了一下，但很用力。然後穆塔夫也迅速離開，破爛的格子花呢在他背後飛舞。

我是待辦事項上的最後一項。

傑米抓住我的手：「來吧，英國姑娘，該走了。」

沒有人攔我們，路上人來人往，我們靠近荒地時，幾乎沒有人注意我們。再往前走，離開主要道路，就更沒有人看見了。

傑米不發一語，專心趕路，我心裡早已填滿驚恐，腦筋一片空白。

「我帶著妻子前往安全的地方……」那時我不明白他話中的意思，但是兩個小時後，他把馬頭再往南調，納敦巨岩陡峭的綠色山丘映入眼簾，我恍然大悟。

我明白那就是我們的目的地，我哭喊：「不！傑米，不要！我不要去！」

他沒有回應我，只是策馬加速奔馳，我別無選擇，只能跟上去。

就算是即將來臨的戰爭、杜戈爾的死亡，都敵不過看到眼前巨岩的恐懼。那兒有一圈受詛咒的巨石陣，我就是透過巨石陣才來到這裡。傑米顯然想送我回去我的年代，雖然連是否真能夠成功都不知道。

我收緊下巴，跟著他騎過狹窄的小徑，通過石南叢。我心裡打定主意，無論他作何打算，都別想讓我離開他，即使是納敦巨岩的魔法也一樣。

靠近山頂的山腰上有間荒廢的小屋，我們下馬站在小屋的門口。這裡已經好多年荒無人煙，當地居民傳說這裡鬧鬼。這兒就是精靈山丘。

傑米無視於我的抗議，仍舊拖我上山，直到小屋前才停下來，我們胸口劇烈起伏喘著氣。

傑米總算開口：「好了，現在我們有一點時間，這裡沒有人會找到我們。」

他坐在地上，裹著蘇格蘭披肩取暖。雨停了，但冷風從周圍群山吹來，山上白雪罩頂，阻斷了通行。傑米低下頭靠著膝蓋，剛才的打鬥讓他耗盡了精力。

我挨著他縮在斗篷裡，感覺到他逐漸消退的緊繃，和逐漸平靜的呼吸。我們沉默地坐著，在那片兵荒馬亂的山腳上方，不敢離開這搖搖欲墜的山頭。不知為何，我突然覺得那片混亂我多少也有責任。

「傑米。」我伸手想觸碰他，但又縮手。「傑米，對不起。」

他依舊望著底下那片黑暗空曠的荒地。我以為他沒聽見我，接著他閉上眼輕輕搖頭。溫柔說道：「不，妳用不著道歉。」

「我應該道歉。」悲痛淹沒我之前，我一定得告訴他，是我害他深陷絕境。

「早知道會如此……傑米，如果我那時就走，也許……」

「也許。」他打斷我，突然靠向我，望著我的湛藍雙眼有和我一樣的哀傷，沒有憤怒，也沒有責備。

他又搖了搖頭說。「不必道歉，我明白妳的意思，褐髮美人，但實則不然。如果妳那時離開，情況可能還是照樣發展。也許是，也許不是。也許發生得早一點，也許情況會不同，也許不會發生——但都只是也許。不僅妳我，這件事許多人都有份，同樣牽涉其中，不許妳把一切全怪罪給自己。」

他伸手撫摸我的頭髮，把攔在我眼前的髮絲撥開。淚珠成串滾下我的雙頰，他的手指輕輕撫去我的淚。

「我不是說這個。」我伸手揮向那片黑暗，黑暗吞噬了軍隊和查理王子，還有樹林裡飢餓的人，與即將降臨的屠殺。「不是這個，我是說我害了你。」

傑米俊秀的笑容溫柔得讓我心痛，他撫摸著我因淚水滑過而冰冷的臉，掌心傳來暖意。「是嗎？那我又對妳做了什麼，英國姑娘？我帶妳離開妳原本所屬的地方，讓妳陪我度過貧窮的逃亡生活，連累妳上戰場，讓妳冒生命危險。這些妳也怪我嗎？」

「你知道我不在意。」

傑米笑了。「是了。那麼我也不在意，我的英國姑娘。」他抬頭看了山頂，笑容從他臉上消失了。我看不到石陣，但能感覺到那股近在咫尺的威脅。

我固執地重複：「傑米，我不去，我要和你在一起。」

「不行。」傑米搖搖頭，他的聲音溫柔卻無比堅定，不容我拒絕。「我必須回去，克萊兒。」

我心急如焚抓住他手臂：「不要，傑米！傑米，他們現在一定已經發現杜戈爾了！威利・柯特一定已經說出去了！」

「對，他一定說了。」傑米一隻手輕拍著我。他騎馬上山時已經下定決心，在他被陰影遮住的臉上，交織著宿命、決心、痛苦與悲傷，此刻他已全部拋開，沒有任何哀悼的餘地。

「我們可以想辦法去法國，傑米，我們一定要試試！」我開口時已心知肚明，他一旦下了決定，連我也無法動搖。

「不。」他再說了一次，然後轉身舉起手，指著下方黑暗的山谷，以及遠方覆蓋著陰影的山丘。「英國已經警戒，港口都關閉了，過去三個月歐布萊恩一直在想辦法找艘船把王子救出去，把他安全送到法國……是杜戈爾告訴我的。」他臉上一陣顫慄，突來的悲傷揪住他的眉心。他很快拋開湧上的情緒，繼續沉穩地解釋。「追捕查理王子的只有英國人，要是我逃走，追捕我的除了英國人，還會有高地族人。我既是賊臣又是逆子，也是叛亂分子，還是殺人犯……」他停住，舉手揉了揉後頸，輕聲說：「克萊兒，我死期不遠了。」

止不住的淚珠成串滑落，冰冷的淚痕一路燒灼我的臉頰。「不要。」我的反對毫無說服力。

「嘿！現在我可不是無名小卒了。」他抬手梳過打結的銅紅色頭髮，試圖打趣道：「紅髮傑米逃不掉了，不過妳……」他輕觸我的唇，手指專注地沿著我的唇細細描繪。「我會保護妳安然無恙，克萊兒，我一定會做到。這是我此生最重要的事。完成這件事，我會回去救我的手下。」

「你說拉利堡的人？可是你要怎麼做？」

傑米蹙眉苦思，手指心不在焉地撥弄劍柄。「到時戰場上兵荒馬亂，我想我可以趁機帶他們離開。而且，就算那時候他們知道我……我做了什麼……」傑米頓了一下，又繼續說：「英軍都打到眼前了，他們也不會在這時候阻攔我。沒問題的，我做得到。」他的雙拳充滿決心握緊於腰際。「我的人馬會跟著我走。老天保佑，他們就是這樣才被我帶到這裡！穆塔夫已經幫我集結了，我將帶他們離開戰場，誰也不能阻攔我。」

他深吸一口氣，彷彿能看到黎明時戰場的景象。「戰場寬闊，大家會以為我們是戰略調動。我會帶他們離開荒地，看他們啟程回拉利堡。」他沉默下來，好像他只計畫到這裡。

「然後呢？」雖然我不忍知道後續，但還是忍不住開口問。

「然後我會回卡洛登。」他吐出一口氣說，遲疑地向我一笑。「我不怕死，英國姑娘。不那麼怕啦，不過有些死法實在有點……」他唇邊露出苦笑，肩膀不由自主地抽動，但他還是極力擠出笑容。

「我或許不配擁有專業的行刑官，如果真的發生了，我想我和福黑先生都會很……尷尬吧！我和他一起喝過酒，之後要他把我心臟挖出來……」我再也忍不住悲傷，伸出雙臂緊緊摟住傑米。

傑米哄著我：「沒事，沒事的，英國姑娘。也許是一顆子彈，或是刀子一劃，很快就結束了。」

他連自己都騙不過。

我看過太多戰場上受傷與陣亡的士兵，只有一句話是真的，就是這比讓劊子手絞死好一點。在森丁罕公爵宅邸中折磨我的恐懼如海嘯般淹沒了我，耳邊響起逐漸加速的脈搏聲，我就快要無法呼吸。恐懼在同一瞬間離開了我。

我不能離開他，我不會離開。

「傑米，我和你一起回去。」我對著他的蘇格蘭披肩說。他身體一縮，垂頭盯著我。

「妳作夢！」

我冷靜地不見一絲猶疑：「我要回去。我可以用我的蘇格蘭連裙披肩做一條蘇格蘭裙，軍隊裡有很多年輕男孩，我可以裝扮得和他們一樣，你自己也說開戰後兵荒馬亂，根本沒人會注意。」

他收緊下巴瞪著我，既怒又驚。「不行！克萊兒，不行！」

「你不怕，我也不怕。」我試圖穩住下巴說道：「會很快結束，你說的。」儘管我心意已決，雙頰卻禁不住顫抖。「傑米，我可以面對所有困難，就是……不能沒有你！」

傑米張著嘴，欲言又止。遠山的天色逐漸降臨，將雲彩漆上淡淡的紅光。最後他伸手抱住我。

「我怎麼可能不明白，讓妳離開，最痛苦的不是我？如果妳對我的愛，像我對妳一樣深，我怎麼會不明白這就像是挖出妳的心，還要妳行屍走肉般活下去？」他撫著我的頭髮，棕色髮絲纏繞著他粗糙的指節。「但請妳聽話，褐髮美人，我最勇敢的母獅。妳一定要回去。」

我後退，抬頭問道：「為什麼？在克蘭斯穆，你把我從女巫審判中救出來時，明明說過如果我會死，你也會陪我一起上火刑柱！」

他緊握我的手，沉著的藍眼望進我心底。「我可以，那是因為我沒有懷著妳的孩子。」

寒風吹過凍僵了的我，都是因為風太刺骨我才發抖，都是風太凜冽……

我終於開口：「看不出來，現在還太早了，我無法確定。」傑米哼了一聲，眼神帶著一絲玩味。

「別忘了，我也是個會看日子的農夫！英國姑娘，從妳第一次和我恩愛那天起，妳的週期從沒遲過一天，可是到今天妳已經四十六天沒有動靜了。」

我氣得大罵：「你這混蛋！你竟然算我的週期！在打這場爛仗的時候，你竟然算我的週期！」

「難道不是嗎？」

「不是！」其實他沒有說錯。我渴望、祈禱許久的願望竟然成真，我始終害怕承認，最可怕的是現在才實現，已經太遲。我極力否認：「這也不表示什麼，餓肚子也會這樣，這種事稀鬆平常。」

傑米挑起一邊眉毛，寬大的手輕輕捧著我的乳房。「別說了。妳是很瘦，但她們已經鼓脹，乳尖也變成香檳葡萄的顏色。我看過妳懷有身孕的樣子，我毫不懷疑，妳一定也心裡有數。」

我努力壓抑湧起的反胃感，這很容易被認為起因於恐懼與飢餓，但我發覺有一股輕微的重量在我子宮裡燃燒。我用力咬住下唇，但反胃的感覺徹底席捲了我。

傑米放開我的手，站在我面前，雙手垂在身側，映著黯淡的天色，襯出他英挺的身影。

「克萊兒，明天我就不在這個世界上了，這個孩子……是我唯一能留下來的。拜託妳，克萊兒，我求妳好好照顧他。」傑米平靜地請求。

我視線模糊，在這一刻，我聽到自己心碎的聲音。那聲音就像徒手折斷花莖，細微而清晰。

我終究屈服的那一刻，寒風在我耳邊悲嘯。

「好，我去。」

天近乎全黑。傑米從我背後環抱住我，我向後靠著他，一起眺望遠方的山谷。營火燃起光芒，從這麼遠的距離看起來像小小的光點。我們沉默不語，夜色越來越深。山上靜悄悄的，我聽不見別的聲音，耳邊只有傑米平穩的呼吸，每一吐吶都那樣珍貴。

他在我耳邊低訴：「我答應妳，我會找到妳。如果我必須忍受兩百年沒有妳，這兩百年的煉獄就是對我的懲罰，因為我有罪，我曾經撒謊、殺人、偷竊、謀反、背叛。只有一件事抵得過這一切。就算我站在神的面前，我所有的罪與之相比，都遠不足慮。」

他的聲音更低沉，幾乎像是耳語，他的雙臂緊緊摟著我。

「主啊，祢賜予我一個珍貴的女人，而我愛她如此之深！」

——

我們細細體會著彼此每次觸摸，刻劃每個片刻記憶，當作護身符，以對抗未來沒有他的空虛。

我撫摸他結實的身軀每個柔軟的凹陷、每處私密的禁地，感受他身形曲線的優雅與力量，讚嘆每條強健的肌肉。我的手指細細描繪他肩膀精實而充滿彈性的弧線，沿著他光滑健美的背部向下，游移在他如陳年櫟木般堅硬的雙臀。我嘗到他鎖骨凹陷處的汗水，品著他雙腿間溫熱的麝香味，他柔軟的唇如此甜蜜，有淡淡的蘋果乾香氣與杜松子的苦韻。

「我的克萊兒，妳是如此完美。」他低語，輕觸我雙腿內側滑溜細嫩的肌膚，頭髮像一團模糊的影子襯著我雪白的乳房。天空烏雲密布，最稀微的天光從屋頂的洞孔洩入，隔著一道薄牆，輕柔的春雷悶聲在山間不停地呢喃。他已然硬挺，因滿溢的渴慾而膨脹，我的撫弄讓他無助地呻吟，因為更多慾望激起而痛苦。

他再也無法等待，像刀鋒入鞘狠狠占滿我，我們快速而激烈地律動、交纏、需索，迫不及待攀向慾望的最高潮，又恐懼遲疑著攀至巔峰，因為我們深深明白，自此之後，就是無垠的分別。

他蠻橫進出逼我隨著感官的浪潮上上下下，在登頂邊緣喘息顫抖，直到最後我撫著他的臉，手指纏繞他的髮絲，在他身下拱起背臀，緊緊抵著他，催逼他、力促他深入核心。

「快，傑米。」我輕聲對他說：「和我一起，給我，求求你！」

我們更深陷沉淪，一波波快感漫過每一寸肌膚，任憑身體的節奏失控呻吟，歡愛的氣味藉著激情喘息，在冰冷黑暗的石屋裡迴盪，縈繞不散。

我們身體緊緊密合，傑米沉甸甸的身軀讓我感到幸福、充實與安慰。如此結實優美，充滿熱力與生命力的男人，怎麼可能在幾小時內，將不復存在？

最後，他輕聲說：「妳聽。聽見了嗎？」

除了風的呼嘯與雨水滴答穿過屋頂的洞孔，我什麼也沒聽到。然後我聽見了他的心跳沉穩、緩慢緊貼著我跳動，我的心也一聲和著一聲，兩顆心跳著生命的節奏。炙熱血液在他體內循環，流經我們核心的聯繫，傳入我的體內，一起循環。

我們就這麼交纏不離，身上披著溫暖的蘇格蘭披肩和斗篷，身下是我們散亂的衣服。他終究依依不捨滑出我的緊緊包覆，從後頭抱著我，厚實大掌捧握住我的下腹，氣息吹拂我渴求相依的背頸。

他耳語：「睡一會兒吧，褐髮美人。我要再這樣睡一次，抱著妳，抱著我們的寶寶。」

疲憊的力量襲來，我墜入睡眠的湖面之下，甚至沒有一點漣漪。時近黎明，傑米的手依然環抱著我，濃夜漸漸淡為白晝，無力挽回暗夜的庇護。

我側身支起手肘看著他，看光線撫弄他狂野俊逸的臉龐，在沉睡中顯得純真無邪。看曙光撒上他的髮，閃耀燦爛的光芒，最後一次熠熠生輝。

銳利的痛苦淹沒心口，我一定是驚呼出聲了，因為傑米隨即睜開眼睛。他臉上掛著只屬於我的笑容，湛藍的眼比以往更精細地探索我的五官。他將把我烙印在腦海裡，就像我也在記憶裡深深刻下他每一道令我窒息的線條。

「傑米，給我一個印記。」我哽咽低啞的聲音劃破互相凝視的寂靜。

「嗯？」傑米詫異而不解。他塞在襪子裡的蘇格蘭雙刃短劍就在伸手可及之處，刀柄刻著雄鹿角，就在衣服堆裡閃耀著。我伸手取來。

我急切的眼淚凝在眼眶裡：「深一點，才能留下疤痕。我要帶著和你的聯繫，一個屬於你的東西，能讓我一直留在身邊。傑米，求求你。我不在乎痛楚，沒有什麼比離開你更痛苦。至少當我摸到它，不管我身在何處，都能感覺到你和我。」

我的手握著刀柄，他的掌心貼著我另一手掌心上。他沉默不語，不知過了多久，終究還是輕輕捏了我的手，點點頭，便執起鋒利的短劍，我則向他伸出右手。披肩和斗篷溫暖著我們，但傑米吐出的氣息凝成一縷縷的白煙，往寒冷小屋上空飄散。

他把我的手掌攤開，細細檢視，並舉到唇邊，在掌心深深一吻。他用力吸吮我的大拇指掌丘後放開，接著往麻木腫脹的掌肉迅速一割。頂多像是輕微灼傷，但鮮血立即湧出。傑米很快執起我的手吸吮，直到血流減緩。傷口現在有點刺痛，他用手帕仔細幫我包紮，我看到傷口是小小的「J」。

這時他把小刀遞給我。我接過刀，有點猶豫地捧著他伸出的手。

他閉上眼緊抿雙唇，但當我把刀尖刺入他那厚實的拇指掌丘時，他還是輕輕哼了一聲。一個手相師曾告訴我，這個小丘叫做金星丘，掌管激情與愛慾。

等我割出一個小小的半圓形，才意識到他給了我左手。

我說：「我應該拿你的右手。劍柄會壓到傷口。」

他微微一笑。「不論最後一戰什麼時候來臨，我每一刻都可以感受到妳。」

我解開沾了血的手帕，將傷口緊緊壓在他的傷口上，手指與他緊扣。在我們雙掌間，血液還不黏手，依舊溫暖而濕滑。

我輕輕吐訴：「你是我血中之血……」

「……骨中之骨。」他輕聲應和。誓言的最後我們都無法承諾：「我將靈魂交付予你，直至生命終了。」但它無聲地懸在我們之間，隱隱作痛。最後，傑米彎著一邊嘴角笑了。

「比生命更長久。」他語氣堅定，把我擁入懷中。

——

最後他嘆氣說道：「至於法蘭克，好吧，我讓妳自己決定怎麼向他形容我。他可能不想聽。如果他願意，就像妳對我談起他一樣，那麼請告訴他，我非常感激他，就算我別無選擇，我還是相信他。還有告訴他……」傑米手臂突然收緊，臉上半是苦笑，半是認真。「告訴他我恨他入骨，恨不得挖出他的心肝！」

我們著好裝時，晨曦已經轉亮為白晝。這裡沒有食物，沒有早餐可吃。該做的已經做完，能說的也已經說盡。

傑米必須馬上動身，才能及時趕到德魯摩西荒地。這是最後的離別，我們卻無法說再會。

最後，他嘴角浮起一朵微笑，彎身輕輕吻了我的唇。

「據說……」他開口，又停下來清清喉嚨。「據說，古時候有男人要出遠門做大事，他會找女巫祈求祝福。他會站著，望著出發的方向，女巫在背後為他祈禱。女巫一祝福完他就動身，不能回頭，否則會給他的冒險招來惡運。」

他再次輕撫我臉頰，然後轉身面對敞開的門。早晨的陽光流瀉進來，在他的髮上映出萬道金光。他立直背脊，披著蘇格蘭披肩的身軀雄偉英挺，並深深吸一口氣。

「祝福我，女巫，然後就走吧！」

傑妮教過我幾句用來保平安的古蓋爾語禱詞，我回想構思著完美的禱詞，一手放在他的肩膀上。

「耶穌，馬利亞之子，我求告祢的名，以及主所愛的門徒約翰，及所有紅色領域中的聖徒之名，在即將來臨的戰鬥中保護你……」我的聲音嘶啞卻充滿力量。

我停了下來，下面山坡上有個聲音打斷我。有人說話，還有腳步聲。

傑米愣了一秒鐘，我的手感覺到他的肩膀變得僵硬，然後他轉過身，推著我到小屋後方，那裡有一堵塌陷的牆。

「走那裡！英國人來了！克萊兒，走！」

傑米跑向門口，手壓在劍柄上，我往牆的缺口跑去，心臟就快從我喉嚨跳出。我停下來，抓住那片刻，只為看他最後一眼。傑米也轉過頭，與我四目交接，那一刻他突然迸發出絕望向我衝來，粗蠻地把我推到牆邊，用力抵住我，我感覺他剛烈的鐵根硬實地頂著我。

他低啞對我說：「再一次，我要妳！」我隨即撩裙子，他掀蘇格蘭裙。這不是做愛，他急速猛烈地戳刺，狂熱而專注。聲音更近了，不到一百公尺。他重重吻我，我口中留下血的味道。「孩子取名布萊恩，紀念我父親。」他手一推，催我往牆上的缺口跑去。我回頭時，已見他橫在門口，長劍半出鞘，右手握短劍。

英軍不曉得屋裡有人，沒想派兵繞屋子偵察。我衝過小屋後方荒蕪的山坡，跑進山頂濃密的赤楊樹叢。我淚眼模糊撥開樹叢與枝葉，跌跌撞撞。後方傳來叫喊聲和金屬交碰的聲音，我的大腿還殘留傑米濕滑的愛液。山頂和我的距離彷彿未曾縮減，似乎我下半輩子都得努力狂奔，才能穿越這些糾結的樹枝。

後方的樹叢傳來嗶的一聲，有人發現我。我抹乾眼淚往上爬，山坡陡峭，我必須手腳並用。來到山頂開闊的空地，我看到記憶中的花崗岩層。伸出懸崖的一小叢山茱萸就在那兒，還有小石頭圍成的那圈亂石堆。

我在石陣邊緣停下腳步，往山下望，拚命想看清楚傑米。有多少士兵到了小屋？傑米能擺脫他們，騎上山腳那匹馬嗎？要是不能，他就沒辦法及時抵達卡洛登了。

突然，下方的樹叢分開，閃過一抹紅色。是逼近的英國士兵。

我於是轉身，用最後一口氣衝過石陣邊的草地，朝岩石的裂縫縱身一躍。

第四十七章

故事謎團

羅杰，我花了二十幾年找答案，
只有一件事可以告訴你：
沒有答案，
只有選擇。

「當然，他說的對。那個可惡的傢伙，他說的幾乎都對。」克萊兒似乎有些不悅，臉上掠過哀傷的微笑，看著布莉安娜。布莉安娜坐在壁爐邊，緊抓著膝蓋，一臉茫然，全身上下只有頭髮讓爐火上升的熱氣撩起，微微拂動。

「那次的懷孕很危險，和上次一樣。分娩也很危險。如果我冒險留在那兒，我們兩人都無法活下來。」她對著布莉安娜說，彷彿房裡只有她們兩人。羅杰慢慢走出過去的魔咒，覺得自己像是局外人。

克萊兒輕聲說：「這就是全部的真相。我無法忍受離開傑米，即使是為了妳……所以，妳出生前，我滿心憤恨。若不是妳，傑米不會逼我離開。我不怕死，更不怕和他一起面對死神，但一想到離開他還要堅強活下來的日子……他說的沒錯，我的身體不適合生孩子，但我愛他，我願意為他保住孩子。而因為他愛妳，所以妳和我才能夠活下來。」

布莉安娜動也不動，目光仍然盯著克萊兒，嘴唇生硬地張開，震驚得說不出話來。

「媽，妳恨我……多久了？」

克萊兒的眼神清澈無情一如獵鷹，金色的雙眸對上藍色的眼睛。「直到妳出生。那時我抱著妳餵奶，妳抬頭看我，我發現妳的眼睛和傑米一模一樣。」

布莉安娜強忍著哽咽，克萊兒看著腳邊的女兒，稍稍軟化了。「然後，我開始重新認識妳，獨立完整的妳。我愛妳是因為妳，不因誰而改變。」

布莉安娜這時跳了起來，頭髮像獅子的鬃毛一樣豎起，藍色眼眸閃耀如後方爐火的焰心。

「我父親是法蘭克．藍鐸！他才是我父親！」布莉安娜雙拳緊握，怒視著克萊兒，氣得聲音顫抖。「我不明白妳為什麼要這樣說，也許是因為妳恨我，說不定妳現在還是恨我！」布莉安娜的眼淚不受控制地落下，她憤怒地用手背抹去。

「爸爸……爸爸愛我，如果我不是他的孩子，他不可能愛我！妳別騙我了！妳嫉妒，對不對？妳這麼介意他愛我嗎？他不愛妳，我知道！」布莉安娜的藍色眼睛像貓一樣瞇了起來，臉色慘白。

羅杰真希望自己能躲到門後，以免布莉安娜注意到他，把怒火噴向他。但在這股不自在的背後，他也發現自己內心深處的敬畏。布莉安娜站在壁爐前的地毯上，咬牙切齒、大聲咆哮，渾身燃燒著狂野的力量，像號叫的女妖把高地戰士帶到敵人面前廝殺。她的鼻子又長又直，在陰影下彷彿拉得更長，眼睛像嘶叫的貓瞇成一條縫——這副模樣應該是親生父親的翻版，而很顯然她父親並不是那位出現在書本封面上的黑髮、沉靜學者。

克萊兒張了張嘴巴，隨後闔了起來，出神地看著女兒散發強大魄力。羅杰心想，這一幕她應該已經看了許多次，但絕對不是在布莉安娜身上。

布莉安娜突然轉身，一把抓起桌上泛黃的新聞剪報扔進火中，接著搶走火鉗，惡狠狠地翻攪燃燒的紙堆，不管火星一陣陣從爐裡飄出，發出嘶嘶聲落在她的靴子上。

紙張燒得通紅，迅速化為灰燼。她一個轉身，一腳踩在壁爐上。

「討厭鬼！妳恨我？我才恨妳！」布莉安娜失控對著克萊兒大吼，手中握著火鉗舉起手臂。羅杰的肌肉已然繃緊，準備在適當時機衝向她。但下一刻，她像標槍選手那樣收回手臂，把火鉗擲向落地窗玻璃。漆黑的玻璃映出她散發熊熊怒火的身影，然後哐啷一聲，在夜色中碎落滿地。

—

書房裡的沉默令人尷尬。羅杰本來決定起身追布莉安娜，此時卻狼狽地僵在房間中央，低頭看著手，彷彿不知該拿自己的手怎麼辦，然後看看克萊兒。克萊兒動也不動，縮在扶手椅上，像小動物看到猛禽的影子，嚇得僵住了。

過了一會兒，羅杰走到桌邊，倚著書桌試著打破尷尬道：「我不知道該說什麼。」

克萊兒動了嘴角：「我也是。」

兩人靜靜坐了幾分鐘。老房子吱吱作響，然後漸漸安靜了下來。走廊另一端的廚房傳來鍋瓢微弱的碰撞聲，是菲歐娜在準備晚餐。羅杰的另一種直覺漸漸冒上來，但他不確定是什麼。他的掌心冰冷，於是在腿上搓了搓，藉著摩擦燈芯絨給雙掌一點暖意。

「我……」羅杰開口，卻又停下來，搖了搖頭。

克萊兒深深吸了一口氣，這是布莉安娜離開後她的第一個動作。她的目光清澈又直率，向羅杰問道：「你相信我嗎？」

羅杰若有所思看著她，最後說：「但願我知道。」

這句話換來克萊兒恍惚的笑容，她說：「我曾問過傑米，他認為我來自何方，他也是這麼回答。」

「我可以理解。」羅杰像是想到了什麼，離開書桌走到克萊兒旁邊。「可以讓我看一下嗎？」他單膝跪下，執起克萊兒柔順的手，把掌心攤開轉向燈光。他突然想起，真正的象牙摸起來很溫暖，和合成的不一樣。克萊兒的手掌是柔和的粉紅色，但大拇指掌丘隱隱的「J」字卻和骨頭一樣白。

克萊兒看著羅杰說：「這不能證明什麼，可能是意外，也可能是我自己弄的。」

「但妳不是自己弄的，對吧？」他輕輕把手放回她腿上，像放回一件脆弱的物品。

「不是，但我無法證明。」她的手移到脖子上散發微光的項鍊。「還有珍珠，是真正的珍珠，這可以檢驗出來，但我能證明珍珠的來源嗎？不能。」

「還有艾倫的肖像……」羅杰開口。

「還是一樣，只是巧合。我就是靠著這些東西編造我的妄想，我的謊言。」她的語調雖然從容，但聲音依稀有點苦澀。現在她的雙頰終於有點血色，身體也不再僵硬，就像一尊雕像在他眼前活了過來。

他站了起來，慢慢來回踱步，一隻手梳過頭髮。「但這對妳來說非常重要，不是嗎？」

「是。」她站起身走到桌邊，望著桌上羅杰的文件夾，虔敬地將一隻手放在米黃色的文件夾上，彷彿撫著墓碑。羅杰想，對她來說，那的確像墓碑。

「我必須知道。」她試圖壓抑聲音裡的顫抖。「我必須知道他是不是做到了，他是成功救到人，還是白白犧牲了？然後我得告訴布莉安娜，就算她不信。但傑米是她的父親，我必須告訴她。」

「對，我懂。而且藍鐸博士，妳的丈夫，我是說，法蘭克還在世的時候，妳不能問。」他尷尬改口時，臉色刷紅。

她微微一笑。「沒關係，你可以稱法蘭克為我的丈夫，畢竟他的確是我丈夫。布莉安娜說的也沒錯，法蘭克和傑米一樣，都是她父親。」克萊兒低頭看雙手，手指張開，手上兩個戒指，一金一銀，都散放著光芒。羅杰突然有個想法。

他再一次站起來靠近她，說：「妳的戒指，銀色的那只，有沒有製造工匠的標誌？有些十八世紀的蘇格蘭銀匠會刻上標誌。或許不算確實的證據，但也是個依據。」

克萊兒似乎嚇了一跳，左手保護般覆上右手，手指摩娑著寬帶銀戒上高地特有的織紋與薊花圖案。

她臉頰浮起淡淡紅暈，開口道：「我不知道，我沒看過內側，我從來沒有脫下來過。」接著慢慢將戒指旋下。她的手指修長，因為長期佩戴戒指而凹了一圈。

她瞇起眼睛看著戒指內側，站起來把戒指拿到桌邊的羅杰身旁，傾斜銀戒，讓檯燈的光照在戒指上。

她不解地說：「裡面刻了字，我不知道他還……天啊！」她的聲音變得沙啞，戒指從她指間滑落，喀嗒掉在桌上。羅杰連忙撿起戒指，卻看到克萊兒轉過身去，緊握拳頭抵住腹部。羅杰知道她不想讓他看到她的臉。這漫長的一天，還有面對布莉安娜的怒火時，她一直控制自己，但此刻她的自制力已經瓦解。

羅杰感到尷尬不自在。他知道這是克萊兒的隱私，而且比他剛知道的故事都要私密。這感覺糟透了，但他也不知道自己能做什麼，只能舉起小小的戒指，就著光讀出內側的字。

「Da mi basia mille……」這聲音是克萊兒的。她的聲音顫抖著，努力止住哽咽的情緒。她不能任情緒宣洩，否則她將就此崩潰。

「這是卡杜勒斯的詩，一首情詩的片段。修……修．門羅送我這首詩當結婚禮物，裡面包了一小塊琥珀，琥珀裡凝結了一隻蜻蜓。」她雖然還是握著拳頭，但已經放下垂在身側。「我還是背不出整首詩，不過那一段我還知道。」她說著，聲音逐漸穩定下來，但身體還是背對著羅杰。銀戒在羅杰掌心裡散發光芒，依然帶著克萊兒手指的餘溫。

克萊兒依然背著身，繼續將拉丁文譯成英文。

Da mi basia mille……給我一千個吻

那就讓愛情之吻停留

在我們唇上開始訴說

一千零一百條旋律

一百又一千道有餘

說完她慢慢轉過身面對羅杰，睫毛沾了淚水，凝成一簇簇，但外表看起來很平靜。

她擠出虛弱的微笑：「但沒有工匠的標誌，稱不上證據。」

「不，這算證據。絕對是，至少對我來說是。」羅杰發現自己也有點哽咽，急忙清清喉嚨。

克萊兒眼底亮起一絲火花，她的微笑更深，然後失去原有的自制，淚水奪眶而出，不停流下臉龐。

過了許久，她才能開口：「對不起。」她坐回沙發，手肘支在膝蓋上，臉孔半埋在威克菲爾德牧師的白色大手帕裡。羅杰離她很近，幾乎要碰到她。她顯得嬌小而脆弱，羅杰想拍拍她灰棕色的鬈髮，但擔心太過唐突而作罷。

「我從不曾想過……原來，有個人相信我，對我而言有這麼重要。」她又擤了一次鼻子。

「即使不是布莉安娜？」

聽到這句話，她皺了皺眉，坐直身子，伸手把頭髮往後撥。「她太驚訝了，這很自然，她很愛她父親，我是指法蘭克。」克萊兒急忙改口。「我知道她一時沒辦法接受，不過……如果她有時間好好思考，問幾個問題，那她一定可以……」她的音調越來越微弱，穿著白色亞麻套裝的肩膀好像被這句話給壓垮了。

克萊兒彷彿想轉移自己的注意，望向書桌，桌上那一疊封面光潔的書仍整齊地堆著。

「我和一個研究詹姆斯黨的學者生活了二十年，卻害怕自己無法承受事實，一直不敢翻開他的書。很奇怪吧？」她搖搖頭，眼睛盯著書。「許多人的下落我都不清楚，我太害怕，不敢找出答案。我忘不掉那些人，但我可以掩埋記憶，把記憶藏在角落一段時間。」

而現在，這段時間已經結束，另一段即將開始。羅杰拿起最上面的一本書，掂掂重量，彷彿在估量責任的重量。或許，這至少可以讓她不再擔心布莉安娜。

他輕聲問：「要我告訴妳嗎？」

她猶豫許久，之後迅速點了頭，似乎害怕再考慮久一點就會後悔。

羅杰潤潤乾燥的嘴唇，開始述說。他不需要翻開書本，研究這一時期的學者都熟知這些史實。儘管如此，他還是把法蘭克的書抱在胸口，像抱著堅固的盾牌。

「法蘭西斯・湯森，他是查理王子的手下，守在卡來爾，後來被捕，以謀反罪處以絞刑和剖腹。」

他打住，但克萊兒面無表情，血色盡失。她隔著桌子坐在羅杰對面，動也不動像根鹽柱。

「凱堡的麥唐納和他兄弟唐納在卡洛登徒步上戰場，被英軍炮火擊斃。齊馬諾克動爵倒在戰場上，安克倫動爵在巡查戰場傷兵時認出他，從坎伯蘭公爵手下救了他的命，但好景不常，隔年八月，齊馬諾克動爵在倫敦的塔丘和巴梅立諾一起被斬首。」羅杰停頓一下又說：「齊馬諾克的兒子在戰場上失蹤，一直沒有找到他的屍體。」

克萊兒低聲說：「我一直很喜歡巴梅立諾。那老狐狸呢？那個羅瓦特動爵？」她氣若游絲。

羅杰的手指不知不覺撫過光滑的書衣，好像摸著點字閱讀。「是的，他被判謀反，處以斬首。所有紀載都說他死得很有尊嚴。」

羅杰腦海中浮現一幕場景，是當時畫家荷加斯所畫的一則軼事。他憑著記憶，盡量詳細描述。「他被送往倫敦塔，路上經過一群又喊又叫的英格蘭暴民，他對四周的叫囂毫不在意，甚至心情還不錯。有個老女人對他大叫：『老蘇格蘭無賴，你會被砍頭！』他從馬車窗口俯身快活地回罵：『老英格蘭醜婊子，妳說的沒錯！』」

克萊兒面帶微笑，但聲音聽起來像哭又像笑。「我就知道，那個臭老頭。」

羅杰小心繼續說下去：「到了刑場，他要求檢查刀鋒，還叫劊子手好好幹。他說：『動作俐落點，不要惹我發火！』」

眼淚從克萊兒緊閉的雙眼流下，像火焰中的珠寶閃閃發光。羅杰抬頭示意，她感覺到了，搖搖頭，眼睛仍然緊閉。

「我沒事，繼續說。」

「沒有了。有些人活了下來，羅切爾的卡梅隆逃到法國。」他小心不提到卡梅隆的兄弟阿契，他在泰伯恩刑場被絞死、開膛剖肚、斬首，心臟挖出來焚毀。克萊兒似乎沒注意到他漏了某些人。

他很快一一說完，看著克萊兒。她的眼淚已止住，低垂著頭坐著，鬈髮蓋住臉上所有表情。

於是他決定抓住克萊兒的手臂站起身來。

「來吧，妳需要一點新鮮空氣。雨停了，我們到外面去。」

比起空氣窒悶的牧師書房，屋外清新涼爽，薰人欲醉。大雨約在日落時停住，現在剛入夜，只有滴滴答答落下雨水的樹叢讓人想起不久前的傾盆大雨。

走出房子，我如釋重負。我已擔憂太久，此時總算說出一切。雖然布莉安娜不相信……不，她終究會相信，即使要花很長時間，她終究會明白我並未欺騙她。她一定會相信，因為每天早上她都會在鏡子裡看到那張臉，她的血液裡也流著他的血。至於現在，我已全盤托出，靈魂在由衷的懺悔後頓時變輕。離開告解室般的牧師宅邸，我的心靈終於卸下重負，恢復平靜。

我想，這有點像分娩，先是短暫的辛苦及劇痛，並明白未來就是難以成眠的夜晚及不斷操心的白日，但在這一刻，我覺得非常安寧，心中充滿平靜與喜悅，容不下任何憂慮。雖然剛得知一些友人的噩耗，但哀傷的感覺也淡了。星光從稀疏的雲朵後方透出，我的悲傷也變得朦朧而柔和。

時值初春，夜裡空氣潮濕，車輛從附近馬路上駛過，輪胎軋過潮濕的車道，發出淅淅聲響。羅杰默不作聲，領著我走下屋後的坡道，再往上走，經過一小塊長滿青苔的空地，接著走下一條小徑，通往河邊。黑色的鑄鐵橋在這裡橫跨河流，小徑旁有道鐵梯架在橋梁上。有人拿了白色噴漆在橋上潦草噴了「蘇格蘭獨立」幾個大字。

雖然回憶令人黯然，但此刻我已逐漸平靜。最困難的部分已經結束，現在布莉安娜知道自己的身世了，我衷心盼望她能相信我，不僅為了她，也為了我自己。儘管我不願意承認，但內心深處非常渴望能和人分享傑米的點點滴滴。

我已身心俱疲，但還是打起精神再次挺直背脊，強迫自己的身體撐下去。我向痠痛的關節、脆弱的意志、四分五裂的心靈許諾，不久就可以獨自坐在旅舍舒服的火爐邊，伴著故人的英靈平靜地悼念他們，讓所有疲憊隨著眼淚滑落，在入睡後忘卻一切人事，而或許在夢中，我還能再次與他們相聚。

但時候未到。在入眠之前，我還有一件事要做。

—

兩人在沉默中不知走了多久，只有遠方汽車駛過及身旁河水拍岸的聲音。羅杰遲遲不願開口，唯恐又讓克萊兒想起寧可遺忘的往事。然而，封住情感的閘門一旦打開，就再也無法關上了。

克萊兒遲疑地問了羅杰幾個小問題，羅杰詳細以告，但也猶豫地回問幾個問題。祕密壓抑了這麼多年，突然可以毫無顧忌地聊，克萊兒就像吸了毒一樣亢奮，而羅杰聽得那麼入迷，更讓她暢所欲言。等兩人走到鐵路橋邊，克萊兒已經恢復果斷的個性，就像兩人第一次見面那樣。

克萊兒激動地說道：「他是個蠢材、酒鬼，軟弱又愚蠢。羅切爾、格倫加立那幫人全是呆子，總是聚在一起花天酒地，和查理王子一起作白日夢。杜戈爾說的對，坐在溫暖的房間，手握一杯麥酒，要勇敢很容易。他們喝傻了，又太驕傲，不願意撤退，結果斷送了所有人的命……只為了可笑的名譽和榮耀。」

她鼻子哼一聲，沉默片刻，然後出乎意料地笑了。「不過，你知道最可笑的是什麼嗎？那個可憐愚蠢的酒鬼查理，還有他貪心愚蠢的酒友，以及那些一心追求榮譽、無法回頭的呆瓜……他們唯一的小小優點，就是他們的信念。奇怪的是，他們留下的就只有這件事。那些愚蠢、無能、懦弱、醉昏頭的虛榮，一切都消失了。現代人一想起查理王子和他的手下，就只會想到他們是如何追求榮耀，但未能如願以償。」

克萊兒的音調放得柔和了些：「也許雷蒙說的對，事物的精髓是唯一重要的。光陰會沖淡一切，只留下堅固的核心。」

羅杰大膽開口：「我想妳一定對歷史學家很有意見，他們都錯把王子描寫成英雄。在蘇格蘭高地，不管走到哪裡，都會在太妃糖罐或馬克杯上看到王子的頭像。」

克萊兒搖了搖頭，凝視遠方。暮靄漸深，水珠再次從樹叢葉尖滴落。「不，錯不在歷史學家。歷史學家最大的問題，是以為自己憑著前人選擇留下的線索，就能知道事情的來龍去脈。很少有人真的能穿越古代文物和文件的煙幕，了解實情。」

遠方傳來微弱的隆隆聲，羅杰知道，那是傍晚開往倫敦的列車。在晴朗的夜晚，從牧師宅邸可以聽到火車汽笛聲。

克萊兒繼續說：「問題出在作家、歌手、說書人，這些藝術家拿過去當材料，照自己的喜好重新改造，把蠢材塑造成英雄，把酒鬼改造成君王。」

羅杰問：「妳覺得他們都是騙子？」克萊兒聳聳肩。雖然寒風襲人，她還是脫下外套，棉質上衣因濕氣而貼在她身上，露出她纖細的鎖骨和肩胛骨。

「騙子？或是魔法師？他們不就是看到塵土中的骨頭，以為看到了事物過去的本質，就為它們披上新的血肉，讓乏味的野獸搖身一變，成為傳說中的怪物？」

羅杰問：「即使如此，有什麼不對？」蘇格蘭高速火車隆隆駛過，鐵橋喀喀發顫，「蘇格蘭獨立」幾個白色的字母隨著振動而搖擺。

克萊兒抬頭盯著那幾個字，飄忽不定的星光點亮她的面孔。「你還是不明白。」她惱火地說，聲音沙啞，但音量沒有提高。

「你不知道真相。你不知道，我不知道，我們永遠也不可能確知。這樣你懂嗎？你不知道，因為你也無法說出事情的結局——根本沒有任何結局。你不能說『這件事』『注定』會發生，然後導致其他事。查理王子對蘇格蘭人所做的『那些事』，是必須發生的嗎？還是『有心』推動的結果，而查理王子真正目的就是像現在這樣，成為頭像，成為象徵的符號？要是沒有他，蘇格蘭會不會忍受英格蘭兩百年的統治，然後仍然……」克萊兒朝頭頂潦草的字眼一揮手，「『仍然』能維持自我認同？」。

「我不知道！」巨大的探照燈照亮樹叢與軌道，火車呼嘯駛過兩人頭上的橋梁，羅杰只好大喊，才能讓克萊兒聽見。

火車發出驚天動地的轟隆隆聲，足足有好幾分鐘，震得兩人只能立在原地不動。然後列車完全駛離，喀噠聲也漸弱，變成孤涼的哀泣，最後一節車廂的紅色尾燈盪出兩人的視線之外。

「所以說，這就是討厭的地方，你永遠不知道，但還是必須行動，不是嗎？」克萊兒轉身說。

她突然張開雙手，彎曲有力的手指，戒指迎光熠熠閃爍。

「當了醫生你就會了解。不是在學校。不管什麼情況，學校都不是學到東西的地方。是在你把手放在病人身上想努力治療的時候。有這麼多問題，超過你能力所及。太多了，你照顧不到，你找不出問題核心，太多事情從你指間溜走。但你不能去想，你唯一能做的事，就是為你眼前的那個人盡心力，把病人當成世界上僅存的人，否則你連眼前這個人也救不了。你只能救一個算一個，同時學會不要為了救不了其他人而難過，只要盡力就好。」

她轉過身來面對羅杰，一臉疲憊憔悴，但眼中盈滿雨滴折射的光芒，糾結的髮絲上綴了水珠。她伸手搭在羅杰臂上，像灌滿船帆、吹動船隻的風，催促羅杰。

「羅杰，我們回屋裡去吧！我有件事要告訴你。」

克萊兒在回牧師宅邸的一路上都很安靜。羅杰伸出手臂，克萊兒卻不接受攙扶，獨自走著，低頭思索。羅杰想，她並非舉棋不定，而是下定了決心，只是在想該如何啟齒。

羅杰自己也在思考。白天克萊兒的吐實打亂了一池春水，現在的寧靜給了他喘息空間，他開始好奇克萊兒為什麼要讓他一起聽。她大可只告訴布莉安娜。難道她是因為不曉得布莉安娜會有什麼反應，所以不想獨自面對？或者，她在賭他會相信她——而他的確也信了，然後把他列為盟友，一起捍衛真相——她的真相，或布莉安娜的真相？

回到牧師宅邸，羅杰的好奇心已經升到頂點，不過還有些工作得先做。他和克萊兒一起清空一座最高的書架，推到破裂的窗戶前面，擋住夜晚的寒氣。

克萊兒累得臉頰透紅，此刻正坐在沙發上休息，羅杰則走到小飲料桌邊倒了兩杯威士忌。葛拉漢太太在世的時候會把飲料放在托盤裡，附上紙巾、壓花小餐墊，配上一些餅乾。如果讓菲歐娜做，她也很樂意奉上這一整套，不過羅杰比較喜歡自己倒酒，簡單就好。

克萊兒謝過羅杰，開始啜飲威士忌，然後放下酒杯抬頭看他。她有點疲倦，但從容自若。

「你或許會想，為什麼我要告訴你整個故事。」克萊兒看穿了羅杰的想法，讓羅杰有點緊張。

「有兩個原因，等一下我會告訴你第二個。而基於第一個原因，我覺得你有權利聽這個故事。」

「我？為什麼我有權利？」

克萊兒金色的雙眼坦率一如獵豹，令人不安。「和布莉安娜一樣，你有權利知道自己是誰。」她走到房間另一端的牆壁前。這面牆從地板到天花板都貼上軟木，層層疊疊釘滿了照片、圖表、便條、零星的名片、教區舊行事曆、備用鑰匙，以及零碎的小東西。

克萊兒微微一笑，撫摸牆上一張當地公立學校頒獎日的照片。「我記得這面牆。你父親應該從不把東西拿下來吧？」

羅杰搖搖頭，一臉茫然。「對，他從不拿下來。他老是說東西放在抽屜他找不到，如果是重要的東西，他希望一眼就能看到。」

「那應該還在牆上，他認為那東西很重要。」

克萊兒伸手翻動一層層紙張，輕輕分開泛黃的紙頁，還伸長手臂在布道筆記和洗車券等碎紙頭下找了找，最後拿下一張紙，攤在桌上說：「我想就是這張了。」

羅杰驚訝說道：「哇！這是我們家的族譜，我好多年沒看到了。不過，就算看到，我也從來沒留心。如果妳是想告訴我，我是領養來的，這我已經知道了。」

克萊兒點點頭，目不轉睛看著那張表。「對，所以你父親，我是說威克菲爾德先生，他畫下了這張表。雖然他讓你跟著他姓，但還是想讓你知道自己的身世。」

羅杰嘆了口氣，想到牧師，又想到牧師桌上銀色相框裡的小照片，上面是他不認識的黑髮年輕人，笑起來有點像牧師，穿著二次大戰皇家空軍制服。

「是，我知道。我真正的姓是麥肯錫。妳是要告訴我，我和妳……呃，妳認識的麥肯錫族人有關係嗎？妳提到的人名好像沒出現在這張表上。」

克萊兒彷彿沒在聽他說話，手指沿著族譜上一條細長的手繪線蜿蜒。

「威克菲爾德先生是偏執狂，他不會希望族譜出錯。」她低聲道。「這裡，就是從這裡開始。在這一項以下……」她的手指往紙面下方一掃。「以下都是正確的。這是你的父母、祖父母、曾祖父母等等。但以上都不是。」她的手指向上一挪。

羅杰彎腰看族譜，然後抬起頭，苔綠色的眼睛若有所思。「這一項？威廉・布克雷・麥肯錫，生於一七四四年，威廉・約翰・麥肯錫與莎拉・英內斯之子。逝於一七八二年。」

克萊兒搖搖頭。「他其實死於一七四四年，生下來才兩個月就死於天花。」她抬起頭，金色的雙眼迎上羅杰的眼睛，眼中的力量讓羅杰沿著背脊打了一陣哆嗦。「說起來，你不是家族第一個被收養的孩子。」克萊兒手指輕點那一條紀錄，繼續說道：「這孩子的母親去世，需要有人哺乳，所以被一個剛失去孩子的家庭收養。他們用死去孩子的名字稱呼新的孩子，這在當時很常見。而且，我想沒有人會把新的孩子登記在教區戶政紀錄裡。反正孩子出生時已經受洗了，不用再受洗一次。柯倫曾經告訴我，孩子是在哪裡受洗的。」

「潔莉絲的兒子。女巫之子。」羅杰慢慢說出口。

克萊兒頭偏向一側，打量著羅杰：「沒錯。我看到你的時候就知道了。你那雙眼睛，太像她了。」

羅杰坐了下來，儘管書架擋住了窗戶破洞，壁爐也重新升起火，他的心底卻不斷冒出寒意。

羅杰問：「妳確定？」這是多此一問。如果這整件事不是精神病患捏造出來的，也不是精心編排的瘋言瘋語，那她當然確定。羅杰抬頭看克萊兒，她手拿威士忌，沉著自在地坐著，好像正要點一盤乳酪條來吃。精神病患？她可是克萊兒・博尚・藍鐸博士，權威醫院的醫務長。瘋言瘋語、誇張的妄想？要羅杰相信自己瘋了還比較容易。說到這裡，他確實覺得自己快瘋了。

他深吸一口氣，兩手平攤在族譜上，遮住威廉・布克雷・麥肯錫那一條紀錄。

「這真的很有意思，謝謝妳告訴我，不過，我除了可以把族譜上半部撕下來丟掉以外，這其實沒有改變什麼，對嗎？畢竟，我們不知道潔莉絲的來歷，也不知道誰是孩子的父親。妳好像很確定可憐的亞瑟不是孩子的父親。」

克萊兒搖搖頭，若有所思。「不是，不是亞瑟。孩子的父親是杜戈爾。這是潔莉絲被燒死的真正原因，不是因為她是女巫。柯倫不能讓任何人知道他弟弟和財政官的妻子私通，還生下孩子。還有，潔莉絲想嫁給杜戈爾，我想她也許威脅了麥肯錫家，要將哈米許的身世公諸於世。」

「哈米許？柯倫的兒子。對，我記得。」羅杰揉揉額頭，他開始覺得有點頭暈。

克萊兒糾正他：「不是柯倫的兒子，是杜戈爾的。柯倫不能生育，但杜戈爾可以，所以就代勞了。哈米許是麥肯錫族的繼承人，要是有人敢威脅他，柯倫會殺了對方——他也確實動手了。」克萊兒深吸一口氣，接著說：「而這件事，又和我告訴你故事原委的第二個原因有關。」

羅杰雙掌插入髮間，盯著桌面。族譜上的線條彷彿一條條虛幻的蛇，蠕動蜿蜒，分叉的蛇信在一個個人名間吞吐。

羅杰聲音嘶啞：「潔莉絲，她身上有疫苗接種的疤痕。」

「沒錯，就是這件事才讓我決定回到蘇格蘭。我和法蘭克離開蘇格蘭的時候，我發誓永遠不再回來。我知道自己永遠忘不了發生過的事，但我可以深埋在記憶裡，逃得遠遠的。不管我離開後發生了什麼，我永遠不會去找答案。最起碼我能為他們兩人做到這件事，為法蘭克和傑米。還有肚子裡的寶寶。」克萊兒緊緊抿了一下雙唇。

「但在克蘭斯穆的那場審判，潔莉絲救了我的命。我想，她認為自己無論如何難逃一死，但她畢竟是為了我才放棄得救的機會。她留了訊息給我，後來杜戈爾通知我傑米入獄時，也把消息轉給我。消息有兩則，第一是一句話，『我覺得有可能，但我不知道』，另外是四個數字，依序是一、九、六和八。」

「一九六八，也就是今年。『有可能』又是什麼意思？」羅杰覺得自己像在作夢，而且很快就會醒來。

「有可能通過巨石陣回去。她沒試過，但覺得我可以做到。當然，她說的沒錯。」克萊兒轉身從桌上拿起威士忌，和酒液同色的雙眼透過玻璃杯上緣盯著羅杰。「今年是一九六八年，她回到過去的那一年。不過，我覺得她還沒動身。」

玻璃杯就要從手中滑落，羅杰勉強及時抓住。「什麼……從這裡回去？但她……為什麼沒有……妳不能確定……」羅杰語無倫次，腦中一片混亂。

克萊兒說：「我是不確定，但我這麼認為。我很確定她是蘇格蘭人，而且很可能來自蘇格蘭高地。即使高地有很多巨石，但我們知道，對能穿越的人來說，納敦巨岩是通往不同時光的通道。」她繼續說，一副就要提出決斷性論證的模樣。「而且，菲歐娜見過她。」

「菲歐娜？」羅杰覺得這句話太過分了，實在太荒唐。別的他還可以設法相信——時間旅行、氏族背叛、意外的歷史事件，但把菲歐娜扯進來，已經超過他理智能容忍的極限了。羅杰懇切地看著克萊兒，帶著懇求的語氣說：「妳不是這個意思吧？跟菲歐娜無關吧？」

克萊兒語帶同情：「很抱歉，但我確實是這個意思。我問她，關於她祖母加入的德魯伊教派，她知道些什麼。雖然她發誓要守密，不過我原本就知道不少事，而且……要她開口其實很容易。」克萊兒有點抱歉地聳聳肩。「她告訴我，有另一個女人也問了些問題，那女人身材高䠷，一頭金髮，綠色眼睛非常醒目。菲歐娜說，那個女人讓她想到某個人，不過她想不出是誰。」她說完最後一句，眼神小心避開羅杰。

羅杰只能呻吟，緩緩向前趴在桌面上。他閉上眼睛，額頭下的桌面既硬又冰。

他閉著眼睛問：「菲歐娜知道她是誰嗎？」

克萊兒回答：「她叫潔莉恩．艾德加。」羅杰聽到克萊兒起身走開，倒了一杯威士忌，接著回來站在桌邊。羅杰感覺到她盯著他的後頸，平靜地說：「這件事就看你了，由你決定。我該去找她嗎？」

羅杰抬起頭，眨眨眼，難以置信地看著她。「妳在說什麼？如果妳說的都是真的，那我們一定要找到她！否則她回到過去會被活活燒死啊！當然要去找她！這還需要考慮嗎？」羅杰終於忍不住大吼。

克萊兒修長的手放在枯黃的族譜上，注視著羅杰。

「如果我真的找到她，你會發生什麼事？」

—

羅杰無助張望，書房裡明亮而雜亂，一面牆上釘著雜七雜八的東西，缺了幾角的老茶壺擺在古舊的櫟木桌上。他攫住大腿，緊抓著褲子的燈芯絨布，彷彿想確認自己就像屁股下的椅子那樣實在。

羅杰大聲說：「可是……我確確實實存在！不可能輕易……消失！」

克萊兒嚴肅地揚眉。「我不知道你會不會消失，我不知道會發生什麼事。也許你根本不會存在。如果是這樣，你現在也不需要太激動。你獨一無二的那部分，看你要說是靈魂或隨你怎麼叫，或許無論如何都會出現在這世上。你還是你，只是出生的血統稍微不同。說到底，六代以前的祖先會影響你的身體多少？一半？百分之十？」克萊兒聳聳肩，抿起嘴，仔細打量羅杰。

「像我和你說的，你的眼睛遺傳自潔莉絲。可是我在你身上也看到杜戈爾的影子。不能說是哪個五官，雖然你的顴骨很像麥肯錫家的人，但也像布莉安娜。應該是更微妙的特質，你的舉止裡有種優雅、令人意外的特質……」克萊兒搖搖頭。「不行，我不會形容。但那特質就在那裡，這是你的精髓嗎？沒有杜戈爾的血緣，你還會是你嗎？」

克萊兒緩緩站起來。從兩人相遇以來，克萊兒第一次看起來像她實際年齡那樣成熟。

「羅杰，我花了二十幾年找答案，只有一件事可以告訴你：沒有答案，只有選擇。我自己就做了好多選擇，沒人能告訴我，這些選擇是對是錯。也許雷蒙知道，不過我認為他不會告訴我，他認為應該維持神祕。我只知道，告訴你這件事是對的，而且我得把選擇權交還給你。」

羅杰舉杯，乾了杯中的威士忌。

西元一九六八年，潔莉絲走進巨石陣。這一年她來到里歐赫堡附近山丘的花楸樹下，迎接了她的宿命：生下私生子，遭受火刑處死。羅杰站起身，在書房四壁書架間前後徘徊。這些書上寫的都是歷史，虛幻無常的歷史。

沒有答案，只有選擇。

羅杰心神不寧，手指畫過最上一層書架。這些書上寫的都是詹姆斯黨的活動，關於一七一五年和一七四五起事的歷史。克萊兒認識書中描述的男女，曾和他們一起戰鬥，一起受苦，為了拯救一支原本陌生的民族，在過程中失去所有珍愛的人，最後還是失敗了。無論如何，她有選擇，就像他現在一樣。

或許這只是一場夢，某種錯覺？羅杰偷瞥克萊兒一眼，她靠著椅背，閉上眼，一動也不動，只有鎖骨間隱約可見的脈搏還在跳動。不行，只有把視線從克萊兒身上移開，他才能告訴自己這一切都是虛構的。不論他有多不情願，只要看著克萊兒，他就沒辦法懷疑她說的一字一句。

羅杰兩手平攤放在桌上，又翻過手掌，看著掌上迷宮般的掌紋。他握在掌中的只有自己的命運嗎？或者還掌握了一個陌生女子的人生？

沒有答案。羅杰輕闔上雙掌，像用拳頭困住一個小東西。他作出選擇。

「我們去找她吧！」

扶手椅上的身影沉默無聲，除了渾圓的胸脯一起一伏，沒有其他動作。

克萊兒睡著了。

第四十八章
狩獵女巫

也只有老天知道我做這件事的動機。
我原本以為自己知道，
但現在已經無法斷定。

公寓裡某處響起老式電鈴的聲音。這個地區不是城裡最高級的地段，但也不是最差的，大部分是工人的房舍，其中有一些分成數層公寓，就像兩人面前這棟。電鈴下用手寫了「二樓麥亨利——按兩次鈴」。羅杰小心地再按一次電鈴，在褲子上擦了擦手。手心都出汗了，他為此非常煩躁。

門口擺了一盆黃色丁香水仙，因缺水而十分乾枯，細長的葉片尖端焦黃蜷縮，帶褶邊的黃色頭狀花序也在他腳邊垂頭喪氣。

克萊兒也看見了，她停下腳步摸摸盆裡的乾土。「可能沒人在家，這些花超過一星期沒澆水了。」

羅杰聽了如釋重負。不管他相不相信潔莉絲就是潔莉恩，都不想面對她。他才剛轉身要走，後方的門突然打開，卡住的木頭門板發出刺耳的嘎吱聲。他的心臟狠狠跳了一下。

「找誰？」開門的男人眼睛斜睨，雙眼浮腫，表情陰沉，滿臉通紅，臉上都是鬍碴。

羅杰的胃一陣空虛，但還是極力鎮靜問道：「呃……抱歉打擾了，先生，我們找潔莉恩・艾德加小姐，請問她住在這裡嗎？」

男人舉起粗短又生滿黑色汗毛的手撓撓頭，抓得頭髮像鐵釘般豎了起來。「小子，你應該叫她艾德加太太。你找我太太做什麼？」男人滿身酒氣，逼得羅杰很想後退。

羅杰盡量安撫道：「我們只是想找她談談。不好意思，請問她在家嗎？」

「不好意思，請問她在家嗎？」這人一定就是艾德加先生，他耷拉著嘴角，用高亢的音調粗魯地模仿羅杰的牛津口音。「她不在，滾。」說完男人甩上門，門上的蕾絲窗簾跟著搖晃。

「看得出她為什麼不在家。如果回到家，等著妳的是這種人，誰都想離家。」克萊兒說，同時踮起腳尖偷窺窗戶裡面。

「說得好。」羅杰贊同道。「看起來就像妳說的那樣。還有什麼方法可以找到那個女人？」

克萊兒放開抓著窗臺的手。

「他坐在電視前面。走吧！至少等到酒吧開門再說。我們可以先到這家研究院看看，菲歐娜說潔莉恩在那兒上課。」

—|—

那是高地民俗古文物研究院，坐落在一棟小房子的頂樓，就在市中心附近。接待員是個矮胖的女人，穿著棕色開襟衫和印花洋裝，看到兩人好像很高興。羅杰想，平常這裡一定沒什麼訪客。

這位安德魯斯太太一聽到兩人的來意就立刻說：「艾德加太太呀！」羅杰覺得她的聲音裡突然多了一絲懷疑，但聽起來還是很活潑開朗。「沒錯，她常來這裡，學費都繳清了。這個艾德加太太常待在這裡。」從聲音聽起來，她似乎不喜歡常看到艾德加太太。

克萊兒問道：「她現在會不會剛好在這裡？」

安德魯斯太太搖搖頭，頭上夾雜著灰髮的幾十縷鬈髮跟著一起晃動。「她不在，今天是星期一，星期一這裡只有我和麥克伊旺博士。麥克伊旺博士是院長。」她責怪地看著羅杰，一副他早就該知道的模樣。不過，她顯然相信兩人是正派人士，決定發發好心說明清楚。

「如果你想打聽艾德加太太，可以找院長，我這就去告訴他。」

正當安德魯斯太太慢慢走出辦公桌後面之際，克萊兒攔住她劈頭問道：「請問您有艾德加夫人的照片嗎？」安德魯斯太太有點錯愕。克萊兒露出迷人笑容，解釋道：「我們不想找錯人，浪費院長的時間。」

安德魯斯太太疑惑地眨眨眼，但不久就點點頭，拉開抽屜翻找，一邊自言自語。「我記得放在這兒，昨天還看見，不可能跑多遠……在這兒！」她突然抽出一個資料夾，快速翻找裡面那疊八乘十的黑白照片。

「找到了，這就是她，和一群挖掘隊在城外附近。不過這張照片看不到她的臉，對吧？我來找找看有沒有別張……」

安德魯斯太太繼續挑照片，一邊喃喃自語，羅杰從克萊兒後方興致勃勃地覷著安德魯斯太太放在桌上的照片。照片上有一小群人站在吉普車旁，一旁地上放了幾個粗麻布袋和小型工具。照片是一時興起拍的，好幾個人的臉都沒有看著鏡頭。克萊兒毫不猶豫地伸出手，指了指一個高䠷的女孩，一頭金黃色的長直髮垂到背上。克萊兒拍拍照片，默默對羅杰點點頭。

「妳確定是她？」羅杰低聲對她嘀咕。

安德魯斯太太心不在焉地抬眼望了望：「你說什麼？喔，你不是跟我說話。沒關係，我找到一張比較清楚的。還是沒有照到她整張臉，她頭有點偏，不過還是比前一張好一點。」說完，她得意地把一張照片啪地放在一疊照片上。

照片裡有一位戴著半框眼鏡的老先生，還有一位金髮女孩，兩人身體傾向桌子拿著東西，想必是寶貴文物，但就羅杰看來就是一堆生鏽的引擎零件。女孩面朝老先生，頭髮垂在臉頰邊，但小巧挺直的鼻子、甜美圓潤的下巴、優美的嘴角弧線還是清楚展現了出來。她目光低垂，濃密纖長的睫毛遮住雙眼。羅杰有股衝動想吹口哨讚賞，但勉強壓抑下來，心中不敬地想，不管她是不是他的祖先，都是極為漂亮的洋娃娃。

他看了克萊兒一眼。她點點頭，沒有說話，臉色比平常蒼白，脈搏在頸部迅速跳動，不過她向安德魯斯太太致謝時，態度仍是一貫的沉著自若。

「對，就是她。如果院長有空，我們希望可以和他談談。」

安德魯斯太太很快瞥了一眼桌子後的白色鑲板門。「好吧，我去問看看。請問怎麼稱呼？」羅杰剛要開口，克萊兒就很自然地代羅杰回答了。

她說：「其實我們是從牛津來的，艾德加太太向文物研究局申請了研究補助，並提報貴學院作為她其餘資格的查證單位，所以，就麻煩妳了。」

安德魯斯太太一臉佩服的神色：「我明白了，牛津，真了不起！我問問院長能不能現在就見兩位。」

安德魯斯太太在門上敲了一下，就走了進去。羅杰俯身在克萊兒耳邊輕聲說：「牛津沒有所謂的文物研究局，妳知道吧！」

克萊兒一本正經答道：「沒錯，你知道這件事，而且就像你說的，我也知道，但世界上有很多人不知道，我們剛好就碰上一個不知道的。」

白色鑲板門開了一條縫。

羅杰抹了一把額頭：「希望這裡大部分的人都不知道，不然妳的反應最好夠快。」

安德魯斯太太向他們招手，克萊兒一邊起身朝安德魯斯太太微笑，邊理了理裙子，用嘴角說道：「我，法國皇帝的心靈裁判？小事一樁。」

羅杰戲謔地一鞠躬，朝門口比個手勢：「Aprés vous（您先請），夫人。」

克萊兒越過羅杰前面，羅杰補充道：「Aprés vous, le déluge.❶」（您走之後，洪水就來了）克萊兒肩膀一僵，但沒有轉身。

---

❶原文 Aprés nous, le déluge 即「就算洪水來了，我們也早走了。」意指不在乎所作所為的後果。據傳，法王路易十五的情婦龐巴杜夫人就是用這句話說服路易十五掏空國庫興戰，即使導致法國破產，也是以後的事。在此羅杰影射克萊兒將掀起巨浪。

沒想到事情還真的很簡單。不知是克萊兒的手腕太高明，還是院長已經對兩人深信不疑。他似乎沒想到，牛津的探查員怎麼可能只為了調查一個研究生的背景，就深入茵凡涅斯這個荒僻小鎮。不過，羅杰又想，院長似乎有什麼心事，也許思路不像平常那樣清晰。

「呃，艾德加太太確實很聰明，非常聰明。」院長彷彿也想說服自己。他身材瘦高，長長的人中就像駱駝，在他猶豫不決地思考接下來該用哪個字時，嘴唇也抖了起來。「你……她……這個……」他拖長的聲音越來越輕，嘴唇還在打顫，最後終於脫口而出：「你和艾德加太太實際碰過面沒有？」

羅杰看著院長，目光有點嚴峻，說道：「沒有，所以我們才想打聽她的事。」

「院長，是不是有什麼事……」克萊兒謹慎地停頓，接著問道：「您覺得該讓委員會知道？」她俯身向前，睜大眼睛。「這些回答完全保密，不過我們必須知道最詳細的情況，這和一位身居要職的人有關。」她刻意放低音量說：「您知道，對方是政府首長。」

羅杰聽了真想掐住她，可是院長卻一本正經地點頭，嘴唇劇烈顫抖。

「對，是的，當然。政府官員。我完全了解。是，是的，呃，我……也許我不應該在任何方面誤導您，您知道。當然，這是個好機會……」

這下羅杰想把這兩人一起掐死了。克萊兒肯定注意到羅杰膝上的兩隻手絞扭著，於是不再讓院長沒完沒了嘟囔下去。

「基本上，我們想知道兩件事。」克萊兒輕快說著，一邊打開筆記本，佯裝參考裡面的紀錄。羅杰眼角瞄到筆記本的內容：幫泰勒太太買瓶雪利酒。買野餐的火腿片……

「首先，我們想知道您對艾德加太太學術表現的看法。再來，我們想知道您對她的整體個性有什麼見解。當然第一項我們已經自行評估過了……」克萊兒在筆記本上打個勾，那一項寫的是兌換旅行支票。「但您的了解肯定更明確、詳細。」院長不住點頭，一臉痴愣愣的。

「呃，沒錯……」院長輕呼一口氣，朝門口瞄了一眼，確定門已關上之後，一臉神祕地靠過來。「關於她的工作表現，這點我可以保證，我等一下給你們看看她的工作成果。至於另一件事……。」羅杰覺得院長的嘴唇又要抽搐了，於是氣勢洶洶地往前靠過去。

院長突然往後一靠，看起來嚇了一跳，開口道：「沒什麼特別的，真的，只是……這位小姐真的非常認真，興趣相當強烈，有時候簡直像是……著了魔？」他聲調上揚，語氣帶著疑問，目光飛快掃過羅杰與克萊兒，像被陷阱捕住的老鼠。

「她這種濃厚的興趣是不是針對那些巨石？也就是巨石陣？」克萊兒輕輕問道。

「所以她的申請書提到這點了？」院長從口袋抽出骯髒的大手帕，抹抹臉。「沒錯，的確是這樣。當然，很多人都對巨石陣非常著迷，石陣有許多浪漫傳說，還有神祕故事。有些傻瓜會穿著長袍、戴著兜帽，仲夏的時候跑到巨石陣那裡，嘴裡唸一些……亂七八糟的東西。我不是說艾德加太太跟他們一樣……」

羅杰已經聽不下去了。這個小辦公室空氣沉悶，他的衣領又太緊。他都能聽到自己的心跳聲了，一下下非常沉緩，這讓他極為心煩。

他心想，根本不可能！絕對不可能。沒錯，克萊兒的故事很有說服力，連他也深信不疑。但是，看看她怎麼糊弄這個可憐的老頭，說什麼學術討論……現在不管她說什麼，他都會乖乖照做。當然，羅杰認為自己才不像院長那麼容易受蠱惑，不過……

他滿腹疑惑，汗流浹背，便不太注意院長的舉動。院長從抽屜拿了一串鑰匙，起身帶著兩人穿過第二扇門，進入一條長長的走廊，走廊兩邊都是一扇扇的門。

院長解釋：「這些是研究室。」他打開一扇門，房間約一．五公尺見方，剛好容下一張狹窄的書桌、一把椅子和一座小書架。桌上整齊疊著幾個不同顏色的文件夾，羅杰看到文件夾旁有一大本灰色封面的筆記本，封面上整齊地手寫著「其他」。看到筆跡，羅杰莫名打了一個哆嗦。

現在兩人要探查更深的隱私了。先是照片，現在又是筆跡。羅杰想到可能真的要和這位潔莉絲見面，突然一陣恐慌。呃，應該是潔莉恩，誰管她叫什麼名字！

院長打開幾個文件夾，東指西點向克萊兒說明。克萊兒裝出認真的樣子，好像真的知道院長在說什麼。羅杰從她的背後探頭看，不時點頭說些「嗯，有意思」之類的，但其實他只看到一堆斜線和圈圈，根本不知道上面寫了什麼。

羅杰不禁想：她寫了這些字，她是真的。有血肉、嘴唇、長長的睫毛。如果她透過巨石陣回到過去，就會被燒死，然後碎裂、焦黑。而如果她沒被燒死，那麼……我就不會存在。

羅杰猛烈搖頭。

院長一臉困惑地望著他：「你不同意嗎，威克菲爾德先生？」

羅杰又搖頭，這次是因為尷尬。「不，我的意思是……就是……請問我可以喝杯水嗎？」

「當然，當然！跟我來，角落那兒就有一部飲水機，我指給你看。」院長匆匆領他出了研究室，走過走廊，一路上還喋喋不休地關心他的身體狀況。

走出那逼人患上幽閉恐懼症的狹窄研究室，遠離潔莉恩的書和文件夾後，羅杰才覺得好多了。儘管如此，一想到還要回小房間，他耳邊彷彿又聽到克萊兒說著她的故事……不，他不回去，羅杰打定主意，讓克萊兒自行完成這件事。他快步走出研究室。

安德魯斯太太盯著羅杰走來，閃閃發光的眼鏡反射出關切和好奇。「天啊，威克菲爾德先生，您是不是覺得不舒服啊？」

羅杰伸手抹抹臉，他的氣色一定很不好，只能對胖嘟嘟的安德魯斯太太擠出勉強的笑容。

安德魯斯太太理解地點點頭：「我知道了，一定是暖係機的關係，暖係開關壞了，一直關不掉。我該去檢查看看。」她一直把暖氣機念成「暖係機」。接著她從桌後起身，桌上依然擺著潔莉恩的照片。她低頭看看照片，然後抬頭看著羅杰。

安德魯斯太太隨口說道：「奇怪，我剛剛正在看照片，想著為什麼我突然覺得艾德加太太的臉特別眼熟，但想不出原因。不過，我發現她長得很像你，威克菲爾德先生，尤其是眼睛。很巧吧？威克菲爾德先生？」安德魯斯太太朝樓梯一看，只聽到羅杰下樓的腳步聲。

安德魯斯太太好心地說著：「一定是尿急吧，可憐的小夥子。」

太陽西沉前，克萊兒已經回街上找到羅杰。時間晚了，大家正準備回家吃晚餐，空氣中瀰漫著悠閒的氣氛，每個人忙完一整天的工作，都希望能好好放鬆一下。

羅杰卻沒有這種興致。他走過去幫克萊兒開車門，心中千頭萬緒，一時不知該說些什麼。克萊兒上了車，同情地望著羅杰。

她只說了句：「很不服，是吧？」

新的單行道設計讓交通大打結，羅杰必須專心開車穿過市鎮中心，等路況順暢了，才有餘裕將目光從路面移開，問克萊兒：「接下來呢？」

克萊兒背靠著座椅，閉著眼睛，鬈髮從髮夾中鬆開來。聽到羅杰的問題，她沒有睜開眼睛，只是微微動一動，在椅子上伸展一下身體。「不如你找布莉安娜一起吃晚餐吧？」吃晚餐？這場攸關人命的偵探活動才進行到一半，就這麼停下來吃晚餐似乎不太對勁，但話說回來，羅杰也突然明白他胃部那種空虛感可不完全是因為一小時前兩人發現的事。

他慢慢說道：「好啊，不過明天……」

「為什麼要等到明天？」克萊兒打斷他，坐起身梳開頭髮。她的頭髮濃密蓬亂，鬆鬆地垂落在肩頭，羅杰覺得這讓她看起來格外年輕。「你吃完晚餐，可以再去跟格雷．艾德加談談嗎？」

羅杰好奇地問：「妳怎麼知道他叫格雷？再者，今天下午他都不想和我說話了，為什麼晚上就願意？」

克萊兒看著羅杰，一副開始懷疑他智商的模樣。「我在他的郵筒裡看到信，所以知道他的名字。至於今天晚上他為什麼會跟你說話，是因為你這次去的時候，會帶一瓶威士忌。」

「妳覺得這樣他就會邀我進門？」

克萊兒揚起一邊眉毛：「你看到門外垃圾桶裡那一堆空瓶了吧？他當然會請你進去，甚至迫不及待。」

克萊兒漫不經心地說：「你可以問布莉安娜要不要一起去。」她又往後靠，雙手握拳放在外套口袋裡，往外看著經過的街道。

羅杰不同意地說：「她說不要把她扯進去。」

克萊兒不耐煩地看了他一眼。太陽在她背後落下，映得她雙眼如發光的琥珀，像狼的眼睛。

「這一次，我建議你不要告訴她你打算做什麼。」她的口氣提醒羅杰她是一家權威醫院的醫務長。

他羞紅了耳，還是固執地說：「瞞不了的，如果我們要……」

克萊兒打斷他：「不是我們，只有你。我還有其他事要做。」

羅杰想，太過分了。他沒打燈，踩了剎車就把車往路邊一停，怒視著克萊兒。

「妳還有其他事？了不起！所以妳派我去跟酒鬼套話，他說不定一看到我就揮拳。而且，妳還要我騙妳女兒一起去！怎麼，艾德加拿瓶子砸了我的頭以後，她可以開車送我去醫院？」

克萊兒無視羅杰的語氣，說道：「不是。我覺得你和格雷在一起，可以說服布莉安娜，讓她相信潔莉恩就是我認識的那位潔莉絲。她不會聽我的。如果你告訴她今天在研究院我們發現了什麼，她可能也不會聽你的。不過，格雷的話她會聽進去。」她的語氣平淡冷峻，羅杰覺得自己的怒氣稍微退了一點，再次發動車子，開回車陣中。

「好吧，我會盡力。我做這件事的時候，妳要去哪裡？」他說得不太情願，也不肯看她。

克萊兒摸索口袋，口袋裡又起了一陣小小的騷動。接著她伸出手，攤開手掌。羅杰瞄到她手掌中有一個小東西，在黑暗中閃耀銀光。那是一把鑰匙。

她平靜地說：「我要去研究室偷東西，我想要那本筆記。」

等克萊兒說要去「辦點事」而離開後，羅杰和布莉安娜就開車到酒吧，但後來看到傍晚天氣這麼好，就決定在晚餐前走一走。他們沿著尼斯河邊的小徑漫步，有布莉安娜作伴，羅杰心情很好，全然忘了那晚的憂心疑慮。

剛開始兩人小心翼翼地交談，避開有爭議的話題，後來話題轉向羅杰的工作，兩人逐漸聊開。

談到一半，羅杰插了一句：「這件事妳怎麼懂這麼多？」

「我父親教的。」布莉安娜答道。說到「父親」這個字，她語氣有點強硬，然後打住，似乎期待羅杰說些什麼，之後又尖銳地加了一句：「我真正的父親。」

「他當然知道。」羅杰婉轉答道，堅決閃避這個問題。他憤憤想著，姑娘，這件事還沒結束！但我不打算自投羅網。

羅杰朝街道前方望去，看到艾德加家裡窗戶發亮。看來獵物回巢了。想到等一下要和對方面對面，他突然覺得腎上腺素激增。

不過，等他聞到牧羊人派❷香噴噴的味道從酒吧飄出來，腎上腺素便輸給了消化胃液。兩人友好地閒聊，但也心照不宣地避開前一天牧師宅邸裡的事。前去酒吧的路上，羅杰先載克萊兒到計程車站前，當時他已經注意到這對母女的冷戰氣氛。她們肩並肩坐在後座，卻讓他聯想到兩隻狹路相逢的貓，耳朵伏低、尾巴甩動，避免對上彼此的視線，免得伸出利爪抓得貓毛紛飛。

吃完晚餐後，布莉安娜去取兩人的外套，羅杰買單。

「怎麼有酒？等一下要去狂歡❸嗎？」布莉安娜注意到羅杰手上有瓶威士忌，於是問道。

羅杰笑嘻嘻地看著她：「狂歡？妳學得真快！英式英語妳還學到了什麼？」

她刻意低垂目光，非常正經端莊地回答：「這個嘛，美國有一種舞蹈叫做Shag❹，不過我想，在英國我就不能邀你一起跳了。」

「如果妳真想，有何不可？」羅杰笑道。兩人相視而笑，羅杰發現布莉安娜臉上的紅暈加深，才意識到自己的提議有多挑逗，一時心慌意亂，忘了把拿在手上的外套穿上。

「只要那東西喝得夠多，什麼事都有可能。」她指著羅杰手中的威士忌，不懷好意地笑著。「不過威士忌真的很難喝。」

羅杰故意加深自己的蘇格蘭口音：「姑娘，口味是後天學來的，只有蘇格蘭人才天生愛喝威士忌。我等等準備一瓶讓妳練習，這瓶是給別人的禮物。要和我一起去嗎？還是我自己晚一點再去？」羅杰不確定自己希不希望她跟來，但看到她點頭，穿上外套，又覺得一股幸福湧上心頭。

「好啊，走吧！」

羅杰伸手幫布莉安娜拉好衣領，接著說道：「好。就在前面街上，我們走過去吧！」

這一帶入夜後看起來好一點，夜色掩沒了破敗，燈光從窗戶射出，點亮門口的小花園，有股白天感受不到的舒適氣氛。

「很快就好了。」羅杰按下電鈴，一邊告訴布莉安娜。他不確定事情會不會像他說的那樣很快結束。門開了，羅杰第一次感受到恐懼傳遍身體。有人在家，而且還很清醒。

艾德加後方的碗櫥邊緣有一列酒瓶，顯然他一下午都在和其中一瓶為伍。還好，他似乎沒有把羅杰和下午的不速之客聯想在一起。羅杰剛剛在路上想好了說詞，艾德加聽了他的一番自我介紹後瞇起眼睛。

「小潔的表哥？我不知道她有表哥。」

羅杰一聽他說不知道，便把握機會接了下去：「她有表哥，就是我。」等他見到潔莉恩再來想個說詞，

---

❷ 英國傳統料理，烤盤以羊絞肉鋪底，加上豌豆、玉米、胡蘿蔔等蔬菜，再以厚厚馬鈴薯泥封住，最後撒滿乳酪絲烤20分鐘即成。

❸「狂歡」原文 rave up 主要是英式英語的用法。

❹ Shag 是美國一九三〇至一九四〇年代風行的搖擺舞，在英式英語則有性交的意思。

如果真能見到她的話。

艾德加眨眨眼，攥起拳頭揉揉發炎的眼睛，似乎想把兩人看得更清楚一點。他努力把目光聚焦在羅杰的背後，布莉安娜怯怯地站在那兒。

「她是誰？」

「呃……我女朋友。」羅杰靈機一動。布莉安娜瞇起眼睛看著他，不發一語。她顯然察覺事有蹊蹺，但格雷把門打開一點，讓兩人進來，她也沒有多說，逕自走在羅杰前面進了門。

屋裡又小又悶，塞滿許多二手家具，空氣中充滿菸蒂的臭味、囤積太久的垃圾味，還有外賣食物的酸臭味，每個能放東西的地方都堆著食物空盒。布莉安娜斜瞟羅杰一眼，好像在說：你的好親戚。羅杰輕輕聳肩：這不能怪我。房子的女主人顯然不在家，而且是好一段時間了。

或者，至少她的「心」早就不在了。羅杰轉身去拿艾德加遞上的椅子，一張大型沙龍照迎面而來，裝在銅製相框裡，擺在小壁爐架正中間。羅杰嚇得差點大叫，趕緊咬住舌頭。

照片上的女人像是從照片中直勾勾地望著他，唇角微帶笑意，淺金色的頭髮濃密又光滑，從臉旁兩側傾瀉而下，越過肩膀，襯托出完美的心型臉蛋。瞳孔深綠如冬天的青苔，在深色的濃密睫毛下閃閃發光。

「這照片很像她吧？」艾德加看著照片，表情既憤恨又思念。

「對，很像她。」羅杰覺得有點緊張，轉身從椅子上抽出皺巴巴的炸魚薯條紙袋。布莉安娜一臉玩味地看著眼前的相片，目光從相片移到羅杰身上，再移回來，顯然在比對兩人的長相。表兄妹，是嗎？

「潔莉恩不在家？」艾德加朝羅杰的方向揚起酒瓶，羅杰起先揮手表示不要，後來又改變主意點點頭。也許一起喝一杯可以讓艾德加更相信他。如果潔莉恩不在這兒，他得想辦法打探到她的下落。

艾德加正忙著用牙齒撕開封住酒瓶的包裝，然後輕巧地從下唇拿掉蜂蠟和紙張。

「她幾乎不在，老兄。她在的時候，這裡還不會這麼像垃圾堆。」艾德加朝滿出來的菸灰缸和隨處亂扔的紙杯一揚手。「也許還是有點亂，但不像現在這麼亂。」他從瓷器櫃拿出三個酒杯，猶豫地往每個酒杯裡看了看，像在檢查有沒有灰塵。

他像個醉醺醺的酒鬼，小心翼翼地倒了威士忌，一次一杯端給兩人。布莉安娜接過她那杯，動作和他一樣小心翼翼，不過婉拒了椅子，優雅地靠在瓷器櫃的邊角。

艾德加則是噗通一聲，不管身旁的垃圾便往坐墊凹一塊的沙發坐下，舉起杯子。

「乾杯，老兄。」他一說完就咕嚕咕嚕喝盡，坐著發了一會兒呆，突然回神問道：「你剛剛說你叫什麼？哦，對了，你叫羅杰。小潔從來沒提過你……不過，話說回來，她也不會提。」他悻悻地補上一句。「我從來不認識她的家人，也沒聽她提過。她好像覺得家人讓她很丟臉……不過你看起來倒不像蠢貨，起碼你馬子挺養眼！欸，這句話聽來不賴吧！『起碼你馬子挺養眼』怎麼樣，沒錯吧？」艾德加放聲大笑，嘴裡的威士忌都噴了出來。

「是啊，謝啦！」羅杰說，啜了一小口威士忌。布莉安娜覺得被冒犯，轉過身背對艾德加，假裝在看瓷器櫃裡的東西。

羅杰明白，拐彎抹角大概沒意義了，再怎麼明顯的客氣話他都聽不懂，而且照他這種喝法，很可能不久就會醉倒。

羅杰直截了當問道：「你知道潔莉恩在哪裡嗎？」羅杰每次念出她的名字都有股怪異感，這一次他忍不住抬頭望向壁爐，照片安詳地微笑，底下卻坐著一個酒鬼。

艾德加搖搖頭，他的頭緩緩在酒杯上方擺動，像一頭牛在玉米穀倉旁徘徊。艾德加身材不高，體格魁梧，年紀大概和羅杰差不多，但茂密的鬍鬚沒刮，又留著一頭蓬亂黑髮，看起來年紀更大。

「不知道，我還以為你曉得呢！可能在納茲或薔薇黨那裡，但我好久沒去探聽了，不曉得她究竟在哪裡。」他說道。

羅杰心跳加速。「納茲？你是說蘇格蘭民族黨（Nats; Scottish Nationalists）？」艾德加眼皮逐漸下垂，但眨了一下又張開。「對，該死的蘇格蘭民族黨。我就是在那裡認識小潔的。」

「你什麼時候認識她的，艾德加先生？」

羅杰聽到上方傳來輕柔的聲音，驚訝地抬起頭。不過說話的不是照片，而是布莉安娜，她定睛望著艾德加。羅杰看不出她只是隨便聊聊，還是起了疑心，但她看起來只是出於禮貌問問。

「我忘了……大概是兩、三年前吧！剛開始還很好玩，趕走可惡的英格蘭人，自己加入歐洲共同市場……那時我們在酒吧喝啤酒，從同黨友人那裡回家時，在廂型貨車後面摟摟抱抱，真懷念啊！」艾德加又搖了搖頭，恍惚出神。接著，笑容從他臉上褪去，他對著手上的威士忌皺眉。「後來她就瘋了。」

「瘋了？」羅杰又瞥一眼照片。她是熱衷，但應該還不至於瘋了。還是說，從照片上看不出來？

「對。說什麼白薔薇協會啦、我心愛的查理王子會不會回來啦那些屁話。一堆臭小子穿著全套蘇格蘭裙，連佩劍什麼的都有。」他裝出一副很客觀的樣子。「喜歡是無所謂啦，但小潔每次都搞過頭了，一直說什麼美王子查理，說他一七四五年要是打贏就好了。幾個傢伙一天到晚在我們家廚房喝啤酒爭論他為什麼會輸，而且還是說蓋爾語。都是些廢話。」他翻個白眼，乾了杯裡的酒來強調他的看法。

羅杰覺得布莉安娜的視線就像扁鑽一樣鑽著他的頸子，讓他想拉鬆衣領，卻發現自己沒有打領帶，衣領的鈕釦也沒扣。

「你太太是不是對巨石也有興趣，艾德加先生？」布莉安娜根本懶得裝出只是禮貌上問問的樣子，聲音都尖銳到可以切乳酪了。但聽在艾德加耳裡，效果卻大打折扣。

「石什麼？」他好像已經醉了，還把食指塞進耳洞使勁挖了挖，彷彿希望能聽清楚點。

「史前巨石陣，像是克拉發石塚。」羅杰說了當地比較出名的一個地標。他想，一不做，二不休，同時心裡默默嘆了口氣，看來布莉安娜再也不會和他說話了，那乾脆盡量打聽消息吧！

艾德加笑了一聲：「那個啊！對呀，還有其他你想得到的古老廢物，她都很著迷。這是最糟糕的事，她整天往那個研究院跑，把我的錢都浪費在那些課上……什麼課！真是笑掉我的大牙，教的都是些神話故事！我跟她說，小妞，妳在那裡根本學不到有用的東西，有時間還不如去學打字，找個工作。我這樣跟她說，後來她就跑了。兩個星期沒看到她了。」他悶悶不樂地盯著酒杯，好像很驚訝酒杯已經空了。

「再來一杯？」他伸手拿酒瓶，不過布莉安娜堅定地搖頭：「不，謝了。我們該走了。對吧，羅杰？」

布莉安娜眼裡閃爍著凶狠的光芒，羅杰覺得留下來和艾德加喝完剩下的酒或許比較安全……不過，如果布莉安娜把車開走了，他就得走上好長一段路回家，所以他只好站起身和艾德加握手道別。艾德加的手心溫暖，有點濕潤，但握手的力道出奇堅定。

他一手抓著酒瓶頸，跟著兩人到門口，看著兩人走出矮牆，突然向走廊前方大叫：「如果你看到小潔，叫她回家好嗎？」

羅杰轉身，看到散放亮光的四方形門框中有一道模糊的身影，揮了揮手。

「我盡量！」他大叫，這句話梗在他喉嚨裡。

兩人走到街上，往酒吧走去，半路上布莉安娜就搶先發難。

「你到底打什麼主意？你說過你在高地沒有親戚，這個表妹又是怎麼回事？照片裡的女人是誰？」她說話時滿面怒容，但很冷靜。

羅杰環顧黑暗的街道，努力想好說詞，最後深吸了一口氣，拉著她的手臂。「她是潔莉絲．唐肯。」

她僵住，擺動身體甩脫羅杰的手，動作誇張地把手肘從羅杰手中掙脫開來。兩人小心翼翼維持的表象從中裂開。

她咬著牙嘶聲說：「別、碰、我！這件事是不是我母親的意思？」

羅杰原本決定要體諒布莉安娜的感受，但此刻也升起怒火。「聽著，這件事妳能不能不要只想到自己？我知道這件事對妳來說是個打擊——老天，怎麼可能不是？但如果妳不能靜下心好好想想……呃，我不會逼妳。但妳也要考慮妳母親，考慮我。」

「你？這件事和你有什麼關係？」天色太黑，她的臉看不清楚，但她聽起來顯然是驚訝多於憤怒。

他原本不打算告訴布莉安娜這事和他的關係，以免事情更複雜，不過現在要保密顯然太遲了。毫無疑問，克萊兒建議他今晚帶布莉安娜出來時，就已預見事態會這樣發展。

一瞬間，他忽然明白了，他終於了解克萊兒的打算。她的確有辦法向布莉安娜證明一切。她還有潔莉恩這張牌。潔莉恩或許還沒消失，還沒面臨她作為潔莉絲的宿命；在里歐赫堡的花楸樹下，被綁在燃燒的火柱上。他想，再怎麼頑固、憤世嫉俗的人，只要看到一個人在眼前消失，回到過去，也不得不信了。難怪克萊兒想找到潔莉恩。

羅杰三言兩語告訴布莉安娜他和潔莉恩的關係，這位潔莉恩後來會在克蘭斯穆被判為女巫。

「所以這件事牽涉到我和她的性命。」羅杰說完聳聳肩，感覺這句話聽起來太聳人聽聞，實在很可笑，讓他渾身不對勁。「克萊兒，妳母親，她讓我自己決定，而我最後決定要找到她。」

布莉安娜停下腳步聽他說話。她盯著他，街頭小店昏暗的燈光映出她眼中的光芒。

「那麼，你相信我母親說的話？」她沒有一絲懷疑或嘲諷，認真問道。

他嘆了口氣，再次握住她的手臂。她沒有反抗，而是向他走近。

「沒錯，我不得不信。妳母親看到戒指內側刻字的瞬間，那反應千真萬確，連我都心酸了。」

布莉安娜沉默不語，許久才開口說道：「告訴我，上面寫了什麼？」

等他說完這件事，兩人也走到酒吧後面的停車場。

「如果……」布莉安娜有點遲疑，望著他的眼睛。她站得很近，透著她溫熱體溫的胸脯貼近他的胸膛，但他動也不動。聖科達的蘇格蘭教堂離這兒很遠，兩人都不願回想起那兒的紫杉樹，樹下有座墳墓，上頭刻著布莉安娜父母的名字。

「我不知道，羅杰。我就是沒辦法……我現在還沒辦法想這件事。不過……」布莉安娜搖搖頭。酒吧後門的霓虹燈招牌閃爍，紫色的光芒映上她的髮。她在沉默中舉起一隻手輕觸羅杰的臉頰，輕柔一如晚風吹拂。她低聲吐露：「我會考慮你。」

—

身上有鑰匙要行竊終究不難。安德魯斯太太或麥克伊旺院長不太可能回來當場逮到我。就算兩人真的回來了，我只要說我來找丟失的小筆記本，發現門開著，就沒事了。我很久沒練習了，但某種程度上騙人可以說是我的第二天性。說謊就像騎腳踏車，學會了就不會忘。

所以我的心跳加速，耳中盡是自己的呼吸聲，並非因為我要去拿潔莉的筆記本，而是因為筆記本本身。

在巴黎時雷蒙大師告訴過我，魔法的力量和危險源自相信魔法的人。我之前瞄了一下那筆記本的內容，裡頭匯集了各種消息、臆測與天馬行空的幻想，這些東西只有寫下來的人會當一回事。但摸到筆記本時，那股作噁的感覺千真萬確。我知道是誰寫下那些筆記，知道筆記該是什麼樣子——應該是一本魔法書，記載了魔法師的祕密。

不過，如果想了解潔莉絲的下落與企圖，線索一定就在這裡面了。我摸到光滑的封面，一陣顫抖，好不容易克制下來，把筆記本塞到外套下，用手肘夾著，走下樓梯。

安全回到街上時，我還挾著筆記本，封面沾上我走路時流下的汗水，變得濕滑。我覺得自己好像在運送炸彈，必須特別謹慎，否則炸彈會爆炸。

我走了一段時間，終於來到一家設有臨河露臺的義大利小餐館，走了進去。今晚有點涼，但露臺有部小電暖爐供人取暖。我挑了一張桌子坐下，點了一杯義大利奇揚地紅酒，邊啜飲，邊把筆記本放在面前的餐墊紙上。

現在是四月下旬，再過幾天就是五朔節了。我當年就是在這個時候突然回到過去。要穿過這可怕的時間通道，可能必須要在特定日期，但也許一般時刻也可以，我回來的時候就是四月中旬。我又點了一杯酒。

也許這道屏障對大多數人來說都很堅固，只有某些人能夠穿越，回到過去。這和遺傳有關嗎？又有誰知道？傑米沒辦法進去，但我可以，潔莉絲顯然也可以。但她或許最後不會回去，要看情況。我想到年輕的羅杰，覺得胃有點不舒服。也許我該吃點東西再喝酒。

去了研究所後，我相信不管潔莉恩還是潔莉絲人在哪兒，她都還沒穿越宿命的通道。只要研究過高地傳說的人都知道，五朔節快要到了，要是有人計畫做這種穿越時光的冒險，想必會選在五朔節吧？但我實在想不出來，如果她不在家，會去哪裡？躲起來嗎？還是從菲歐娜的現代德魯伊教派那兒學到一些特殊的準備儀式，現在正在進行？筆記本裡可能有線索，但實際情況只有老天知道。

也只有老天知道我做這件事的動機。我原本以為自己知道，但現在已經無法斷定。我把羅杰扯進來，一起去找潔莉絲，是不是因為這似乎是說服布莉安娜的唯一方法？然而，即使我們及時找到了潔莉絲，要讓布莉安娜相信這一切，也得潔莉絲順利回到過去才行。如此一來，潔莉絲就會被火燒死。

潔莉絲被定罪為女巫的時候，傑米對我說：「不必為她難過，英國姑娘，她是邪惡的女人。」不管她是邪惡還是發狂，那時都已經不重要。我是不是該袖手旁觀，讓她去發現自己的宿命？不過，她救過我的命。不管她是什麼人，或以後會變成什麼人，我是不是都虧欠她，應該救她一命？但這樣又會害死羅杰。我有權利干涉嗎？

這無關對錯，英國姑娘。

我彷彿聽到傑米回應我，聲音聽起來有點不耐煩。

這關乎責任，關乎榮譽。

「榮譽嗎？榮譽又是什麼？」我大聲反問。一名服務生端著我的波多芬諾義大利麵餃走過來，聽到我說話，看起來有點驚訝。

「什麼？」他說。

「沒事。」我太心煩意亂，不在意他怎麼看我。

幽魂縈繞在我的腦海，我就這樣邊想邊吃完晚餐。最後，酒足飯飽，我把空盤推開，打開潔莉恩的灰色筆記本。

第四十九章

眼見為憑

那是另一個年代的衣著。

那人聽到喊聲，轉過頭來，

羅杰匆促間看到她一雙大眼，

金髮因火焰的熱氣在空中翻飛。

在沒有月亮的夜晚，蘇格蘭高地的馬路大概是全世界最黑暗的地方。我不時看到車頭大燈一掠而過，轉瞬即逝的強光映出羅杰頭部和肩膀的輪廓。他的背脊向前傾，彷彿要抵禦迎面而來的危險。布莉安娜也拱著背坐在我旁邊，蜷縮在座椅的角落中。我們三人都不發一語，孤獨待在自己寂靜的小世界中，疾馳的車內則是一片更巨大的寂靜。

我雙手埋在大衣口袋，無所事事地掏著袋子裡的硬幣和碎屑：一條破布、一個鉛筆頭，小病人留在我辦公室地板上的小橡膠球。我轉動拇指，辨認美國二十五毛硬幣的壓鑄花邊，英國便士寬大扁平的人面浮雕，一只鑰匙鋸齒形的邊緣——那是潔莉恩的研究室鑰匙，我忘了還回去。

離開陳舊的牧師宅邸前，我打了電話給艾德加。電話響了又響，沒人接。我盯著身邊黑暗的玻璃窗，看到的既不是自己模糊的身影，也不是龐然的石牆與零星的樹木在夜色中匆匆掠過。我看到了那一列書，擺在研究室僅有的書架上，像藥劑師的藥瓶般排得整整齊齊。還有書架下的筆記本，以優美的手寫字體寫得滿滿的，嚴謹地鋪陳出推斷與妄想，揉和了神話與科學，汲取自研究與傳說，再以幻想的力量織就一切。乍看之下，那只是未經深思的胡言亂語，充其量也只能說是故意裝傻的小說大綱。只有我看到裡面醞釀著一個謹慎周到、小心盤算的計畫。

筆記本的第一部分很可笑地模仿科學研究方法，題為「觀察」，包含支離破碎的參考資料、整齊的繪圖、精心編號的表格。有個表格是「五朔節的太陽及月亮位置」，下面列出兩百多組數字。蘇格蘭除夕、仲夏節也都有類似的表格。還有一個表格是蓋爾人的亡靈節❶，都是火與太陽的古老祭典。天一亮，就正是五朔節了。

筆記本的主要部分標為「推測」。我挖苦地想，這標題倒下得很正確。其中一面以整齊的斜體字寫著：

「德魯伊教徒把獻祭的犧牲者放在人形的柳枝籠中焚燒，但人先勒死，切開脖子放血。在這裡，火和血哪一個是必要元素？」看到這冷血的問題，我眼前清晰地浮現潔莉絲的面孔，不是研究院照片上那個大眼直髮的學生，而是財政官似笑非笑的神祕妻子，年齡比現在大上十歲，精於運用藥物及身體，為了自己的目的引誘男人，再冷酷地殺了他們。

筆記本的最後幾頁整齊地標上「結論」，我們就是因為其中的資訊，而在五朔節祭典的前夕踏上這趟黑暗的旅程。我屈指抓住鑰匙，真希望艾德加那時候接起電話。

羅杰放慢車速，轉入顛簸的泥土小路，這條路會通過納敦巨岩的山丘下。

「我什麼都沒看到。」他好長一段時間默不作聲，一開口就有點粗聲粗氣，火藥味十足。

「你當然看不到，從這裡又看不到巨石陣。」布莉安娜沒好氣地說。

羅杰嘟噥一聲，放慢車速。布莉安娜顯然神經緊繃，但羅杰也一樣。只有克萊兒看起來還算平靜，不受車裡越來越緊繃的氣氛影響。

「她在這兒。」克萊兒突然說道，羅杰立刻踩下剎車，由於太過突然，克萊兒和布莉安娜直往前甩，撞到前方的座椅椅背。

「小心點，你這個大笨蛋！」布莉安娜氣得大叫，伸手撥開臉上的頭髮，動作透露出緊張不安。她彎腰

---

❶亡靈節（Samhainn）在每年的十月三十一日，蓋爾人在這天慶祝豐收季節結束、進入冬天。他們相信死神 Samhain 會在這一天回到人界，陰陽兩界的邊界會消失，死者重回人間。

往黑暗的窗戶看去，用力嗾嗾喉問道：「在哪裡？」

克萊兒往右邊一揚頭，手還是深深插在口袋裡。「那兒停了一輛車，就在灌木叢後面。」

羅杰潤潤嘴唇，伸手開門。

「是艾德加的車。我去看看，妳們留在這兒。」

布莉安娜猛地推開車門，沒上油的鉸鍊發出金屬刺耳的聲音。她不發一語，輕視的目光瞥過羅杰，讓羅杰的臉在車頂小燈微弱的光芒下漲得通紅。

他才剛下車，布莉安娜就回來了。

「那兒沒人。」她又往丘頂瞟了一眼，「會不會……」

克萊兒沒有回答，伸手扣好外套，走進黑暗中。

「路在這邊。」克萊兒說道。

克萊兒自然率先上了小丘。羅杰看著那蒼白的身影像幽靈一樣飄上面前的山丘，不由得想起聖科達蘇格蘭教會墓地的那趟陡峭山徑之旅。布莉安娜也想起來了，她躊躇不決，小聲嘟噥，接著伸手抓住羅杰的手肘，用力一捏。羅杰不明白她究竟是鼓勵他，還是要他幫忙，無論如何，這一捏確實讓他振作了起來。他拍拍她的手，塞到自己臂彎裡。雖然他還是滿腹疑竇，這趟探索也實在太過古怪，但快到丘頂時，他還是興奮莫名。

這晚天氣晴朗，但沒有月亮，十分昏暗，只有星星閃爍著雲母般的微光，讓他們在一片黑暗中分辨出古代巨石陣裡若隱若現的巨石。三人在渾圓的丘頂停住，像迷失的羊群擠成一團。羅杰聽到自己異常粗重的呼吸聲。

「我們真傻！」布莉安娜從齒間迸出這句話。

行動？

「不，一點也不。」他突然覺得喘不過氣來，似乎所有空氣都被束帶擠出胸口。「那兒有光線！」

有道身影一閃即逝，但布莉安娜看見了，羅杰聽到她大吸了一口氣。

羅杰心想，現在該怎麼辦？大叫嗎？這樣會不會嚇到對方，把他們逼急了？若真如此，他們又會有什麼行動？

這時羅杰看見克萊兒突然搖頭，像是要趕走耳邊的小蟲。她朝後踉蹌，離開最近的岩石，撞上羅杰。

羅杰抓住克萊兒的手臂，喃喃說著：「鎮定，鎮定。」好像在和馬說話。在星光下她的臉暗淡模糊，但感覺得到一股顫慄傳遍她全身，就像電流通過。羅杰愣住了，抓著克萊兒的手，僵在那兒，不知如何是好。

一股刺鼻的汽油味突然傳來，羅杰回過神來，趕緊行動。恍惚間他看到布莉安娜也聞到汽油味，揚起頭，朝石陣北邊走去。於是羅杰放開克萊兒的手臂，穿過周圍的草叢和石塊，大步走向石陣中央。那兒有道黑色的身影，弓著背，在深色的草地上形成一個更深的墨點。

克萊兒強硬而急切的聲音從他背後傳來，打破了沉默。

「潔莉恩！」克萊兒大喊。

突然輕輕嘍的一聲，一道光照亮了黑夜。羅杰眼睛一花，後退一步，跌跌撞撞跪到地上。

一時間，他只感覺光線打在視網膜上一陣劇痛，明亮的火焰遮蓋了一切。他聽到身邊有人大叫，覺得布莉安娜的手抓住他肩膀。他費力地眨眨眼，流了眼淚，視力逐漸恢復。

在他們和火焰之間站著一道纖細的身影，輪廓有如沙漏。等羅杰恢復視力，他發現那人穿著及地長裙與緊身胸衣，那是另一個年代的衣著。那人聽到喊聲，轉過頭來，羅杰匆促間看到她一雙大眼，金髮因火焰的熱氣在空中翻飛。

羅杰掙扎起身，邊疑惑她是如何拖來這麼多木頭，接著，一股頭髮燒焦與皮膚爆裂的氣味像一記重拳撲面而來。他想起了，艾德加今晚不在家，還有，她不確定血和火哪個是必要元素，於是兩個都選了。

他擠開布莉安娜衝上前去，凝視著面前那高䠷苗條的女孩，還有那張肖似自己的臉孔。她看見羅杰跑來，轉身飛奔，衝向巨石陣邊緣一塊裂開的巨石。她斜背了一只粗糙的帆布包，包包劇烈晃動，打在她身側，羅杰聽見她叫了一聲。

她遲疑了一下，手朝巨石伸去，回頭一望。羅杰發誓她的目光穿透了火焰，停在自己身上，和他四目相接。羅杰張嘴想喊，卻發不出聲。接著她轉身，如飛舞的火花般輕盈一躍，消失在岩石的裂縫中。

那火焰、羅杰的身體，以及黑夜本身，猛然間全都消失在激昂的尖叫聲中。羅杰發現自己面朝下躺在草地上，手抓著土，狂亂地想找回平常的知覺。但他什麼都找不到，所有的感覺都失靈了，連碰觸地面時也毫無實感，彷彿他身下不是花崗岩，而是流沙。

羅杰眼前一片白茫茫，裂石的尖叫聲震耳欲聾，他伸手摸索，瘋狂揮舞，卻無法感受到自己的四肢，只感受到一股強大的拉力，並覺得自己一定要抵抗那股力量。

他感覺不到時間流逝，似乎自己已經在空虛中掙扎了好久。終於，他察覺到自己以外的東西。有雙手死命抓住他的手臂，溫熱的胸部壓在他臉上，讓他難以呼吸。

羅杰的聽力逐漸恢復，聽到有個聲音在呼喊——應該說是在臭罵，而且上氣不接下氣。

「你這個笨蛋！你這個……混蛋！醒醒，羅杰！你這個……大蠢豬！」聲音很模糊，但他聽得很清楚。他竭盡全力，伸手抓住她的手腕，轉動眼珠時，沉重的感覺還是不斷襲來。他愣了愣，眨眨眼，眼前是布莉安娜布滿淚痕的臉頰，在即將熄滅的火光下，雙眼如洞窟般幽暗。

汽油和皮肉燒焦的味道非常強烈，羅杰轉過身去，對著潮濕的草地大聲乾嘔，甚至顧不得慶幸自己恢復了嗅覺。

他拿袖子擦了擦嘴，顫抖著伸出手摸索布莉安娜。布莉安娜也縮成一團，不停顫抖。

「天啊！噢，天啊！你直直朝那邊爬過去，我以為沒辦法把你拉回來了。噢，天啊！」布莉安娜說著。

羅杰把她拉過來的時候，她沒有抵抗，但也沒有其他反應，仍瑟瑟抖著，空洞的大眼噙著淚，嘴裡斷斷續續重複著：「噢，天啊！」像跳針的唱機。

羅杰輕拍著安撫她：「噓，沒事了，沒事了。」天旋地轉的感覺逐漸減退，但他還是覺得自己分裂成好幾塊，朝四面八方炸開。

地上一團焦黑的物體發出微微的劈啪聲，布莉安娜一下下抽泣著，但除此之外，夜晚一片寧靜。羅杰摀住耳朵，像要制止淒厲的噪音繼續在耳中迴盪。

「妳也聽到了？」羅杰問道。

布莉安娜止不住哭泣，但還是像木偶一樣，動作生硬地點點頭。

「妳……」羅杰開口，一點一滴費力拼湊思緒，等他終於完整記起一件事，倏地跳了起來。

「妳母親！克萊兒！克萊兒在哪裡？」他緊箍著布莉安娜的雙臂，大聲喊道。

布莉安娜嚇得張大嘴，匆忙站起身，慌張地查看空蕩蕩的巨石陣。巨石陣中森然聳立著和人一樣高的巨石，給火苗殘焰蒙上幢幢黑影。

布莉安娜尖叫：「媽！媽！妳在哪裡？」

「沒關係，她沒事的。」羅杰試圖用安撫的語調說道。

坦白說，他也不曉得克萊兒是不是真的沒事。起碼她還活著，這件事他可以保證。他們在巨石陣邊緣的草地上發現她，她失去意識，臉色蒼白如升起的月亮，手上的刮傷慢慢滲出深紅的鮮血，證明她的心臟還在跳動。他們沿著小徑回到車上，一路上走得非常痛苦。克萊兒毫無生氣的身體沉沉壓在他肩上，每當羅杰腳下絆到石塊、樹枝勾到衣服，她的身體就狼狽地磕磕碰碰。

他想忘掉這一切。

走下受詛咒的山丘已耗盡羅杰所有的力氣，後來是布莉安娜把車開回牧師宅邸。她表情嚴肅而專注，雙手像老虎鉗緊抓著方向盤。羅杰癱在她旁邊的座位上，從後照鏡看見山頂後方的丘頂只剩最後一絲熒熒火光，丘頂還飄來一朵小小、發亮的雲朵，像大砲的煙霧，靜靜見證了剛才的戰鬥。

此刻，克萊兒躺在沙發上，布莉安娜僵立在一旁，彷彿石棺上的石雕。羅杰打了個冷顫，拉出牧師用來暖腳的電暖器。電暖器的電熱管亮起，散發橙色的暖光，還發出吵雜但舒適的嗡嗡聲，驅走了書房的寂靜。

羅杰坐在沙發旁的矮凳上，覺得自己全身乏力，渾身僵硬。他使出僅存的意志，伸手去拿電話，但又停在電話上方。

「我們要不要……」他不得不停下來清清喉嚨。「叫醫生？還是警察？」

「不用。她就要醒了。」布莉安娜俯身看著沙發上的克萊兒，一臉恍惚。

克萊兒眼皮顫動，因為記起疼痛又緊蹙了一下，接著放鬆，張開眼來。她的眼睛色澤如蜂蜜般柔和，清澈的目光來回游移，掠過筆直站在身旁的布莉安娜，停在羅杰臉上。

她的唇色慘白，面容也毫無血色，試了幾次，才用嘶啞的聲音擠出話來。

「她……回去了？」

羅杰見克萊兒手指絞著裙子，在裙上留下淡淡的深色血跡，自己也本能地抓住膝蓋，手心發麻。是了，她剛剛也掙扎著要抓住一草一石，以免再捲入過去的漩渦。羅杰想起那股撕裂人的拉力，閉上眼睛，點了點頭。「對，她回去了。」

克萊兒清澈的雙眼掃向布莉安娜，眉毛揚起，像要發問，但開口的是布莉安娜。「所以這是真的？一切都是真的？」

羅杰感覺一陣微微的顫慄傳遍布莉安娜的身體，便不假思索伸手握住她。她捏了他的手回應，他不由得縮了一下，想起牧師說過的話：「那沒有看見就信的有福了。」那麼，堅持眼見為憑的人呢？因目擊這一切而不得不信的布莉安娜在他身邊恐懼發抖，害怕接下來還要面對更多她不得不相信的事。

她身體緊繃，鼓起勇氣面對親眼見證的事實，沙發上的克萊兒卻放鬆了原本僵直的身體。淡淡的微笑浮上她蒼白的唇角，深沉的寧靜撫平她緊張的面容，並停駐在她金色的雙眼中，灼灼閃耀。

她的臉頰逐漸恢復血色。

「是真的。媽媽怎麼可能騙妳？」說完，她再次閉上眼睛。

羅杰伸手關掉電暖器。夜裡很冷，但他不能再待在書房這個臨時的避難港灣了。即使頭腦昏沉沉，他也不能借故拖延，他得作出決定。

天亮了，警方和醫生還在繼續前一晚的工作，填表格、錄口供、量心跳血壓等等，盡力編造出另一種解釋。羅杰再一次虔誠地想：「那沒有看見就信的有福了。」在這個狀況中尤其如此。

最後他們終於帶著表格、徽章離開，開著不停閃燈的警車，將艾德加的遺體從巨石陣帶走，並發出拘捕令逮捕他的妻子，因為她把丈夫引到現場殺害後逃逸。羅杰昏昏沉沉地想，這說法還真是避重就輕啊！

他身心疲憊不堪，把克萊兒母女留給醫生和菲歐娜照顧後便上床睡覺。他懶得脫衣服，甚至來不及蓋被就一頭栽進夢鄉，暫時忘了一切。夕陽快下山時，飢餓的感覺將他吵醒，他迷迷糊糊下樓時，見到克萊兒母女正默默幫著菲歐娜準備晚餐。

這頓飯吃得十分安靜，氣氛並不緊張，好像彼此以一種隱形的方式在溝通。布莉安娜坐在克萊兒身邊，遞食物的時候不時碰一下母親，彷彿要確認母親的存在。她也偶爾低垂著視線，羞澀地瞄著羅杰，但沒有跟他說話。

克萊兒話不多，也幾乎沒怎麼吃，只是靜靜坐著，和陽光下的湖泊一樣安詳。晚飯後克萊兒說自己累了，之後就起身告退，獨自坐在客廳盡頭窗戶邊的椅子上。布莉安娜看了一眼面朝窗戶、身影映在夕陽最後一抹餘暉中的母親，便到廚房幫菲歐娜洗碗，羅杰則裝了滿肚子菲歐娜的好菜，回到書房。

兩小時後，他還在苦思。書本凌亂地散落在書桌、椅子和沙發椅背上。原本塞得滿滿的書架此時缺了好幾本，看得出羅杰正極力做著毫無條理的研究。

他花了一點時間，終於找到了。之前他幫克萊兒找到一篇短文，上面的內容安撫了她的心，但這則的結果就不同了——如果他告訴她的話。他應該是對的吧？一定是，從這段文字就可以了解那座墳墓的位置為何那麼奇怪，離卡洛登那麼遠。

羅杰伸手抹臉，摸到粗礪的鬍碴。不意外，他把刮鬍子和其他事全忘了。閉上眼，他仍然可以聞到煙味和血腥味，看到巨石上的火焰，還有那縷金髮飄盪在他恰好觸不到的地方。想起這些，他打了個寒顫，突然湧出不滿的情緒。克萊兒毀了他內心的平靜，他還欠她什麼嗎？還有布莉安娜——現在她知道真相了，她應該知道一切嗎？

克萊兒依然在走廊盡頭，縮著腳坐在靠窗的椅子上，對著覆滿夜色的漆黑玻璃向外凝望。

「克萊兒？」羅杰太久沒說話，聲音有點沙啞。他清清喉嚨，再次開口：「我……有事要告訴妳。」

她轉身抬頭看著他，臉上沒有多少好奇，看起來一臉平靜，那是勇敢承受了恐懼、絕望、悲痛，以及獨自倖存的強烈打擊才有的表情。羅杰看著她，突然覺得難以啟齒。

但她勇敢說出了實情，他必須向她看齊。

「我發現了一件事……和傑米有關。」他多此一舉地揚了揚手上的書。大聲說出這個名字似乎激勵了羅杰，彷彿那高大的蘇格蘭人聽到他的召喚現身，堅定地站在走廊上，站在妻子和羅杰之間。他深吸一口氣，作好準備。

「什麼事？」

「他本來想做的最後一件事。我想……他沒成功。」

「你說他的手下？但你不是發現……」

羅杰打斷克萊兒：「沒錯，我很確定這件事他成功了，他找到拉利堡的手下，救他們離開卡洛登，讓他們走上回家的路。」

「但後來……」

「他本來要回頭，回到戰場，我想他確實也回去了。」羅杰越來越開不了口，但他不得不說。他想不出怎麼說，於是翻開書，大聲唸出來：

卡洛登的最後一役，十八名詹姆斯黨人，全為軍官，負傷在一間老房子裡躲了兩天。他們的傷口無人治療，痛苦地躺在那兒，後來被抓出來槍斃。其中，羅瓦特領主麾下一名姓弗雷瑟的軍官逃過一劫，其他人則葬在國內公園的邊界。

「其中，羅瓦特領主麾下一名姓弗雷瑟的軍官逃過一劫……」羅杰輕聲重複這句話，然後抬起頭，目光離開硬梆梆的書頁，注視著克萊兒。克萊兒睜著茫然的大眼，像小鹿盯著迎面而來的車頭大燈。

羅杰低聲說：「他本來應該要死在卡洛登，但他沒有。」

異鄉人 2 琥珀蜻蜓/ 黛安娜.蓋伯頓(Diana Gabaldon)著 ; 徐嘉妍譯. --
初版. -- 新北市 : 大家出版 : 遠足文化發行, 2015.03
冊 ; 公分
譯自 : Dragonfly in amber
ISBN 978-986-6179-88-4(下冊 : 平裝)

874.57 103023021

Dragonfly in amber
異鄉人 Outlander 2：琥珀蜻蜓（下）

作者・黛安娜・蓋伯頓（Diana Gabaldon）｜譯者・徐嘉妍｜封面設計・蔡南昇｜內頁排版・謝青秀｜責任編輯・郭純靜｜副主編・宋宜真｜行銷企畫・陳詩韻｜總編輯・賴淑玲｜社長・郭重興｜發行人兼出版總監・曾大福｜出版者・大家出版｜發行・遠足文化事業股份有限公司　231 新北市新店區民權路108-4號8樓　電話・(02)2218-1417　傳真・(02)8667-1065｜劃撥帳號・19504465　戶名・遠足文化事業有限公司｜印製・成陽印刷股份有限公司　電話・02)2265-1491｜法律顧問・華洋法律事務所　蘇文生律師｜定價・400元｜初版一刷・2015 年 5 月｜初版二刷・2015 年 7 月｜有著作權・侵犯必究｜本書如有缺頁、破損、裝訂錯誤，請寄回更換